練性乾 編

南懷瑾談
歷史與人生

老古文化事業公司

ICI 國際文教基金會 INTERNATIONAL CULTURAL INSTITUTE LTD.
光華教育基金會 KWANG-HUA EDUCATIONAL FOUNDATION LTD.
901 Diamond Exchange Building, 8-10 Duddell Street,
Central, Hong Kong. Tel: 845 5555 Fax: (852) 525 1201
香港中環都爹利街8號鑽石會大廈901室

惟乾如晤：

我正在旅途中，獲悉有關《歷史人生縱橫談》一書事，我就不必再看了，免得自己臉紅。我的書，台灣已出版了三十多種，大陸也出了十幾本，其实，我自己都不滿意。

你既然已化了那麼多時間，整理出這本《縱橫談》又有出版社願意出書，那就隨緣吧！這本書如果能給人貢獻一點有關中華民族傳统文化方面的知識，你的好意也就達到目的了。

但希望讀者们，從此能更上層樓，探索固有文化的精華所在，千萬不要把我看作什麼專家、權威、學者。我從來把自己歸入旁門左道，而非正统主流。我只是一個好學而無所成就，一無是處的人。一切是非曲直，均由讀者自己去判斷。是所至盼。　癸酉初春人日後一日。

1993.1.30.　　南懷瑾

南懷瑾先生

出版說明

這本書是從南懷瑾先生的著述中，摘選編輯而成。編輯本書的人，是大陸資深著名記者練性乾先生。初版兩萬册在一九九二冬北京發行，很快銷售一空。今年（九五）春季，又經增添訂正，在上海出版，六月份已進入上海新華書店暢銷排行榜第八名了。

練氏閱讀南老著述極爲深入，因感大陸的廣大讀者們，未能有緣遍閱南老著述，心生同情，起念挑選書中生動幽默精彩的章節，編集成册，以饗筵讀者，更鑒於今日社會生活忙迫，使人難以抽暇閱讀，此集則可給忙碌的讀者大開方便之門。從出版後受歡迎的情況看來，練氏的構想確實有洞悉先機之妙。

筆者最先結識的，是練氏的另一半李佩珠女士，時在一九九〇年冬的北京。李女士是北京大學出身，那時擔任北京友誼天地月報的編輯，伉儷同在文化界活躍，傳爲佳話。初次晤面，練氏就談到編輯此書的構想，不愧爲資深文化人，對文化脈動有先見之明。後練氏對南老著述在大陸出版事，亦熱心支持，「老子他說」與「孟子旁通」二書之出版（一九九二年北京）亦是經由他的引介而成。

這本書在北京出版後，本擬在台印行繁體字版，但考慮到有灌水出版之嫌，因而打消印行計畫。

今春上海再版此書，受到更熱烈的迴響，據行家估計，大陸應有三百萬册的銷售潛力。同時，台港的讀者們，也爭相探詢，希望看到繁體字版。看來忙碌的人們，對於這本文摘型的書，的確有很大的需求。爲此之故，又經再三研商，始有本書在台之問世。對於練氏爲這本書所貢獻的心力，在此深表謝意，而練氏的遠見，更令人欽佩。

老古文化公司編輯室劉雨虹記

民國八十四年七月於台北

再版前言

《南懷瑾歷史人生縱橫談》於前年底由華文出版社出版後，銷路不錯，反應頗佳，書內好幾篇文章被多家報刊轉載。我自己心裡卻一直不安，因爲編校疏忽，全書出現了一些錯別字；《帝王好色入詩來》、《舊八股與新八股》和《人人可做觀世音》等三篇文章，也只有開頭，後面好幾段文字被漏排了。

承蒙復旦大學出版社的支持，決定出版這本書的修訂本，並改書名爲《南懷瑾談歷史與人生》。借此機會，改正了初版書中的錯別字，補上了漏排的段落，並補充了《苦命的皇帝》、《誰肯將身作上皇》、《欲除煩惱須無我》、《春秋多權謀》、《長短經》——反經》、《蘇秦的歷史時代》、《商鞅的變法》、《聖盜同源》和《神奇的堪輿學》等九篇文章。

希望這本書能受到更多讀者的喜愛。

練性乾

一九九五年二月

前言

一輩子同文字打交道，自然是讀了一些書。但對一位作者的書讀得那麼認真、那麼津津有味，在兩三年的時間裡讀了他十幾本專著，在我的讀書經歷中，算是件稀罕的事。這位作者就是台灣著名學者南懷瑾先生。雖然未曾謀面，未拜過師，但是，我在書信中還是稱呼他爲「老師」——不是北京眼下逮住誰都叫「老師」的客套，而是從心底裡感到，南懷瑾先生的學問、人品，確實令我敬佩、羨慕。

南懷瑾先生在台灣有許多頭銜：教授、大居士、宗教家、哲學家、國學大師和禪宗大師等，還一度名列台灣十大最有影響的人物，但流傳最廣的卻是這個最普通的稱謂——南老師。上至達官貴人，下至販夫走卒，都這樣稱呼他；不管三教九流，男女老幼，也都如此親暱地叫著他；許多人都以是南老師的學生而引以爲榮，而南老師自己則經常謙虛地說：「我從來没有一個真正的學生，也没有收過一個徒弟。」接著，還自我幽默一下：「老師早，老師好，老師不得了！我最討厭人家把我當成偶像。吾乃一凡人，不足讓人盲從我。」

南老師自謙爲凡人，實際上他的一生充滿了傳奇色彩。

南老師出生於浙江溫州樂清的一個書香人家，自幼接受嚴格的私塾教育。少年時期，已遍讀諸子百家，還學習拳術劍道等各種功夫，此外，還學習文學、書法、醫藥和易經、天文等。

抗戰軍興，南老師入川，曾任教於當時的中央軍校，並在金陵大學研究所研究社會福利學。後離校專門研究佛學，花三年時間遍閱《大藏經》，後又遠走康藏，參訪密宗大師。此後，曾講學於雲南大學和四川大學。

抗戰勝利後，於一九四七年返鄉。不久，歸隱於杭州之三天竺之間；後又於江西廬山天池寺附近結茅篷清修。

一九四九年春，南老師去台，一住近四十年，畢生從事教學工作，先是個別授學，後執教於文化大學、輔仁大學以及其它院校和研究所，並創辦東西精華協會、老古文化事業公司等文化事業。

南老師學問博大精深，一生著作等身，在台灣已出版了三十一部專著，其中大多爲南老師講述，他人整理。目前，還有大量講學錄音帶尚未整理。南老師的著作不像三毛、瓊瑤的小說那樣暢銷一時，而是長銷不衰、一版再版，最多的一種達十八版，印數四十萬册。台灣流傳一段佳話：一對新婚夫婦互贈禮品，新郎向新娘贈送一套《論語別裁》，新娘還贈一套《孟子旁通》，而這兩部書都是南老師的著作。

隨著海峽兩岸關係的發展，大陸的讀者有機會讀到南老師的書。自一九九〇年以來，大陸的復旦大學出版社、國際文化出版公司等幾家出版社，已先後出版了南老師的《論語別裁》、《孟子旁通》、《老子他說》、《歷史的經驗》、《禪宗與道家》、《靜坐修道與長生不老》等好幾部專著，還有《禪海蠡測》、《易經雜說》和《易經繫傳別講》等正在洽商出版中。南老師的書在大陸雖未引起轟動，但也擁有不少讀者。在我的朋友中，有專家教授，也有青年學生、一般幹部，凡讀過南老師著作的人，無不叫好，無不佩服。一位朋友說，他在書店看到南懷瑾的書，隨便翻翻，就毫不猶豫買下來，雖然書價不低。一個個體書販在我案頭看到南老師的書，就說：「南懷瑾的書好賣，有人一看見『南懷瑾』三個字就買，都說這老頭子學問大，字字值錢。聽說他九十多歲了……」他講了一大堆不知從哪兒聽到的傳聞，說得有點神了，我趕緊拿出南老師的相片給他看，並告訴他，老師今年才七十四歲。

我喜歡讀南老師的書，因爲他的書別具一格，不同凡響。南老師畢生鑽研並弘揚中華傳統文化，但他並不拘泥於一字一句的訓詁注疏，不固執於一得之見、一家之言，而是透徹地理解儒釋道各家的學術精髓，結合現代社會的種種現象和現代人的種種心態，廣徵博引，談笑自如。「上下五千年，縱橫十萬里，經綸三大教，出入百家言」，這是南老師客廳裡掛著的條幅，反映了南老師寬闊的胸懷和執著的追求。

南老師的著作一個難能可貴的特點是通俗易懂。《易經》、《論語》、《老子》這些幾千年前的深奧經典，南老師用通俗、輕鬆、幽默的現代口語講解起來，使讀者如同聽故事讀小說，入耳入腦，愛不釋手；南老師的書還充滿人生哲理、富於强烈的民族意識。難怪出版界爭相出版南老師的書。

我無意吹噓南老師的書完美無缺或句句是真理。我敢說，國內學術界的專家學者肯定可以在南老師的書中挑出毛病或提出完全與之相反的觀點。本來，如何解釋、評價幾千年前古人講過的話，有不同的意見是很自然的。老子的一部《道德經》，才五千多字，但後世詮釋評價《道德經》的文章專著恐怕已有幾千萬言了，不僅有中國的，還有外國的，無不摻進了作者本人的思想觀點，老子如果活到現在，不知作何感想。所以，南老師謙虛地把自己的書名都用上「別裁」、「雜說」、「旁通」等。

南老師現已離開了講壇，幾年前，移居香港。南老師淡泊名利、不求聞達，但聲名遠播、桃李滿天下；南老師學富五車、功成名就，但沒有高官厚祿、腰纏萬貫。出於對家鄉的厚愛，出於對中華民族繁榮富强的企望，南老師在海外籌集巨資，建立了幾個投資公司和基金會，在國內開辦或籌組八個合資企業，合資修建溫州至金華的鐵路的項目也正在落實；南老師慷慨解囊，在全國二十多所高等學校設立獎學金或提供資助，但是他不讓宣傳，連他親近的人也說不清有多少人得到過南老師的扶植。

南老師的書在大陸已印行了幾十萬册，擁有相當數量的讀者，但南老師的身世人品還鮮爲人知。我根據間接得來的信息作此短文，不足以全面反映南老師的道德文章。這是我第一次未經採訪本人而寫成的人物專訪，但願有機會親聆教誨，向喜歡南老師書的讀者介紹南老師不平凡的業績。

練性乾

一九九二年八月

目錄

第一章 詩話與人生

第四章 讀書與論史

第五章　談典與論人

第一章 詩話與人生

詩的偉大

「詩三百」是指中國文學中的《詩經》，是孔子當時集中周朝以來，數百年間，各個國家（各個地方單位）的勞人思婦的作品。所謂勞人就是成年不在家，爲社會、國家在外奔波，一生勞勞碌碌的人。男女戀愛中，思想感情無法表達、蘊藏在心中的婦女，就是思婦。勞人思婦必有所感慨。各地方、各國家、各時代，每個人內心的思想感情，有時候是不可對人説，而用文字記下來，後來又慢慢地流傳開了。孔子把許多資料收集起來，因爲它代表了人的思想，可以從中知道社會的趨勢到了什麼程度，爲什麼人們要發牢騷？「其所由來者漸矣！」總有個原因的。這個原因要找也不簡單，所以孔子把詩集中起來，其中有的可以流傳，有的不能流傳，必須刪掉，所以叫做刪詩書，定禮樂。他把中國文化，集中其大成，作一個編輯的工作。對於詩的部分，上下幾百年，地區包括那麼廣，他集中了以後，刪除了一部分，精選編出來代表作品三百篇，就是現在流傳下來的《詩經》。

讀《詩經》的第一篇，大家都知道的「關關雎鳩，在河之洲，窈窕淑女，君子好逑。」拿現在青年的口語來講，「追！」追女人的詩。或者說，孔子爲什麼這樣無聊，把台北市西門町追女人那樣的詩都拿出來，就像現在流行的戀愛歌「給我一杯愛的咖啡」什麼的。這「一杯咖啡」實在不如「關關雎鳩，在河之洲」來得曲折、含蓄。由此我們看到孔子的思想，不是我們想像中的迂夫子。孔子說：「飲食男女，人之大欲存焉。」人一定要吃飯，一定要男女追求，不過不能亂，要有限度，要有禮制。所以他認爲正規的男女之愛，並不妨害風化。那麼他把文王——周朝所領導的帝王國度中，男女相愛的詩列作第一篇，爲什麼呢？人生：飲食男女。形而下的開始，就是這個樣子。人一生來就是要吃，長大了男人要女人，女人要男人，除了這個以外，幾乎沒有大事。所以西方文化某些性心理學的觀念，强調世界進步乃至整部人類歷史，都是性心理推動的。

《詩經》歸納起來，有兩種分類——「風、雅、頌」、「賦、比、興」。什麼叫「風」？就是地方性的，譬如說法國的文學是法國的文風，法國文風代表法國人的思想、情感，所以《詩經》有《鄭風》、《魯風》、《齊風》等等。「雅」以現代用詞來講，是合於音樂、文學的標準，文學化的、藝術化的，但有時候也不一定文學化、藝術化。「頌」就是社會、政府公事化的文學。

作品另三種型態，一種是「賦」，就是直接的述說。其次是「比」，如看見下大雪，想起北國的家鄉來，像李太白的詩：「舉頭望明月，低頭思故鄉。」因這個感觸聯想到那個，就叫「比」。「興」是情緒，高興的事自己自由發揮；悲哀的事也自由發揮；最有名的，像大家熟悉的文天祥過零丁洋七律詩：

辛苦遭逢起一經　干戈寥落四周星
山河破碎風吹絮　身世飄零雨打萍
惶恐灘頭說惶恐　零丁洋裡嘆零丁
人生自古誰無死　留取丹心照汗青

這也就是「興」。他在挽救自己的國家、挽救那個時代而遭遇敵人痛苦打擊的時候，無限的情感，無限的感慨。這也就是真的牢騷，心裡鬱悶的發洩，就是「興」。

孔子說，我整理詩三百篇的宗旨在什麼地方？「一言以蔽之」——一句話，「思無邪」——人不能沒有思想，只要是思想不走歪曲的路，引導走上正路就好。譬如男女之愛。如果作學問的人，男女之愛都不能要，世界上沒有這種人。我所接觸的，社會上各界的人不少，例如出家的和尚、尼姑、神父、修女，各色各樣都有，常常聽他們訴說內心的痛苦。我跟他講，你是人，不是神，不是佛，人有人的問題，硬用思想把它切斷，是不可能的。人活著就有思想，凡是思想一定有問題，沒有問題就不會思想，孔子的「思無邪」就是對此而言。人的思想一定有問題，不經過文化的教育，不經過嚴正的教育，不會走上正道，所以他說整理詩三百篇的宗旨，就為了「思無邪」。

第一以現在的話來說，一切政治問題、社會問題只是思想問題。只要使得思想純正，什麼問題都解決了。我們知道，現在整個世界的動亂，是思想問題。所以我在講哲學的時候，就說今天世界上沒有哲學家。學校裡所謂的哲學，充其量不過是研究別人的哲學思想而已。尤其是作論文的時候，蘇格拉底怎麼說，抄一節；孔子怎麼說，抄一節。結果抄完了他們的哲學，自己什麼都沒有，這種哲學只是文憑！

世界上今天需要真正的思想，要融匯古今中外，真正產生一個思想。可是，現在不止中國，這是個思想貧乏的時代，所以我們必須發揮自己的文化。

第二牽涉到人的問題。中國歷史上，凡是一個大政治家，都是大詩人、大文學家。我常和同學們說，過去人家說我們中國沒有哲學，現在知道中國不但有哲學，幾乎沒有人有資格去研究。因爲我們是文哲不分，中國的文學家就是哲學家，哲學家就是文學家，要了解中國哲學思想，必須把中國五千年所有的書都讀遍了。西方的學問是專門的，心理學就是心理學，生理學就是生理學。過去中國人作學問要樣樣懂一點，中國書包括的內容這樣多，哪一本沒有哲學？哪一樣不是哲學？尤其文學更要懂了，甚至樣樣要懂，才能談哲學，中國哲學是如此難學。譬如唐初有首詩，題名《春江花月夜》，其中有兩句說：「江上何人初見月？江月何年初照人？」與西方人的先有雞還是先有蛋的意思一樣，但到了中國人的手裡就高明了，在文字上有多美！所以你不在文學裡找，就好像中國沒有哲學，在中國文學作品中一看，哲學多得很，譬如蘇東坡的詞：

明月幾時有　　把酒問青天
不知天上宮闕　　今夕是何年

這不是哲學問題嗎？宇宙哪裡來的？上帝今天晚上吃西餐還是吃中餐？不知天上宮闕，

今夕是何年？他問的這個問題，不是哲學問題嗎？所以中國是文哲不分的。此其一。

文史不分：中國歷史學家，都是大文學家，都是哲學家，所以司馬遷著的《史記》裡面的八書等等，到處是哲學，是集中國哲理之大成，此其二。

文政不分：大政治家都是大文豪，唐代的詩為什麼那麼好，因為唐太宗的詩太好了，他提倡的。明代對聯為什麼開始發展起來，朱元璋的對聯作得很不錯，他儘管不讀書，卻喜歡作對聯。有個故事，朱元璋過年的時候，從宮裡出來，看見一家老百姓門前沒有對子，叫人問問這家老百姓是幹什麼的，為什麼門口沒有對子。一問是閹豬的，不會作對聯。於是朱元璋替他作了一副春聯：「雙手劈開生死路，一刀割斷是非根。」很好！很切身份。唐太宗詩好，大臣都是大文學家，如房玄齡、虞世南、魏徵，每位的詩都很好。為什麼他們沒有文名？因為在歷史上，他們的功業蓋過了文學上的成就。如果他們窮酸一輩子，就變文人了，文人總帶一點酒釀味，那些有功業的變成醇酒了。其次，像宋代的王安石，他的詩很好，但文名被他的功業蓋過了。所以中國文史不分、文哲不分、文政不分，大的政治家都是大文學家。我們的一個老粗皇帝漢高祖，他也會來一個「大風起兮雲飛揚，威加海內兮歸故鄉。」別人還作不出來呢！不到那個位置，說不定作成：「颱風來了吹掉瓦，雨漏下來我的媽！」所以大政治家一定要具備詩人的真摯情感。換句話說，如西方人所說，一個真正做事的人，要具備出世的精神——宗教家的精神，此其三。

第三中國人爲什麼提倡詩和禮？儒家何以對詩的教育看得這麼重要？因爲人生就有痛苦，尤其是搞政治、搞社會工作的人，經常人與人之間有接觸，有痛苦有煩惱。尤其中國人，拼命講究道德修養，修養不到家，痛苦就更深了。我經常告訴同學們，英雄與聖賢的分別：「英雄能夠征服天下，但不能征服自己；聖賢不想去征服天下，而征服了自己；英雄是將自己的煩惱交給別人去挑起來，聖人是自己挑盡了天下人的煩惱。」這是我們中國文化的傳統精神，希望每個人能完成聖賢的責任，才能成爲偉大的政治家。從事政治，碰到人生的煩惱，西方人就付諸宗教；中國過去不專談宗教，人人有詩的修養，詩的情感就是宗教的情感，不管有什麼無法化解的煩惱，自己作兩句詩就發洩了，把情感發揮了。同時詩的修養就是藝術的修養，一個爲政的人，必須具備詩人的情感、詩人的修養。我們看歷史就知道，過去的大臣，不管文官武將，退朝以後回到家中，拿起筆，字一寫，書一讀，詩一誦，把胸中所有的煩悶都解決了。不像現在的人上桌子打麻將或跳舞去了。這種修養和以前的修養不同了，也差遠了。

追的哲學

《詩經》的第一篇，就是講男女相愛。講到《詩經》的男女相愛，有一句話要注意的，孔子在《禮記》中提到人生的研究：「飲食男女，人之大欲存焉。」孔子知道人生的最高境界，但是卻往往避而不談，偏偏談到最起碼的、很平實的這兩件人生大事。一般人引用的「食色性也」這句話不是孔子說的，而是與孟子同時代的告子說的，兩人的話相近，但觀念完全不同。男女飲食不是「性」也，不是人先天形而上的本性，是人後天的基本欲望。一個人需要吃飯，自嬰兒生下來開始要吃奶，長大了就需要兩性的關係，不但人如此，生物界動物、植物都是如此，因此人類文化就從這裡出發。

說到這裡，我們就聯想到，影響這個時代觀念的兩種思想，一個是馬克思的《資本論》，影響了這個時代；另一個也是近代西方文化的重心，弗洛依德的性心理觀，認爲人類一切心理活動，都由男女性慾的衝動而來，這一思想對現代文化影響也很大。弗洛依德原來是個醫生，後來成爲一個大心理學家。比如西方的存在主義，也是幾個醫生鬧出來的。有人依據弗洛依德的性心理觀點來看歷史文化（這個性不是我們所說人類本性的性，是男女性行爲的性），認爲歷史上的英雄創業，就是一種性衝動，乃至說希特勒是性變態心理。我們現代思想界受這說法影響的也很多，乃至把舊的歷史寫成的小說，多半都加上這種觀念。甚至許多戲劇、電影故事，總要插上一些性——醫學上的性；而文學上改用一個好聽的名詞——愛，等於一個人穿上外衣、結上領帶，好看一點，也禮貌一點而已。在中國古老的文化中，我們懂不懂這方面的道理呢？《詩經》第一篇選了《關雎》，根據「飲食男女」的基本要求，指出人生的倫理是由男女相愛而成爲夫婦開始的，所謂君臣、父子、兄弟、朋友，所有社會一切的發展，都由性的問題開始。

曾有一位學者對我說，他有一個新發現——「性非罪」論，要提出討論。他所指的這個「性」是狹義的，指男女性行爲的性而言。我没有立即答覆這個問題，他把文章留下來，後來函電催問，我始終覺得很難直接答覆，後來我寫了一篇文章，大概談了一下，但還是避開了他那個觀點。我認爲這是人生哲學上最高的問題。究竟這是本能的衝動嗎？這個本能又是什麼？不過我告訴他，世界上的宗教家，都認爲性是罪惡的。中國文化中，過去的思想——萬惡淫爲首；西方的基督教思想，亞當和夏娃不吃那個蘋果，一點事都没有，上了魔鬼的當去吃蘋果，他們也認爲性是罪惡的。曾經聽過一個笑話，說西方文化是兩個半蘋果而來的：第一個蘋果被亞當夏娃吃了，闖了禍，所以我們人類到如今那麼痛苦。第二個蘋果啟發牛頓發現了地心吸力，中國人吃了很多蘋果都未發現。另外半個蘋果，是《木馬屠城記》所表現的英雄思想。這是西方文化來自兩個半蘋果的笑話，當然這不是偶然說說的。

西方與東方宗教家都認為性是罪惡，哲學家則逃避這個問題。我們現在看孔子，他可以說是哲學家、宗教家，又是教育家。我認為現代觀念的什麼「家」什麼「家」都可以給他加上。反正孔子集中國文化之大成。我們中國人自己對他的封號最好——「大成至聖先師」，我們不要跟外國人走，給他加上了一個「家」，反而不是大成，而是小成了，所以不要上西方文化的當。

孔子說：《關雎》「樂而不淫，哀而不傷。」孔子認為「關關睢鳩」男女之間的愛，老實講也有「性非罪」的意思在其中。性的本身不是罪惡，性本身的衝動是天然的，理智雖教性不要衝動，結果生命有這個動力衝動了。不過性的行為如果不作理智的處理，這個行為就構成了罪惡。大家試著研究一下，這個道理對不對？性的本質並不是罪惡，「飲食男女，人之大欲存焉」。只要生命存在，就一定有這個大欲。但處理它的行為如果不對，就是罪惡。孔子就是這個觀念，告訴我們說，關睢樂而不淫。大家要注意這個「淫」字，現代都看成狹義的，僅指性行為，在古文中的「淫」字，有時候是廣義的解釋：淫者過也，就是過度了。譬如說我們原定講兩小時的話，結果講了兩個半小時，把人家累死了，在古文中就可以寫道：「淫也」；又如雨下得太多了，就是「淫雨」。所以《關雎》「樂而不淫」，就是不過分。中國人素來對於性、情及愛的處理，有一個原則的，就是所謂「發乎情，止乎禮」。拿現在的觀念來說，就是心理的、生理的感情衝動，要在行為上止於禮。只要合理，就不會成為罪惡，所以孔子說《關雎》「樂而不淫」。

但《關雎》這篇詩中，也有哀怨，我們看這一篇詩，很好玩的。雖然只有幾個字，假使用現代文學來描寫，就夠露骨的了。它最後說：「求之不得，輾轉反側。」這個求，就是現在白話文的追呀！追呀！追不到的時候睡不著呀！睡不著還在床上翻來覆去打滾哩！但古文用「輾轉反側」四個字都形容盡了。可見這中間還有哀怨，儘管哀怨，並不到傷感、悲觀的程度。這個道理就是說一個人情感的處理適中，合乎中道。

我對音樂是外行，但聽到播放日本音樂，只要他一開口，聽起來就使人有不勝哀戚之感，隱隱象徵了這個海島民族的命運，也可以說是日本民族性的表現。不管它怎麼變，一聽就知道是日本音樂，哀怨中有悲愴，悲愴中有哀怨。

重論詩教

中國上古的文化，不像西方的文化把宗教放在那麼重要的地位，中國上古文化注重於詩的文學境界，它有宗教的情感，也具有哲學的情操，上古的詩，就包括了現在所講的整個文藝在內。所以孔子告訴學生們，修養方面要多注重一下文學的修養，「小子，何莫學夫詩？詩，可以興，可以觀，可以羣，可以怨，邇之事父，遠之事君，多識於鳥、獸、草、木之名。」中國古代的文臣武將，在文學上都有基本修養，從正史上看，關羽就是研究《春秋》學的專家；岳飛等人，學問都是非常好的，都有他們文學的境界。退休的朋友們走這個路線是不錯的，不然就去研究宗教，最怕是退休閑居的人，自己內心沒有一點中心修養，除了工作以外就沒有人生，很可憐，所以學一種藝術也可以，自己要有自己精神方面的天地，這是很重要的。所以孔子說，你們年輕人，何不學詩？

詩「可以興」，興就是排遣情感。人的情感有時候很痛苦，人生有許多煩惱，對父母、妻、兒、朋友都無法說的，如果自己有文學或藝術境界，再不然就寫寫毛筆字，亂畫一陣，也把怨氣畫去了，繪畫也好，詩詞更好，所以詩可以興。這個興是興致，就是一切感情的發揮。

「可以觀」，在詩的當中可以得到很多道理，得到很多啟發。對自己的詩，也可以看出自己思想的路線與情緒。看一個人的作品，大致上就可以斷定作者的個性。說寫字吧，過去就名爲「心畫」，同樣的毛筆，一萬人寫同樣的字帖，寫出來的都不同。所以中國人看毛筆字，可以知道寫字者的個性，壽命的長短，前途的禍福，現在發現鋼筆字、鉛筆字一樣可以看出人的個性。「觀」就是這個道理，從作品中可以了解人。

「可以羣」，也可以合羣，自己調整心境，朋友之間、社會之間，可以敬業樂羣而不孤立，所謂以文會友。

「可以怨」，這很明顯，有了文學的修養，可以發牢騷了，有時心裡的苦悶沒有辦法發出來，壓制在裡面，慢慢變成病。脾氣大的人、情緒不好的人，心裡很多痛苦壓制下去，往往得肝病、精神病，所以須要修養。可是修養並不是壓制，而是自己疏導，不能疏導也不行，人的牢騷往哪裡發？會作詩就可以發牢騷了。有文學藝術修養，在文學藝術境界上可以把牢騷發洩掉。

「邇之事父」，近一點可以孝順父母。怎樣孝順？有藝術修養，侍奉父母，則有樂觀態度。

「遠之事君」，遠大一點可以對國家社會有貢獻。

最後一句話，因爲喜歡在文學方面多研究，喜歡詩詞，就「多識於鳥、獸、草、木之名。」知識淵博了，等於學了現在的「博物」這一科，什麼都知道了。我們要知道，孔子的時代，工具書是絕對没有的，就靠一些詩才知道。工具書從唐宋以後才有編輯；《辭源》、《辭海》是民國時代根據《淵鑒類函》、《佩文韻府》這些類書編的，例如漢代左思作《三都賦》，花了十年的時間，並非是文章難作，而是當時没有類書。所謂蟲魚鳥獸、人物等等，資料難以收集，何況遠在春秋時代。孔子當時所以特別提倡學詩，也是爲了獲得各種各樣的知識。

說到這裡，可以介紹很多東西，就講文學境界中詩的牢騷，隨便舉個例子：宋代愛國詩人陸放翁的詩，就有很多牢騷，對國家世事很多憂慮，愛國熱情無法發揮，在他的詩集文集裡可以看到很多；岳飛的有限遺著中也有很多牢騷；再說文天祥的詩詞中，也看到很多牢騷。不論古今中外，每個時代，人生的痛苦，尤其想有所貢獻於國家社會的人，所遭遇的痛苦比普通人更大更多，多半見之於詩詞之中。辛棄疾（稼軒）有一闋有名的詞，僅舉半闋，就看出他有多少的痛苦與牢騷：

追往事　嘆今吾　春風不染白髭鬚
卻將萬字平戎策　換得東鄰種樹書

這是下半闋。上半闋是描寫他的生平，年輕時壯志凌雲的氣魄；這裡則回想過去，感嘆自己現在老了，頭髮白了，鬍鬚白了，再沒有青春的氣息，把自己的白髮恢復年輕，回不去了。現在幹什麼呢？當時南宋不敢起用他，自己住在鄉下，他寫給南宋的報告，論政治、談戰略，好幾篇大文章，如今沒有用了，只好拿到隔壁鄰居的老農家裡，去換種瓜種菜的書。這裡面豈沒有牢騷？牢騷確是很大，可是他絕不掩蓋自己心裡的牢騷，他非常平淡，要我貢獻就盡量貢獻，不需要貢獻則不貢獻，是牢騷也非常平淡。因爲他藝術文學的修養太高，把人生看得很平淡。像這些情感，他的詩詞裡太多了。看了以後就懂了人生，也懂了歷史。古今中外一樣，看通了人生，了解了人生，就會更加平淡、更願貢獻給社會。像辛棄疾的一生，所遭遇的打擊太大了，照我們現在人的修養可以造反了。這樣一腔愛國的熱忱，他帶到南宋來的部隊，卻被解散了，他都受得了，能夠淡然處之，雖然怨氣填膺，但不像普通人一樣動輒亂來，就因爲他的目的只在貢獻。現在我們舉他這個例子，就是說詩可以興、可以觀、可以羣、可以怨的道理。

發揮與寄託

「子曰：興於詩，立於禮，成於樂。」

這是孔門教育、作學問的內容。第一個是「興於詩」，强調詩的教育之重要。「興於詩」的「興」念去聲，讀「興趣」的「興」。所興的是人的情感。人都有情感，如果壓抑在內心，要變成病態心理，所以一定要發揮。情感最好的發揮是透過藝術與文學，詩即其一。

古代所謂的詩，就包括了文學、藝術、哲學、宗教等等。古代詩與音樂是不可分的，而且詩也就是文學的藝術。所以孔子說人的基本修養，要會詩。關於這一點我常想到，從事嚴肅工作的，如政治的、經濟的，乃至於作醫生的人要注意，我常常勸一些醫生朋友學畫。一個真正的名醫，生活好可憐。我認爲醫生的太太都很偉大，醫生幾乎没有私生活的，一年三百六十五天，天天忙到晚，一天與上百病人接觸，每個人都愁眉苦臉的，一直下去，自己都要病了，尤其是精神科的醫生。我對一位精神科的醫生開玩笑說：「你也差不多了」。榮民總醫院一位精神科醫生說：「你這話是對的。我當年做學生時，那位教我們的老師，看起來就像精神病的樣子。精神科醫生病人看多了，自然就變成精神病似的。」有人說官僚氣，我說這沒有什麼稀奇，官做久了就自然是那個樣子，習慣了；醫生就是醫生氣，見到朋友說人血壓高了；商人一定市儈氣。這沒有什麼好奇怪的，這都是現代心理學上所講的職業病。某一行幹久了，看人看事的觀點都慣於從這一角度出發。過去這種生活上的調劑就靠詩，以藝術的修養做調劑。所以過去的官做得大，文集也留得多，詩也作得多，這絕不是他故意這麼做，而是閒下來有許多感情無法發揮，只好寄託在這上面。所以孔子說「興於詩」。例如王安石的詩與政治生活，幾乎成為兩種完全不同的風格。

但學藝術、學文學久了的人，有一毛病，就是所謂「文人無行」。一般認為真正純粹的文人，品行都不大好，吊兒郎當，恃才傲物，看不起人。還有一個最大的毛病，千古以來，文人相輕，文章都是自己的好，看人家的文章看不上。以前有一個笑話，說有人作詩一首吹道：

天下文章在三江　三江文章唯我鄉
我鄉文章數舍弟　舍弟跟我學文章

說來說去，轉了一個大彎，最後還是自己文章好。所以中和藝術的修養，就要「立於禮」。

我們一般人將學者文人連起來，事實上學者是學者，學術專家是學者；文人是文章寫得好，不一定是學者。有些人文章寫得好，如果和他討論某一學問思想，如談經濟學、心理學等等，他就不懂了。曾經有一次，各種專家學者和某大文豪在一起閒談，那位大文豪聽得不大耐煩，就問科學家說：「你說電腦好，電腦會不會作詩？」使在座無人答話。當然那位科學家也不好怎麼答，我出來代他答了，我說電腦也可以作詩，不過作得好不好是另一問題，「一二三四五，東西南北中。」也未必不是詩。抗戰期間的汽車常拋錨，就有人改了古人一首詩加以描寫道：

一去二三里　拋錨四五回
前行六七步　八九十人推

那也是詩。一個文人，光是文章好，沒有哲學修養，不懂科學，毛病就大了。所以光「興於詩」還不行，還要「立於禮」，立腳點要站在「禮」上，這個「禮」就是《禮記》的精神，包括了哲學的思想與科學的精神。「成於樂」，最後的完成在樂。古代孔子修訂的《樂經》，沒有傳下來，失傳了。《樂經》大致是發揮康樂的精神，也就是整個民生康樂的境界。

詩的人生

我們知道中國文化，在文學的境界上，有一個演變發展的程序，大體的情形，是所謂：漢文、唐詩、宋詞、元曲、明小說，到了清朝，我認爲是對聯，尤其像中興名將曾國藩、左宗棠這班人把對聯發展到了最高點。我們中國幾千年文學形態的演變，大概是如此。

一位學者同我聊天，談到很多人寫作的東西，他說過去看了一些作品，馬馬虎虎過得去，還不注意，現在看一些作品可難了。他這話是真的。有些人有文學家的天才，隨便寫幾句，從筆調上一看，就知道他在文學上一定會有成就；也有的人學了一輩子，也不能變成文學家。雖然寫文章寫得蠻好，但是他到不了那個程度，怎麼下工夫都無法突破自己的那一個極限，他的文章始終只是一個科學家的文章。所以看科學的書，沒有辦法看得有興味。我曾經對學生說，你教化學的，如配合文學手法來教，會比較成功。科學本身很枯燥，所以最好把它講得有趣味，比如對一個公式，先不要講公式，講別的有趣的；最後再說明這個有趣的事，跟某一公式的原理是一樣的，聽的人就可以貫通，結果有幾個學生用這個方法教，的確很成功。但現在中國文學正在劇變當中，還找不出一個法則來。

至於詩，過去我們讀書，沒有人不是在小學（不是現代的小學）就開始學詩的。每一個人都會作詩，不過是不是一個詩人，是另一個問題。有人問爲什麼我們對詩的教育這樣重視，這是個大問題。一般人通常認爲作詩就是無病呻吟，變成詩匠。從前也有人打趣這種詩，所謂關門閉戶掩柴扉，關門就是閉戶，閉戶也是關門，掩柴扉還是關門。平仄很對，韻腳也對，但是把它湊攏來，一點道理都沒有。這就是無病呻吟，這樣的文學實在有問題，都變成「關門閉戶掩柴扉」了。

過去還有一個笑話，在幾十年前，有一種所謂「厠所文學」。在江南一帶，像茶館等公共場所的牆上，亂七八糟的字句寫得很多。這些字句無以名之，有人就稱它爲「厠所文學」。有人看了這些文字，實在看不下去了，也寫了一首詩，這首詩也代表了中國文化中文學的末流。原句是：「從來未識詩人面，今識詩人丈八長，不是詩人長丈八，如何放屁在高牆？」這是當時批評「厠所文學」的滑稽之作，像這類衰敗的情形，我們現在看來很平常，但當時卻很嚴重。所以當年孫中山，不得不提倡革命，那時文學、文化的問題，非常嚴重，那些無病呻吟的詩，衰敗的東西太多了！像這一類含義的笑話實在太多。所以後來「五四運動」的時候，要打倒舊文化，固然打錯了，可是這個錯誤的責任，也不能完全由當時動手打的人擔負起來。這個錯誤是在那個時代，是歷史的包袱給他們的壓力而造成的。

帝王好色入詩來

在我們中國歷史文化上，素來是反對好色的，但很妙的是，卻允許帝王好色，三宮六院，甚至更多也無妨，愈多愈好，而且建立制度規章，法令也明文規定。儒家講了幾千年的不可好色，但卻沒有改變哪一個帝王這種好色的生活。想來帝王也是教化之民吧！英明的帝王好色，美色只是生活的點綴，並不會影響他的事功。差等的皇帝，一沉迷美色就昏天黑地去了，亡國滅家在所難免。

講到歷代帝王好色的故事，只要從古代的詩詞中，就可以看到很多。

唐朝白居易的《長恨歌》：

春宵苦短日高起　從此君王不早朝
承歡侍宴無閒暇　春從春游夜專夜

唐李商隱《北齊》：

一笑相傾國便亡　何勞荊棘始堪傷
小憐玉體橫陳夜　已報周師入晉陽

清朝朱受新《吳宮詞》：

夜擁笙歌百尺台　太湖月落宴還開
君王自愛傾城色　卻忘人從敵國來

如果把這些詩詞集中起來，一一加以闡述、討論一番，又可以編輯成有關這方面的詩話了。我們僅僅隨意舉幾個例子來研究。

唐末的詩人李山甫《題石頭城》那一首七律：

南朝天子愛風流　盡守江山不到頭
總是戰爭收拾得　卻因歌舞破除休
堯將道德終無敵　秦把金湯豈自由
試問繁華何處有　雨莎煙草石城秋

這是李山甫在南京，有感於南北朝時代在此立都、沉迷歌舞女色而亡國的名詩。詩的大概意思是說，南朝的皇帝們差不多都是戰場上打下來的江山，辛苦多年流血拚命所爭取到手的，結果卻爲了幾場歌舞，轉手讓人。

像遠古的堯舜，以道德垂拱，結果天下太平，人心歸向。而秦始皇以武力統一了天下，又繼之以嚴刑峻法，結果卻不足以保妻子。所謂南朝金粉，當時這座帝王都城，在風流皇帝的奢靡下，不知是何等風光！而今，往日的榮華安在？擺在眼前的，就是這座石頭城上的荒草，在細雨之中，搖曳在秋風裡。

這首詩委婉地寫出了南朝帝王好色的後果，也提到堯的聖德。後來宋太祖看見了這首詩，叫大臣寫下來，在宮裡立了一個碑，希望後代子孫看到這首詩，能夠有所警惕。

但是到了徽宗，仍然走進了這座窄門。

中國歷史上幾千年來，經常在討論「好色」與「政治」的問題，自然就涉及到一些美人。如西施、王昭君、楊貴妃等等，爲數很多。其中有人是譴責她們的，也有爲她們叫屈的。幾千年來一直在爭論不休，不曾得到定論。

有關王昭君案外的評語

像清代劉獻廷詠王昭君的詩說：

漢王曾聞殺畫師　畫師何足定妍媸
宮中多少如花女　不嫁單于君不知

大家都知道這個故事，漢元帝時，宮廷中設有畫師，把宮女們的像，畫給皇帝去選擇，以便召幸。當時的畫師毛延壽沒有把美麗的王昭君畫好，以致昭君沒有得到寵幸，而被送給外國人了。漢元帝因此非常生氣，把那名畫師毛延壽殺了。殺掉毛延壽的傳說，可靠性不大，因爲後人爲昭君抱不平，就都想把毛延壽殺掉。

這首詩是說，一個畫師怎麼能夠評斷出一個人的美醜？個人的審美觀點，本來就不完全相同的，後宮裡的美女，像王昭君這等姿色的，可能還多的是，只因爲昭君要嫁到外國，臨行前向皇帝辭別時，才被元帝發現了她的美。至於那些始終沒被皇帝發現，白頭宮中的美女，還不知道有多少呢。表面看來這是爲毛延壽喊冤的詩，其實也是對歷史評論的反駁。主要寓意，則是對古代帝王後宮美女太多的一種評責。

昭君出塞的這段史實，不知博得多少人的同聲一嘆，感嘆著紅顏薄命的悲涼。另外一首詠王昭君的詩，則有不同的論調，另持一種觀點，也是明代詩人的名詩：

將軍杖鉞妾和番　一樣承恩出玉關
死戰生留俱為國　敢將薄命怨紅顏

這首詩以王昭君的口吻說，將軍戰士們出關，是拿了兵器打仗；而我王昭君一個弱女子出關去，是遵奉國家的外交政策，通婚和番，嫁給外國人，以謀國家安寧。同樣都是奉了國家的命令，遠出塞外。多少戰士們在國外戰死了；而我，身負和平使命，必須活著留下來。死者生者，都是爲了國家。如今我這個弱女子，雖然遠離故土，到那蠻荒的塞外，終此一生，又哪敢怨嘆呢！他這一首詩，把王昭君對國家的忠義之情，推崇得就高了。昭君地下有知的話，不知作何感想！

唐代和番政策的感傷

另外，在唐代也發生過類似的故事。中國西北邊疆的回紇、突厥等，在漢唐兩代的時候，經常在邊界上鬧事出問題。而漢唐兩代，對邊防外族的確是沒什麼高明的辦法。唯一省事的辦法，是靠女人來安撫。漢唐兩代，是我們聲威最盛的時期，可是外交政策上卻走女人和番的路線。對大漢天威而言，不能說不是一項污損。如果站在中國婦女的立場來寫歷史，應該說漢唐兩代外交上的輝煌史跡，大多是靠女性掙來的。因此清人劉獻廷有詩感嘆說：**敢惜妾身歸異國，漢家長策在和番。**

唐大曆四年，回紇很强，向中國要求通婚，要一個公主嫁給他。當然，皇帝不願把自己的女兒嫁到回紇去，於是在後宮中挑選了一名宮女，封爲崇徽公主，嫁到回紇去，當出嫁行列經過山西汾州即將出關的時候，崇徽公主懷著滿腔的怨恨，無奈又絕望地伏靠在關口的石壁上，真是悽悽又惻惻。然而，無奈歸無奈，絕望歸絕望，最後只得狠下心來，盡力一推，把自己推向那無邊的塞外，真是一推成永別。美人含悲而去，石壁上則留下了她手掌的痕跡，後來有人在此立了一座崇徽公主手痕碑，記述這件事情。

詩人李山甫經過這裡的時候，就寫了這樣一首詩：

一掐纖痕更不收　翠微蒼蘚幾經秋
誰陳帝子和番策　我是男兒為國羞
寒雨洗來香已盡　澹煙籠著恨長留
可憐汾水知人意　旁與吞聲未忍休

留有崇徽公主手痕的石壁，長滿了苔蘚，經歷了無數的春秋。究竟是誰想出這種以女子和番的辦法？我們這些保國有責的男子漢，看到這種事情，不禁要爲國家的聲威而感到羞恥。這名女子爲國犧牲的事跡，雖然像山上的花香一樣，隨著寒雨而逝，被人們淡忘了。可是那滿含著幽怨隱恨的手痕，卻仍然籠罩在煙雲中。這汾河裡的水，似乎也通曉人意，仍然伴著這石上的痕跡，嗚咽地流著。

前面說到李山甫悲南朝那些風流皇帝的詩，有多少興望慨嘆！同在唐代，名詩人韋莊的七律詠南國英雄，也是令人吟後蕩氣迴腸、唏噓不已的。他的詩說：

南朝三十六英雄　角逐興亡自此中
有國有家皆是夢　為龍為虎亦成空
殘花舊宅悲江令　落日青山弔謝公

畢竟霸圖何物在　石麒麟沒臥秋風

他感嘆南朝各國的幾十個帝王英雄，互相爭奪，此起彼落，不但國與國爭，姓與姓鬥，甚至骨肉相殘。雖然强者一時得勢，不久又可能被人踩到腳底。到頭來，國也好，家也好，權也好，勢也好，都不過是一場幻夢。所謂「南朝金粉」，由這句話，我們可以想見當時繁華的盛況。但也只是「想見」而已，不但是現在無從目睹，就是距離那個時代很近的韋莊，也只見到殘花舊苑、落日青山而已。表志功業的石麒麟，早已湮滅在秋風荒野之中，徒然使人悲弔那江令、謝公。試問當年的霸業又留下了什麼呢？這是人生的感慨，亂世的悲嘆，也是站在另一角度的政治哲理吧！這似乎是對只追求現實權力者的一種告誡。其實看歷史文化，也不必如此的悲嘆。宋代謝濤一首《夢中詠史》吟得好：

百年奇特幾張紙，千古英雄一窖塵
唯有炳然周孔教，至今仁義洽生民

現實的權勢過後必然落空，而一種正確的文化思想，如周公孔子的仁義之道，則是千古不變的。

從這些正面反面的詩史，我們可以看出中國文化的政治哲學。我常常告訴這一輩的青年人，如果不深入中國的詩詞，就無法了解中國文化的哲學思想。因爲中國文化與西方文化的形態與結構不一樣，中國文化的文學與哲學是分不開的，中國文化的詩詞裡往往都含有哲學思想，而高深的哲學思想也往往以優美的文字來表達，尤其喜歡透過有節奏、有旋律、有音韻美的詩詞來陳述。

這些有關「好色」的正反兩面的文哲思想，頗爲有趣。同時也看到在歷史上和女人有關的政治資料以及各種不同的見解。

楊貴妃的翻案語

順便，我們再看看有名的楊貴妃，歷史上說，由於唐明皇的好色，引起了安祿山之亂，因此部隊發生了兵變，把唐明皇所喜歡的楊貴妃，活活吊死在馬嵬坡。後世有許多詩文罵楊貴妃，也有許多詩文爲楊貴妃叫寃。在唐明皇之後，那位喜歡吃喝玩樂、說他自己打球的技巧可以考狀元的僖宗皇帝，爲了避黃巢之亂，逃到四川，經過了當年唐明皇避安祿山之亂、吊死楊貴妃的馬嵬坡。於是就有人在馬嵬坡的驛館題了一首詩道：

馬嵬煙柳正依依　重見鑾輿幸蜀歸
泉下阿蠻應有語　這回休更怨楊妃

也有人傳説這首詩是羅隱作的。他説，馬嵬坡的楊柳樹，和以前一樣，正是詩情畫意的時候。唐朝的末代皇帝僖宗，又是爲了逃難遠離宮城，路過此地。玄宗地下有知的話，應該會説，你們這一次出的亂子，再也不會推到我那位楊貴妃身上來了吧？（唐玄宗小名阿蠻。）這是爲貴妃所作翻案文章中最精彩、最有趣的一首詩。

再說寡人好色的公案

我從前讀《史記》讀到《越世家》的時候，有所感觸，曾寫下這樣的一首七言絕句：

玉顏不意自成名　當日哪知事重輕
存越亡吳論功罪　妾身恩怨未分明

歷史上的美人不少，而被議論得最多的，乃至在文學、藝術作品中出現最多的，恐怕是西施了。她之所以在幾千年後，還有這許多人研究她，討論她，批評她，歌頌她，扮演她，除了歸之於「命運」外，恐怕很難有更好的理由了。其實她自己不過是諸暨鄉下苧羅村裡，一個以賣柴爲生的樵夫的女兒。可能是因爲常常挨餓，罹患了胃病，就常常捫住胸口，皺起眉頭，那樣子也怪惹人憐愛的。鄉下人嘛，在村裡村外走動的，看到她那嬌弱的樣子，和一般粗野的村姑大不相同。男孩子都認爲她很美，別的女孩子也跟她學起來，於是名聲就傳出去了。這時越國被吳國打敗了，帶了僅僅五千人，困在會稽這個小地方。爲了找美女獻到吳國去求和，地方小，人口少，西施就被負責選美的范蠡選上了，把她送到吳國去。在當時，她只知道去侍奉一個外國人，可以多得一些賞錢，孝養她的父親，哪裡知道這許多國家大事的重要性。後來越王句踐滅了吳王夫差，報了仇。站在句踐一邊的說她好，而爲吳國說話的則罵她是罪人。直到現在，她在歷史上的恩怨是非，還沒有定論。

其實不論是功是過，都是後世的人，借用了她這一個出身山村美人的遭遇，來發揮自己對歷史的政治哲學觀點，或者抒發自己的一些感觸而已。對於西施沒有多大的關係。當我寫出上面這首詩時，我的兒子說，好像曾經看過古人有同樣的句子，但是出自哪裡，一時找不出來。所以在此特別聲明，「書有未曾經我讀」，有些與古偶合，事非得已。不然，被別人發現了，還以爲我犯了偷詩的竊盜罪呢。

像上面這類的詩文很多，雖然大家會喜歡這一類文學作品，但這裡到底是研究《孟子》這本書，如果反賓爲主，再繼續引出這類詩詞來討論，那就有太過好色之嫌了（衆笑）。就此打住。

文采與氣質

有些人有天才，本質很好，可惜學識不夠，乃至於寫一封信也寫不好。在前一輩的朋友當中，我發現很多人了不起。民國建立以後，在政治上、經濟上、社會上各方面有許多人都了不起。講才具也很大，對社會國家蠻有貢獻，文字雖然差點，可是也沒有關係，他有氣魄，有修養。

另些人文章作得好，書讀得好，諸如文人學者之流。我朋友中學者文人也很多，但我不大敢和他們多討論，有時候覺得他們不通人情世故，令人啼笑皆非。反不如有些人，學問並不高，文學也不懂，但是非常了不起，他們很聰明，一點就透，這是「質」。

再說學問好的文人，不一定本質是好的。舉個前輩刻薄的例子，像舒位罵陳眉公的一首詩，一看就知道了，這首詩說：

裝點山林大架子　附庸風雅小名家

功名捷徑無心走　處士虛聲盡力誇

獺祭詩書稱著作　蠅營鐘鼎潤煙霞
翩然一隻雲中鶴　飛去飛來宰相衙

陳眉公是明末清初的一個名士，也就是所謂才子、文人。文章寫得好，社會上下，乃至朝廷宰相，各階層對他印象都很好。可是有人寫詩專門罵他：裝點山林大架子，所謂裝點山林是裝成不想出來做官，政府大員請他出來做官，他不幹。真正的原因是嫌官太小了不願做，擺大架子，口頭上是悠遊山林，對功名富貴沒有興趣。附庸風雅小名家，會寫字、會吟詩，文學方面樣樣會，附庸風雅的事，還有點小名氣。功名捷徑無心走，朝廷請他出來做官都不要做，真的不要嗎？想得很！處士虛聲盡力誇，處士就是隱士，他自己在那裡拚命吹牛，要做隱士。獺祭詩書稱著作，獺是一種專門吃魚的水陸兩棲動物，有點像貓的樣子。它抓到魚不會馬上吃，先放在地上玩弄，而且一條一條擺得很整齊，它在魚旁邊走來走去玩弄，看起來好像是在對魚祭拜，所以稱作「獺祭」，它玩弄夠了再把魚吃下去。這裡的借喻，是說一個人寫詩做文章，由這裡抄幾句，那裡抄幾句，然後組合一下，整齊地編排在一起，就說是自己的著作了。罵他抄襲別人的文章據爲己有。蠅營鐘鼎潤煙霞，這是說他愛好古董，希望人家送他，想辦法去搜羅。「蠅營」，是像蒼蠅逐臭一樣去鑽營，人家家裡唐伯虎的畫、趙松雪的字等等，想辦法弄來，收藏據有。翩然一隻雲中鶴，這是形容他的生活方式，看看多美！「翩然」，自由自在的，功名富貴都不要，很清高，像飛翔在高空中的白鶴一樣。飛去飛來宰相衙，這完了！當時的宰相很喜歡他，既然是那麼清高的雲中鶴，又在宰相家飛來飛去，所爲何事？可見所謂當處士，不想功名富貴等等都是假的。所謂文章學問都是爲了功名富貴，如此而已！

這一首詩，就表明了一個人對於文與質修養的重要。人不能沒有學問，不能沒有知識，僅爲了學問而鑽到牛角尖裡去，又有什麼用？像這樣的學問，我們不大贊成。文才好是好，知識是了不起，但是請他出來做事沒有不亂的，這就是文好質不好的弊病。一定要文質彬彬，然後君子。就是這個道理。

千古腐儒騎瘦馬

自秦漢以後，歷代的帝王在基本素質上，他們不但並非堯舜的根株，而且都是以征服起家的。正如杜甫《過昭陵》詩說：

草昧英雄起　謳歌曆數歸
風塵三尺劍　社稷一戎衣

這一首五言絕句，短短的二十個字，對於歷史哲學的感慨，既含蓄又坦率，直言無隱，和司馬遷寫《史記》的哲學觀點完全一樣，只要懂得古詩寫作原則，了解所謂溫柔敦厚的含蓄藝術，便可透過他每一句的字面，明瞭他所說的深邃含義。

第一句草昧英雄起，一開頭就說明生當亂世時期，英雄都起於草澤之中，成王敗寇，很難論斷。到了成功以後，便四海謳歌讚頌，認爲是天命有歸，曆數更代，成爲不可置疑的真命天子。事實上，他們無非都起於風塵之中，猶如漢高祖，手提三尺劍，斬白蛇而起家。到了以戎衣而平定羣雄之後，江山社稷便成爲一家一姓的天下了。他由唐太宗的開基創業，而聯想到漢高祖等歷代帝王，幾乎都是一個模式出來的。

便「乃翁天下」雖在馬上得之，當然不能在馬上治之。於是乎才輪到了後世標榜儒家的讀書人們，來坐而論道，大談其治平之學與孔孟之道了。事實上，那些天子的稟賦，既非堯舜的本質，要想「致君堯舜」，豈非癡人說夢。歷史上雖然也出過極少數幾個比較好的皇帝，到底距離孔孟所標榜的先王之道，相差太遠。可憐的後世儒生們，在文章上拚命講述「致君堯舜」，而事實上每況愈下，都只是希望自己考取功名以後，

「致身富貴」而已。

像孟子一樣，極盡所能誘導齊宣王走上王道的路子，結果還是徒勞無功。何況既非孔孟之才，又非孔孟之聖，哪有可能？此所以我們過去的文化歷史，始終在帝王專制政體中，「內用黃老，外示儒術」的一個模式之下，度過了兩千多年。也使孔孟的道統精神，依草附木式地攀附在帝王政體之下，綿延存續了兩千多年。

以前我在讀《孟子》的時候，也曾爲古聖先賢們發出同情的一嘆，寫了一首不成才的詩：

千秋禮樂論興亡　儒墨家家爭辯忙
堯舜不來周孔遠　古今人事莽蒼蒼

我說是不成才的詩，那是老實話，絕不是自謙。

在文藝與哲學相凝結的唐詩裡，前有杜甫《過昭陵》的五言絕句，後有唐彥謙《過長陵》的一首七言絕句，都是很好的歷史哲學寫照，而且很典型的具有溫柔敦厚的詩人風格。唐彥謙的詩說：

耳聞明主提三尺　眼見愚民盜一坯。
千古腐儒騎瘦馬　灞陵斜日重回頭。

第一句耳聞明主提三尺，是説由歷史得知，凡是開國的君主帝王，大都以武功而得天下。這一句和杜甫詩的涵義一樣。第二句眼見愚民盜一坯，其典故出在漢文帝時，張釋之爲廷尉，説「愚民有盜長陵一坯土即斬首」的法令，此處影射歷史上成王（奪得天下即爲天子）敗寇（侵犯帝陵即便殺頭）的人生悲劇。下面兩句，也便是我們常有的感慨，自孔孟以來，後世的讀書人——儒家們，雖然滿腹詩書，究竟有何用？比較有成就的，也只是引經據典，成爲第一流的幫閒而已。等而下之差一點的，一輩子死於頭巾之下，談今論古，滿腹酸腐味道，也就是漢高祖劉邦口頭常常愛駡的「豎儒」或「鯫生」、「腐儒」之類，等於近代常用的「酸秀才」、「書呆子」，是同樣的意思。所以唐彥謙在他後兩句詩裡便感慨地説，最可憐的是像我們這些念書的，生逢亂世，千古腐儒騎瘦馬，只有一副窮酸落魄的樣子，在那夕陽古道，經過漢王帝寢的灞陵之下，回頭望望，發思古之幽情，作一副無可奈何的窮酸樣，所謂灞陵斜日重回頭而已。

在宋人筆記上記載著一則故事更有趣。有一次，宋太祖趙匡胤經過一道城門，抬頭一看，城門上寫著「某某之門」四個字，他便問旁邊的侍從祕書説，城門上寫著某某門便好了，爲什麼要加一個「之」字呢？那個祕書說「之」字是語助詞。趙匡胤聽了就說，這些「之乎也者」又助得了什麼事啊！

講到這裡，同時要注意中國文化的詩和哲學等等，都有我們民族傳統的特性，必須具有溫柔敦厚的內涵，才算是忠厚之德，不然就都流於輕薄。中國人喜歡作詩，無論是古詩或今詩——白話詩，反正大家先天秉性就有詩人的才情，這也是我們民族的特殊氣質之一。但是有才華，還必需要經過鍛煉才好。比如詩聖杜甫，或者較有名的歷代詩人們的好詩，都有這種風格。剛才所舉杜甫和唐彥謙兩首和歷史哲學有關的詩，的確是涵養深厚，使人讀了雖然有感於懷，卻不致憤世嫉俗。

吃飯大如天

古時候，國家政府的支用，都靠老百姓納稅而來。古代的賦稅有個名稱叫「徹」，大概是收十分之一的田賦（詳細的數字，要另外考證，這裡不去管它），所取的很合理。後來到了春秋戰國時，因爲社會的不安，政治的動盪，政府的財用不足，稅收就加了很多。

以中國歷史來說，幾乎每一次到了變亂的時代，都發生這種問題。外國也一樣，現在美國福特上台，恐怕最困難的也是這個問題。每一個國家，財經都很重要，所以大家想對國家有所貢獻，財政經濟的書要多看看。任何大小事情，財經的知識是不能缺少的。乃至自己創個事業，開個公司，會計把帳拿來都不會看，就糟糕，被蒙蔽了都不知道。何況每一變亂時代，都發生這類問題。明朝末年最嚴重，當時這個稅，那個稅，歷史記載著弄到「民怨沸騰」。我們讀歷史的時候，這四個字馬馬虎虎過去了，但仔細研究一下，老百姓對政府沒有感情了，怨恨的程度像開水一樣翻翻滾滾，到了這種程度，實在難以收拾，明末就到了這個地步。

宋代一位文學家范石湖的詩：

種禾辛苦費犁鋤　血指流丹鬼質枯
無力買田聊種水　近來湖面亦收租

范石湖和陸放翁、蘇東坡這些人都是宋代著名的文學家，在政治上也是了不起。范石湖出使過金國，辦過政治上的大交涉，在政治上貢獻很大。他的詩詞文章，被譽爲宋朝四大家之一，堪稱爲文質彬彬。他這首詩講亂世的稅捐狀況，政治上的根本問題。他描寫種田的人，辛辛苦苦用犁鋤來墾地，耗盡了心血。墾到無地可墾了，「鬼質枯」，連墳場都挖掉改墾為田地，盡量從事生產。可是收入還不夠繳納繁重的賦稅，這從下面兩句話可以看出來。他說農民沒有錢去買田來耕作，只好弄隻船，種種荷花，打點魚，在水上謀生活。可是下面一句近來湖面亦收租，連種水也要繳稅了。這是范石湖，是文學家也是政治家，對那個時代的感嘆！這就成為有名的詩句，代表了那個時代的心聲。幾乎每個朝代末期，都出現這種代表老百姓心聲的作品。

財經稅收，離不開政治哲學的大原則。百姓富足，每個人生活安定，社會安定，政府自然富足。如果老百姓貧窮了，則這個國家社會就難以維持了。

洗玉埋香總一人

唐明皇這個皇帝的確是不錯，少年時代非常好，晚年時因嬖好楊貴妃，致使國家發生了變亂，成為知名的歷史故事。在過去的歷史，很多人都把這個罪過推到楊貴妃身上去，這也是很難說的，說一個女子對於政治會有如此大的影響，也有可能。就是西方也有這種情形，所謂英雄征服了天下，女人征服了英雄。不過要看哪種女人，真能征服英雄的女人並不容易。

我們看到蜀亡國以後，蜀王妃子花蕊夫人被俘。宋太祖趙匡胤就問她：你們國家有十幾萬大軍，爲什麼今天你會到我身邊來？這位妃子作了一首詩答覆他，大意是說我本在深宮中，養尊處優的女子，對國家大事不了解，但這首詩的結論卻罵盡了男人。她說：

君王城上豎降旗　妾在深宮哪得知
十四萬人齊解甲　寧無一個是男兒

這也是歷史上，女人關係歷史命運的一個故事。

再其次，大家都說唐明皇是誤在楊貴妃手裡，尤其是詩人們都如此說——中國的詩人多半對於歷史大事有嚴厲的批評，但也有另一面的看法，如袁枚的詩說：

空憶長生殿上盟　江山情重美人輕
華清池水馬嵬土　洗玉埋香總一人

當安祿山造反，控逼長安，唐明皇出走到長安南面馬嵬坡的時候，發生兵變，部隊不肯走了。大家提出了一個條件，要求把楊貴妃殺死。唐明皇沒有辦法，只好讓楊貴妃自縊死。所以後人評論歷史，認爲唐明皇不一定是爲了楊貴妃而誤國的，這首詩就是這個意思。建溫泉池給楊貴妃洗澡的，讓楊貴妃自殺的，都是唐明皇做的，不要把歷史的罪過，推到一個女人身上去。

同樣，清代的龔定盦也提了一個反調，他的一首詩說：

少年已自薄湯武　不薄秦皇與漢王
設想英雄遲暮日　溫柔不住住何鄉

他說一個英雄到了晚年没事情做了，不讓他住在溫柔鄉裡，又要他幹什麼？龔定盦這個理論，和現代的心理學、弗洛依德的性心理學有點類似。我們要特別注意，性心理學的理論，嚴重地影響了近一百年思想。今日除了馬克斯的影響以外，弗洛依德的性心理學對近百年來歷史文化轉變的影響更大。不過這一方面不像政治理論受重視——如果依據性心理學的看法，有過分的精力，就有傑出的事業。因此英雄、豪傑、才子，幾乎各個行爲不檢，都是孔子所講的「吾未見好德如好色者也」。

然而孔子所要求的真正聖人的境界，這是非常難的事，一般心理狀況，凡是了不起的人，多半精力充沛，所以難免要走上女色這條路子。這是我們就這一點，對歷史的看法。擴而充之，「好色」不但是指男女之間的事，凡是物質方面的貪慾，都可以用「色」字來代表。尤其是以佛學的立場看，那就更明顯了。照儒家的思想，一個領導人，簡直任何嗜好都不應該有。但是人很難做到完全沒有嗜好。譬如有些人什麼嗜好都沒有，就是好讀書，這也變成一個嗜好，於是左右的人都是讀書人。南朝梁元帝讀書讀呆了，敵兵臨境，還要文武諸臣戎服聽他講書，最後終於亡了國。他在投降時，放一把火，把收藏的十四萬卷圖書燒了，他說：「文武之道，今夜盡矣。」有人問他爲什麼燒了書，他說：「讀書萬卷，猶有今日，故焚之。」可見讀書也很害人，真成呆子。

從此我們了解，上面有一點偏好，下面就偏向了，這就是「物必聚於所好」的道理。我們要看古董，就必須到好古董的人家才看得到。有些人好石頭，有些人好怪木，有一些人就是好鈔票。某公說，有一個老朋友，每天入睡以前，要一張張點過他鐵櫃裡的鈔票以後才能睡著。凡是作一個領導人，不但是好色，任何一種嗜好，都會給人乘虛而入的機會，因而影響到事業的失敗。

金丹一粒誤先生

我也很相信幼年課外讀物有關人道的昇華，可以達到神仙的境界。這些當年幼少時期的讀物，便有：

王子去求仙　丹成上九天
洞中方七日　世上已千年

另有一首：

三十三天天重天　白雲裡面出神仙
神仙本是凡人做　只怕凡人心不堅

後來，漸漸長大，又讀過許多更深入的丹經道書，甚至全部《道藏》，真有如入「山陰道上，目不暇接」的氣勢。只是相反的，歷觀許多修道學仙人們的結果，以及一般通人達士的著作，那又不免會心一笑，「黃粱夢醒」，仍然回到人的本位裡來。例如司馬遷，曾經親訪修道學仙的人們，而有「山澤列仙之儔，其形清癯」的記載。可見並不是都像元朝以後畫家們想像的八仙中的漢鍾離，活像一個魚翅燕窩吃多了的大腹賈的樣子。

此外，歷代文人「反游仙」之類的詩詞作品也很多。例如辛稼軒調寄「卜算子」的《飲酒》詞，便是從人道的本位立言，不敢妄想成仙學佛：

一個去學仙　一個去學佛　仙飲千杯醉似泥　皮骨如金石
不飲便康強　佛壽須千百　八十餘年入涅槃　且進杯中物

讀了辛稼軒這首詞，真可使人仰天狂笑，浮一大白。不過，我們同時要知道，這是他的牢騷，借題發揮、借酒澆愁而已。同樣的，他另有一首苦讀聖賢書，不能發揮忠誠愛國抱負，而借酒抒懷的名詞：

盜跖倘名丘　孔子如名跖　跖聖丘愚直到今　美惡無真實
簡冊寫虛名　螻蟻侵枯骨　千古光陰一霎時　且進杯中物

其餘如清人的反游仙詩也很多，如借用呂純陽做題目的：

十年槖筆走神京　一遇鍾離蓋便傾
不是無心唐社稷　金丹一粒誤先生

以及妾夫真薄命，不幸做神仙等，到處可見。

一言興邦　一言喪邦

一言可以興邦的史實很多。一個例子是唐太宗時代的名論：「創業難，守成也不易。」這個道理，不但國家天下事如此，個人也是如此。一個人由貧窮而變成富有，是創業難，至於子孫的守成，又是一個大問題。究竟哪一個難？在中國古代政治思想上，素來認爲兩者皆不易。另一個例子，宋高宗曾說過，吾年五十方知四十九之非。其實這句話，春秋戰國時，衛國的蘧伯玉也這樣講過，人由於年齡的增加，經驗的累積，回過頭一看，才發現過去的錯誤。

「一言喪邦」，一句話而亡國的，又可以舉很多例子了。歷史上楚漢之爭，劉邦的長處，是聽從別人的話，他的所以成功，是別人的好意見能馬上接受。我們研究歷史上一些成功和失敗人物的性格，會發現有趣的對比。有些人的性格，喜歡接受別人更好的意見；不過，能立刻改變，馬上收回自己的意見，改用別人更好意見的人太少。劉邦是這少數人中的一個。而項羽，自己的主意絕對不會改變，絕對不接受別人的意見。這一點，在個人修養上要注意，尤其作爲一個單位主管，往往容易犯一種心理上的毛病，明明知道別人的意見更對，更高明，可是爲了面子，爲了怕下不了台，而不接受。這種心理，大而言之是修養不夠，小而言之是個性問題，自己轉不過彎來。我們看看項羽在歷史上一個重要的決定：當項羽打到咸陽的時候，有人（據《楚漢春秋》的記載是蔡生，而《漢書》的記載是韓生）對他說：「關中險阻，山河四塞，地肥饒，可都以霸。」勸他定都咸陽，天下就可大定。

國都應該定在哪裡？歷代都有討論。宋元以前，首都多半在陝西的長安，宋代因爲國勢非常弱，定都汴梁。當時也曾有人認爲洛陽是四戰之地，不宜爲首都。往下元、明、清八百多年來，首都則在北京。民國成立以後，關於定都，當時也有許多主張。一派主張定都北京；一派主張定都南京；還有人主張定都咸陽；又有人主張北京或南京都可以，但是應該在長安、武漢等地設四個陪都。這一派人看到了將來國家的大勢，要與國際的局勢相配合的。一個國家究竟定都在哪裡，政治、軍事、經濟、外交各方面的配合都很重要，這是一個大問題。

我們再回來講，項羽對這個定都的建議不採用。他有一句答話很有趣，也是他的名言：「富貴不歸故鄉，如衣錦夜行，誰知之者？」就憑了這句話，他和漢高祖兩人之間器度的差別，就完全表現出來了。項羽的胸襟，只在富貴以後，給江東故鄉的人們看看他的威風，否則等於穿了漂亮的衣服，在晚上走路，給誰看？他這樣的思想，豈不完蛋！所以項羽注定了要失敗的。而同樣的事發生在劉邦的身上又是怎樣呢？

劉邦大定天下以後，他自己的意思要定都在洛陽。但齊人婁敬去看他，問他定都洛陽是不是想和周朝媲美。漢高祖說是呀！婁敬說，洛陽是天下的中心，有德者，在這裡定都易爲王；無德則易被攻擊。周朝自后稷到文王、武王，中間經過了十幾世積德累善，所以可在這裡定都。現在你的天下是用武力打出來的，戰後餘災，瘡痍滿目，情形完全兩樣，怎麼可與周朝相比？不如定都關中。當然有一番理由，張良也同意，劉邦立即收回自己的意見，採納婁敬的建議，並賞給五百斤黃金，封他的官。

以這一件强烈對比的史實，清代嘉道年間，有個與龔定盦齊名的文人王曇，寫了四首悼項羽的名詩，其中有一首說道：

秦人天下楚人弓　枉把頭顱贈馬童
天意何曾袒劉季　大王失計戀江東

早摧函谷稱西帝　何必鴻門殺沛公

徒縱咸陽三月火　讓他婁敬說關中

秦人天下楚人弓，典故出在春秋戰國時，楚王的一張寶弓遺失了的時候，人家向他報告，這位皇帝說：「楚人失之，楚人得之。」意思是說皇家保存與百姓拿到，都是一樣，不要太追究。王曇引用這個典故，說秦始皇死了以後，中國人的天下，凡是中國人都可以出來統治。枉把頭顱贈馬童，指項羽在垓下最後一仗，被漢軍將領四面圍困的時候，他回頭看見追殺他的，正是一個投降了劉邦的他的老部下，名叫馬童。馬童見他回頭，側過臉去。項羽說，你不要怕，你不是我的故人馬童嗎？聽說劉邦下令，凡得我頭顱的可賞千金、封萬戶侯。你既是我的故人，就把這顆頭送給你。於是項羽自刎了，這也就是項羽的氣魄。天意何曾袒劉季？劉季是劉邦的名字，這是說項羽「非戰之罪，天亡項羽」那句話的錯誤，而項羽的錯在哪裡呢？大王失計戀江東。早摧函谷稱西帝，何必鴻門殺沛公？徒縱咸陽三月火，讓他婁敬說關中。這就是項羽失敗的關鍵。

這裡再插一段閒話。說到歷史很妙，大家都知道秦始皇燒書，對中國文化來說，是一個大罪行。但是他的罪過也只能算一半。因爲秦始皇不准民間有書看，把全國的書籍集中起來了，放在咸陽宮，後來項羽放一把火燒咸陽宮，這把火連續不斷地燒了三個月，有多少書籍多少國家的財富，被他這把火燒掉了。所以嚴格說來，中國文化根基的中斷，這位項老兄負有很大的責任。但後世卻把這一責任全往秦始皇的身上推了。至於項羽的責任，由於對失敗英雄的同情，就少提了。

爲他人作嫁衣裳

在唐代的時候，唐太宗確立了考試制度，於是讀書人埋頭苦幹，十載寒窗，一朝登第，一步一步鑽到功名場中。直到現在，都在隋唐時代所創立的考試制度的精神下，使得考試成爲知識分子求得功名富貴的必經之路。因此在隋唐以後，有很多的文學作品，讚頌由考試所取得的功名科第。社會上每個家庭，每個讀書人都在祈求，希望由科第而考取功名，來光耀門楣，榮宗耀祖。到了清朝，甚至連作皇帝的乾隆，還想暗地化名來參加考試，偷偷嘗試那考取進士的味道呢。所以以前教育兒童的讀物，便有天子重英豪，文章教爾曹。萬般皆下品，唯有讀書高的格言。當然，這些話到了現代工商業的社會，完全變成落伍的陳腔濫調了。現在應該可以將它改爲：「社會重金條，技能須學高。萬般皆上品，唯有讀書糟。」

其實，在從前，考取了科第功名是一回事，有了功名，能不能在宦途上飛黃騰達，又是另一回事。許多人就是有了功名，沒有門第，沒有背景，沒有人提拔，還是一樣的清寒一生，只比那沒有考得功名的白丁略勝一籌而已。例如在唐代詩的文學中，大家都讀過秦韜玉的《貧女吟》：

蓬門未識綺羅香　擬託良媒益自傷
誰愛風流高格調　共憐時世儉梳妝
敢將十指誇針巧　不把雙眉鬥畫長
苦恨年年壓金線　為他人作嫁衣裳

秦韜玉是京兆（今陝西西安）人，年輕時就有詩名，是晚唐詩人中頗有影響的一個，《全唐詩》收入他的詩三十六首，以七律居多，以這首《貧女吟》最爲著名，末句「爲他人作嫁衣裳」已成爲流傳千古、廣被引用的名句。秦韜玉早年應士不第，後從僖宗避亂到四川，在宦官田令孜府中作幕僚，這首詩可能就是這時作的。他借一個未嫁貧女的獨白傾訴，感嘆自己宦途不遇而發洩的無奈和悲哀。

同樣的情形，借貧女來作寄託，抒發自己懷才不遇的詩，還有唐末詩人李山甫的一首名作：

平生不識綺羅裳　閒把簪珥益自傷
境裡只應諳素貌　人間多是重紅妝
當年未嫁還憂老　終日求媒即道狂
兩意定知無處說　暗垂珠淚滴蠶筐

第三句和第四句，就是感嘆社會人情現實的可怕。第五句第六句，是說自己在年輕時代意氣飛揚，非常自負，但早已顧慮到青春逝去，年華老大，還是早點找歸宿才好，所以一直託人作媒。不過，別人卻笑她瘋，認為以她的美麗才華，不怕沒有對象。最後說現在呢？什麼都沒希望了。還是一個貧女終老，每天作作苦工，只有對著蠶筐暗自滴淚了。這是讀書人多麼有趣的諷喻，但其中又含有多少的悲哀啊！時代雖然不同，人情世態還是一樣，即如現代讀書人，得到博士碩士學位以後，同樣的也是「貨與帝王家」，出賣給那個付你薪水高的人，三萬五萬一個月，非向他低頭不可，只不過現在是由帝王家的買主，一變而為資本家的老闆而已。

賦到滄桑句便工

有關歷史名人在富貴貧賤之際，這一類的人生經驗典故，多到不勝枚舉。現在我們姑且摘取數則就反面發揮的詩文，以發人深省。

仔細體會中國歷史上第二個南北朝——宋、遼、金、元時期幾首名人的詩，便可瞭解人生哲學的深意。也許說這些作品未免過於悲觀低調，但人生必須要經歷悲愴，才能激發建設的勇氣，這便是清代史學家、天文學家趙翼先生在《題元遺山詩集》中所謂的：

身閲興亡浩劫空　兩朝文獻一衰翁
無官未害餐周粟　有史深愁失楚弓
行殿幽蘭悲夜火　故都喬木泣秋風
國家不幸詩家幸　賦到滄桑句便工

以下便是反映遼、金、元三朝有關「金玉滿堂，莫之能守。富貴而驕，自遺其咎」的哲學文藝作品。

佞者歌　遼

百尺竿頭望九州　前人田土後人收

後人收得休歡喜　更有收人在後頭

人生事，的確如此。無奈人們明知而不能解脫！

秋夜金　元．遺山

九死餘生氣息存　蕭條門巷似荒村

春雷漫說驚壞戶　皎月何曾入覆盆

濟水有情添別淚　吳雲無夢寄歸魂

百年世事兼身事　樽酒何人與細論

百年世事兼身事，到頭來，誰都難免有此感受。無論清平世界或離亂時代，大概都是如此。只可惜元遺山親身經歷興衰成敗的哲學觀點，卻是樽酒何人與細論的感慨，除非與老子細斟淺酌，對飲一杯，或許可以粲然一笑。

題閑閑公夢歸詩　元．劉從益

學道幾人知道味　謀生底物是生涯
莊周枕上非真蝶　樂廣杯中亦假蛇
身後功名半張紙　夜來鼓吹一池蛙
夢間說夢重重夢　家外忘家處處家

學道幾人知道味，可爲世人讀老子者下一總評。謀生底物是生涯，人人到頭都是一樣。若能了知夢間說夢重重夢，家外忘家處處家。又何必入山修道然後才能解脫自在呢？

求仙詩　元．密蘭沙

刀筆相從四十年　非非是是萬千千
一家富貴千家怨　半世功名百世愆
牙笏紫袍今已矣　芒鞋竹杖任悠然
有人問我蓬萊事　雲在青山水在天

一家富貴千家怨，半世功名百世愆，真是看透古今中外的人情世態。正因其如此，要想長保金玉滿堂的富貴光景，必須深知「富貴而驕，自遺其咎」，自取速亡的可畏。

蓋房子與人生

說到蓋房子，講幾個故事：

第一個講到郭子儀。唐明皇時候安祿山叛亂，唐室將垮的政權，等於是他一個人打回來的。在歷史上，唐代將軍能富貴壽考的，只有郭子儀一個人。他退休以後，皇帝賜他一個汾陽王府。在興工建築的時候，他閒來無事，拄一支手杖，到工地上去監工，他吩咐一個正在砌牆的泥工說，牆基要築得堅固。這名泥水匠對郭子儀說，請王爺放心，我家祖孫三代在長安，都是作泥水匠的，不知蓋了多少府第，可是只見過房屋換主人，還未見過哪棟房屋倒塌了的。郭子儀聽了他這番話，拄著杖走了，再也不去監工。這個泥水匠講的，是祖孫三代的實際經驗，而郭子儀聽了以後，就想透了人生的一個道理，不是消沉，而是更通達了。

第二個故事，唐末楊玢在尚書任內，快要告老退休的時候，他在故鄉的舊屋地產，有些被鄰居侵占了。於是他的家人們要去告狀打官司，把擬好的起訴書送給他看，楊玢看了，便在後面批說：「四鄰侵我我從伊，畢竟須思未有時。試上含元殿基望，秋風秋草正離離。」他的家人看了就不去告狀了。

第三個故事，和楊玢的類似，據說（待考）出在清代康熙、雍正間的桐城人張廷玉。他是清代入關後，父子入閣拜相的漢人。據桐城朋友說，桐城有一條巷子名爲六尺巷。張廷玉當年在家鄉蓋相府時，鄰居與他家爭三尺地，官司打到縣衙裡，張家總管便立刻把這件事寫信到京裡報告相爺，希望寫封信給縣令關照一下。張廷玉看後，在原信上批了一首詩寄回來，這首詩說：

千里求書為道牆　讓他三尺又何妨
長城萬里今猶在　誰見當年秦始皇

張家的總管於是立即吩咐讓了三尺地出來，那個鄰居看到張家居然退讓了三尺，他也讓了三尺出來，於是留下了六尺空地，成爲人人都能通行的一條巷道。

從這個故事，我們就可瞭解孔子之所以講到一個世家公子的生活，能夠修養到「知足常樂」，只求溫飽，實在是很難得的。像這樣修養的人，如果從政，就不會受外界環境的誘惑了。

剛才提到郭子儀的起建汾陽王府，我們再看看唐人的兩首詩：

門前不改舊山河　破虜曾輕馬伏波
今日獨經歌舞地　古槐疏冷夕陽多
——趙嘏經汾陽舊宅詩

汾陽舊宅今為寺　猶有當年歌舞樓
四十年來車馬散　古槐深巷暮蟬愁
——張籍法雄寺東樓詩

上面兩首詩的詞句都很簡單，但包涵的意味卻發人深省；比起「長城萬里今猶在，不見當年秦始皇」如何？

名利濃於酒

孔子說，國家社會上了軌道，像我們這一類的人就用不著了，我們不必去佔住那個職位，可以讓別人去做了。如果仍舊戀棧，佔住那個位置，光拿俸祿，無所建樹，就是可恥的。其次，社會國家没有上軌道，而站在位置上，對於社會國家没有貢獻，也是可恥的。結論下來就是說，一個知識分子，爲了什麼讀書？不是爲了自己吃飯，是爲了對社會對國家能有所貢獻，假如没有貢獻，無論安定的社會或動亂的社會，都是可恥的。

講到這裡，我們想起一些故事，可作爲研究這兩句話的參考，這個免於「恥」字的功夫可真難。

如大家所熟知的，漢光武劉秀和嚴光（子陵）是幼年時的同學好友，後來劉秀當了皇帝，下命令全國找嚴子陵，而嚴子陵不願出來作官躲了起來。後來在浙江桐廬縣富春江上，發現有一個人反穿了皮襖釣魚，大家都覺得這是一個怪人，桐廬縣的縣令把這件事報到京裡去。漢光武一看報告，知道這人一定是老同學嚴光，這一次才把他接到京裡。但嚴光還是不願作官。漢光武說，你不要以爲我當了皇帝，如今見面還是同學，今夜還是像當年同學時一樣，睡在一起好聊聊天，嚴子陵還是那樣壞睡相，腿壓在皇帝的肚子上，所以有太史公發現「客星犯帝座」的說法。後世在嚴光釣魚的地方，建了一座嚴子陵的祠堂。因爲歷代以來的讀書人，都很推崇嚴子陵，認爲他是真正的隱士。有一個讀書人去考功名，經過嚴子陵的祠堂，題了首詩在那裡：

君為名利隱　吾為名利來
羞見先生面　夜半過釣台

這是推崇嚴子陵的。相反的，清人卻有詩批評嚴子陵：

一襲羊裘便有心　虛名傳誦到如今
當時若著簑衣去　煙水茫茫何處尋

這是說嚴子陵故意標榜高隱，實際上是沽名釣譽，想在歷史上留一個清高的美名。這是反的一面的。

此外，還有一段中國歷史上蠻有趣的事情。

滿清入關以後，有許多讀書人不投降。但清帝康熙非常高明，他十四歲親政，就平定了這樣一個廣土衆民的天下，做了六十年的皇帝，把清朝的政治基礎奠定下來，可以說他是一個天才皇帝，不是職業皇帝了。他看見漢人反清的太多，爲了要先收羅那些不願投降的讀書人，在科舉中特別開了一個「博學鴻詞科」。對於前明不願投降的遺老們，特別恩准，馬馬虎虎，只要報個名，形式上考一下，就給予很好的官位，結果有很多人，在這種誘惑下動搖了，而進了「博學鴻詞科」。也還有很多人硬不投降，所以當時鬧了很多笑話。其中一些非常尖刻譏諷，當時曾留下幾首諷刺的名詩：

一隊夷齊下首陽　幾年觀望好淒涼
早知薇蕨終難飽　悔煞無端諫武王

後來又開第二次「博學鴻詞科」，再收羅第一次未收羅到的人。因爲許多人看見第一批「博學鴻詞科」的人，都有很好的官位，自己就更忍不住了。從這裡看，中國人講究的節操，要守住真是難事，自己的中心思想能終生不變，實在是最高的修養。第二次去的人更多，考場的位置都滿了，後去的被推到門外，有人便吟詩挖苦：

失節夷齊下首陽　院門推出更淒涼
從今決計還山去　薇蕨那堪已吃光

中國讀書人，非常重視節操，也就是中心思想、見解的堅定問題。

又如明末清初的名詩人吳梅村，他的詩的確好。他本來堅持不肯投降，清政府挾持其老母威脅他，逼得他最後只好去向清政府報到。因此吳梅村一生非常痛苦。同時清政府對這些投降的人，雖然待遇很好，但後來寫歷史的時候，清帝還是下命令把這些人列入《貳臣傳》。這是中國文化精神，儘管再好，終究是投降過來的，骨頭不夠硬，這是很嚴重的，被人看不起的。吳梅村後來被列入《貳臣傳》，他當時去報到，內心非常痛苦，但是被清政府徵召，非去不可。所以他的詩有：浮生所欠唯一死，人世無由識九還。吳梅村因爲名氣太大，他在應召啟程進京的時候，有好幾百人，號稱「千人會」，爲他餞行。有一個青年沒有參加這次集會，寫了一封信，派人送到宴會上給吳梅村。吳梅村坐在首席上打開來一看，臉色都變了。旁邊的人覺得奇怪，看了這封信以後，大家的臉色也都變了。原來這封信上寫了這麼一首詩：

千人石上千人坐　一半清朝一半明
寄語婁東吳學士　兩朝天子一朝臣

在座的人全被罵了。

我們看了這些資料，對中國文化中的臣節與忠貞的精神，要特別注意。前天中午和幾位同學吃飯，也談到這個問題。有一位現在法國修哲學博士的同學，回來寫論文，因爲她是學哲學的，聽了這個問題覺得奇怪，她說：「這有什麼不對？」還問曾國藩算不算貳臣，我告訴她當然不算貳臣，她反而覺得「更怪」。我說，假如有人說你是再嫁夫人，你氣不氣？她說：「我當然氣，我根本還沒結婚。」我說，對了，所謂貳臣就等於一個女人結了婚，丈夫並沒有不對，而她又離開丈夫和另外一個丈夫在一起，當然別人要攻訐。這就是西方文化的看法與中國文化的不同。這個時代的道德、節操的觀念也與過去的不同。所以今天的中國文化，在這個問題上，也正處於歷史文化觀念的矛盾與交替當中。

得意失意難定論

有許多人，擔任某一種大位置大要職蠻好；但是要他改做實際工作，去執行一個任務，就完了。平常看他學問好，見解也好，寫的文章、建議、辦法都對。可是，讓他去實際從事行政工作就不行。有些人，要他從事實際行政工作，執行任務，會辦得很好，如果這樣認爲他很了不起，把他提拔到太高的重要地位，那他又完了。所以作領導的人，對人才的認識很難，對自己的認識也難，要曉得自己能作什麼，可真不容易。

我過去在私塾中所受的教育，老師們教的一些散文和詩，都包含有人生的道理。我的一位老師曾經有一首評論歷史的詩，講得非常好：

隋煬不幸為天子　安石可憐作相公
若使二人窮到老　一為名士一文雄

這意思是說，隋煬帝運氣不好，當了皇帝；而王安石很可憐，作了宰相。這兩個人若是不得志，王安石將成爲大文豪，他的文章那麼好，恐怕當時和後世對他的敬仰，還要更高，隋煬帝如果當時不作皇帝，就是一個很好的名士，一個才子。

我們再說李後主，真是好的文學家，那麼好的文學，真好，過去找不出來，以後恐怕也難找到這麼好的文學家，實在太好了，可惜當了皇帝。宋朝徽宗等人也是如此。不過話得說回來，文學又談何容易？《紅樓夢》之後，再也寫不出第二部《紅樓夢》，沒有像曹雪芹那樣的家庭，沒有像曹雪芹一樣，整天和一些女孩子在一起打滾，沒有那個經驗，換一個人怎麼也寫不出來。施耐庵的《水滸傳》，沒有跑過江湖，沒有和那些動輒拔刀的江湖朋友混在一起，也寫不出來。文學是這樣培養出來的。李後主的詞好，他花的本錢大，也是當了皇帝，江山又在他手裡丟掉，然後才有那種文學的境界出來。可是拿人生的立場看來，這些人都是不幸。因此我們又想起另外一個人的哲學，人生得意的事，有時並不是幸福；而有時候失意的事，並不是倒霉。如在明末清初的時候，有一個人作了一首詩：

眼前喬木盡兒孫　曾見吳宮幾度春
若使當時成大廈　亦應隨例作灰塵

這首詩是說失意並不見得壞。第一句感慨眼前的國家棟樑，都是他的後輩。第二句是講自己，像山上的大木、神木一樣，自己年紀大了，看到朝代的更替興衰成敗多少次，假使自己當時也成爲其中的棟樑，早就被燒光了。所以人生得意的事，雖不一定是壞，也不一定就是好，有時失意也不一定是差。

不合時宜

唐人的詩，很多喜歡用男女相悅，尤其以女孩子的感情作比喻，來表達自己的思想感慨。諸如功名富貴的得意，坎坷落拓的失意，往往都用女孩子的情感來形容。唐代朱慶餘的名詩：

洞房昨夜停紅燭　待曉堂前拜舅姑
妝罷低聲問夫婿　畫眉深淺入時無

這首詩就是表示功名考取了，非常高興得意，馬上就要去見長官了，見長官之前，自己精心的「化妝」，希望自己能夠使長官在第一印象中，產生良好的觀感。一切都準備好了以後，環境還摸不清楚，只有在師友同事之間，悄悄地打聽，是不是合長官的意？我們一輩子做事，每到一個新的環境，究竟要濃妝或淡抹，可還真難恰到好處畫眉深淺入時無能不能合於時代？若不合時宜，就沒有用。

古人還有兩句名詩說早知不入時人眼，多買胭脂畫牡丹。表面上看起來是題畫的，其實這是牢騷的詩，他說若早知人是勢利的，這樣喜歡攀著富貴（中國牡丹花是代表富貴的花），對於清高的格調看不慣，那我就率性俗氣一點，多用一些胭脂畫富貴花好了。我們不懂詩的，只把它當文學作品看，所以有人說，寫詩的是無病呻吟。實際上，許多是政治哲學，人生哲學，整個擺在詩裡，我們作一輩子人，就是不知道如何能「畫眉深淺入時無？」這就是人生哲學。所以中國哲學難研究，因為必須同時通文學。

為什麼今日談這些詩與哲學的關係？我們中國從前一些讀書人，到了晚年退休在家，寫字、作詩、填詞，一天到晚忙得不得了，好像時間不夠用。而現在的人，退休下來，或者是老伴不在身邊了，兒女長大飛了，感到非常空虛落寞。有一位大學教授，在六十歲後，就有這樣的感覺，他又不信仰任何宗教。我勸他作詩，他說不會，我說可以速成，保證一個星期以後就會作，不過是易學難精。後來他果然對作詩有了興趣。如今已七十多歲，居然出了一本詩集，現在可夠他打發餘年的了。所以中國這個作詩的修養很有用，而且不會見人就發牢騷，有牢騷也發在詩上面，在白紙上寫下了黑字，自己看看就把牢騷發完了，心中還能有所得。

就像這首詠貧女的詩，表面上是描述窮人家的女兒，但實際是影射一個人學問很好，但不得志，所謂懷才不遇的人。就像有的公務員，學問很好，但是特考高考都考不取，這裡碰壁，那裡行不通，就只有做個小公務員。而這首詩，描寫一個住茅屋的貧家女，那些高貴華麗衣服的香味，聞都没有聞過，本來想託媒人找個婆家，但自己很傷心，不願意這樣折節自薦。比喻一個有學問才具的人，不願意託朋友爲自己吹牛找工作。而在這個時代，一般人都很現實，很低俗，絕不欣賞青松明月一樣的格調，雖然時代如此，可是覺得這些人太可憐了，自己還是保持固有的儉樸純真，並不跟著世俗走。這也就代表了作者自己。大家很現實，要人家介紹、吹噓，或者上電視、登登報出了名就有辦法，社會風氣不太對，何必那樣呢？這些路都不走，還是保持自己的樸素。這就可見他的修養，他也很自負，如貧家女一樣，敢於誇稱自己的女工比任何人都精巧，這豈不是說自己的學問本事，比任何人都要高？可是不合時宜，苦恨自己在這樣的時代裡，永遠不能得志，沒有機會對國家社會有直接的貢獻。這也是牢騷。中國的詩文，微言大義，往往就在一個字，不把雙眉鬥畫長的一個「鬥」字，就是點睛的。所謂鬥就是和人家競爭，你打扮得這樣漂亮，我就打扮得比你更漂亮，就這樣出鋒頭找機會。說到畫眉，古人描寫這一類事的詩很多，也是一些文人吃飽了飯，真的看了女人化妝等等而作的，但那些是所謂「香艷體」。像貧女吟這一類的詩，則不屬於香艷體，而有寄託的含意。

出處從來自不齊

在古書上「出處」這個名詞，很多地方可看到，現在很少人用了，意思是人生的第一步要如何起步？人生的第一步很重要，如果第一步走錯了，就會永遠的錯下去。在歷史上，在個人，這種例子很多，所以人生的出處，對於過去的知識分子，是一件非常重要的事。如宋朝辛棄疾（稼軒），在宋代歷史上是一個非常傑出的人物，他比岳飛遲一點，差不多與朱熹同時，山東人，很有學問。當時元朝還沒有起來，北方爲金人所據，他有豪俠之氣，文武全才，不受一般的習俗所規範（以現代名詞來形容就是太保，不過本質上並不是現代行爲不良的太保）。十九歲的時候立志報國，和許多青年要反抗金國，光復國土，而能號召到幾千人起義，然後佔山打游擊。他曾經認爲某個人有將才，推薦給南宋，不料這人叛變了，他聽到消息後，單槍匹馬，闖到敵人的陣地裡，把這個叛徒抓回來。從這件事看起來，他的武功膽識都不簡單。後來他帶了一萬多人，渡江回到南宋來，可是他和岳飛的志向是一樣的，天天想恢復國土，趕走金人，南宋始終沒有重用他，而他卻成了有名的詞人。凡是講到文學，講到宋詞，沒有不提到辛棄疾的。

我們就看他一生的出處，年輕時是太保，充滿了豪俠之氣，文武全才，中間起來打游擊，能在敵人的區域中帶上萬人渡江過來，向南宋上了幾次恢復國土的計劃，可是南宋的君臣不想北伐，沒有採用他的意見，後來成了有名的文學家，也是有名的理學家。在南宋做官時，因爲才氣太高，受了很多打擊，幾次免官，人家檢舉告發他「貪財好色」四個字，但都是「事出有因，查無實據」。他不在乎，下台就下台。可是每次碰到地方上出了問題，兵變了或政治上出毛病了，又起用他調去平亂、整頓，他去了以後，不到幾個月就把這些事辦好了，他的才具之大，由此可知。我們今天提到他，就是因爲他始終抱定了立身出處要正大，不管表面的行爲怎樣，他的立身出處則始終是正大的。這一點在他晚年的詩詞裡，就看到很多，其中當然也有牢騷，可是站在文學的立場，看他的成就那麼高，修養好，儒釋道三家無不曉通，雖有牢騷，到底情有可原，就是這樣一個怪人。我們現代如果認真研究歷史，鼓勵青年們效法辛棄疾這一類的人，也是有道理的。

我們講到出處兩個字，來看看他的詞，其中有一闋就說：

出處從來自不齊　後車方載太公歸
誰知寂寞空山裡　卻有高人賦采薇
黃菊嫩　晚香枝　一般同是採花時
蜂兒辛苦多官府　蝴蝶花間自在飛

這是他到南方以後，年紀大了時的作品。我們看這首詞的上半闋，他說人生的出處，第一站出來，不必要求每個人都是一樣，各人可以不同。他引用周代的歷史，文王找到姜太公，非常禮遇，馬上把自己的尊貴座位，讓給姜太公坐，自己駕車，把他請回來，致周代的政權八百年的穩固，王業的成功，計劃出於太公之手。可是同樣的時代，有伯夷叔齊，連皇帝都不願當，逃隱到最後，硬是餓死在首陽山，也就是我曾提到過的兩句名詩：「有人辭官歸故里，有人漏夜趕科場。」人的志向各有不同，有人要入世，有人要出世，有人面對千萬兩黃金，看都不看一眼，有人見到區區幾百元，眼睛都發亮，各人出處不同。

這是講出處方面，站在純文學的角度看，並不是一闋特別好的作品，這是文學境界牽涉到學說思想的詞，所以在他的集子裡是有名的作品之一，一般人學他的詞也很難學。人們提起文學家，每每先提到蘇東坡，他是運氣好，名氣太大了。在時間上說，蘇東坡比他早，是他的前輩，不過有人認為辛棄疾的詞，因氣派不同而超過了蘇東坡。而辛棄疾的一生，少年公子、太保、游擊隊領袖，當過流亡部隊生活，當過地方行政首長，什麼都幹過，聲色犬馬，好的壞的他都有，所以作品中有多方面的東西，氣派完全不同。

有關立身出處的問題，在宋明以後，又盛行一個新名詞（當然，在現在看來，是舊文學的名詞）叫「出山」，就是因為有了尊重隱士、處士的風氣所形成。杜甫詩所謂「在山泉水清，出山泉水濁。」便已有這種含意。講到這裡，我又想起我的老師袁先生，題灌縣靈岩寺的一副對聯。靈岩寺靠近都江堰的灌口，先秦時代，西蜀太守李冰父子修建了灌口——都江堰，自有了這個楊子江上游的偉大水利工程之後，一兩千年來，才有成都天府之國的農田水利。所以四川人為了感戴李冰父子，在灌口修建一座二郎廟，永遠留給後人馨香膜拜，威靈顯赫，無盡敬重。袁老師有聯：

溉數萬頃良田　在山泉水清　出山泉水清　好個比鄰秦太守
揉千七則藤葛　不說話亦墮　欲說話亦墮　拈與胡僧阿耆多

下聯是禪門公案，不去管它。上聯所說在山泉水清，出山泉水清，借此爲頌揚秦太守李冰父子的千秋功業，實在可作爲千古名臣出山從政的最好典範。

志士棲山恨不深

老子所說的這種處世哲學，人生態度，除了我們傳統文化中真實篤信道家的神仙們，用之在一般社會的人羣，是不可能的。如果要找出這種榜樣，當然，在歷代道家《神仙傳》裡卻多得很，不過，都像是離經叛道，古里古怪，不足爲法。其次，只有近似道家的隱士、高士們，介於出世入世之間的，卻可在《高士傳》裡找出典型。

現在我們只就一般所熟悉的，由亂離時期到治平時代的兩位中間人物，作爲近似老子所說的修道者的風格。在西漢與東漢轉型期中，有嚴光。在唐末五代末期到趙宋建國之間，有陳摶。

嚴光，字子陵。他在少年時代，與漢光武劉秀是同學。別的學問不說，單以文學詞章的角度來講，嚴子陵高到什麼程度，已無可靠的資料可尋。但是，看劉秀的少數文章詞藻，的確很不錯。在劉秀做了皇帝以後，唯獨懷念這位同學，到處查訪，希望他來一見，就可想見嚴光的深度，並不簡單。也許他也是一個在當時局勢中，不作第二人想的人物。但是他也深知劉秀不簡單，這個位置已屬於劉秀的，他就悠遊方外，再也不想鑽進圈套了。因此他就反披羊裘，垂釣在浙江桐廬的富春江上。後來，他雖然也和當皇帝的老同學劉秀見了面，而且還在皇宮裡如少年時代一樣，同榻而眠，過了一夜，還故意裝出睡相不好，把腳擱在劉秀的肚子上睡覺，似乎又目無天子。總算劉秀確有大度，沒有強迫他作官，終於放他還山，仍然讓他過著悠遊自在、樂於江上垂釣的生涯。

因此相傳後世有一位上京考功名的秀才，路過嚴子陵的釣台，便題一首詩說：

君為名利隱　吾為名利來

羞見先生面　夜半過釣台

這真是「有人辭官歸故里，有人漏夜趕科場」的對比寫照。

如照這種嚴格的要求隱士、高士、處士的標準，凡是被歷史文獻所記載、為人世所知的人物，乃至神仙傳記或佛門中的高僧，也都是一無是處的。宋代的大詩人陸放翁便說過：

志士棲山恨不深　人知已自負初心
不須更說嚴光輩　直至巢由錯到今

平庸一生，名不見於鄉里，終與草木同腐的，或者庶乎近焉！

陳摶道號希夷。當然，他早已被道家推為神仙的祖師。一般民間通稱，都叫他陳摶老祖。他生當唐末五代的末世，一生高臥華山，似乎一點也不關心世事。等到宋太祖趙匡胤在陳橋兵變，黃袍加身，當起皇帝來了，他正好下山，騎驢代步，一聽到這個消息，高興得從驢背跌下來說：從此天下可以太平了！因為他對趙宋的創業立國，有這樣的好感，所以趙氏兄弟都很尊重他。當弟弟趙匡義繼哥哥之後，當上皇帝——宋太宗，還特別召見過他，在《神仙傳》上的記載，宋太宗還特別派人送去幾位宮女侍候他。結果他作了一首詩，把宮女全數退回。

冰肌為骨玉為腮　多謝君王送到來
處士不生巫峽夢　空勞雲雨下陽台

這個故事和詩也記在唐末處士詩人——魏野的帳上，唐人詩中也收入魏野的著作。也許道家仍然好名，又把他栽在陳摶身上，未免有錦上添花畫蛇添足的嫌疑。

其實，希夷先生，生當離亂的時代，在他的少年和壯年時期，何嘗無用世之心。只是看得透徹，觀察周到，終於高隱華山，以待其時，以待其人而已。我們且看他的一首名詩，便知究竟了。

十年蹤跡走紅塵　回首青山入夢頻
紫綬縱榮爭及睡　朱門雖富不如貧
愁看劍戟扶危主　悶聽笙歌聒醉人
攜取舊書歸舊隱　野花啼鳥一般春

從這首七言律詩中，很明顯的表露希夷先生當年的感慨和觀感，都在愁看劍戟扶危主，悶聽笙歌聒醉人兩句之中。這兩句，也是全詩的畫龍點睛之處。因爲他生在唐末到五代的亂世中。幾十年間，這一個稱王，那一個稱帝，都是亂七八糟一無是處。但也都是曇花一現，每個都忙忙亂亂，擾亂蒼生幾年或十多年就完了，都不能成爲器局。所以他才有愁看劍戟扶危主的看法。同時又感慨一般生存在亂世中的社會人士，不知憂患，不知死活，只管醉生夢死，歌舞昇平，過著假象的太平生活，那是非常可悲的一代。因此便有悶聽笙歌聒醉人的嘆息。因此，他必須有自處之道，攜取舊書歸舊隱，高臥華山去了。

這也正如唐末另一位道士的詩說：

為買丹砂下白雲　鹿裘又惹九衢塵
不如將耳入山去　萬是千非愁煞人

他們所遭遇的境況和心情，都是一樣的痛苦，爲世道而憂悲。但在無可奈何中，只有如老子一樣，走那「我愚人之心也哉！沌沌兮，俗人昭昭，我獨昏昏。俗人察察，我獨悶悶。澹兮其若海，飂兮若無止，衆人皆有以，而我獨頑且鄙。」看來雖然高不可攀，其實，正是悲天憫人，在無可奈何中，故作曠達而已吧！

莫到瓊樓最上層

現代史上衆所周知的國民革命成功後，孫中山先生推位讓國，由袁世凱來當中華民國第一任大總統。結果，袁世凱卻走火入魔，硬要作皇帝改元洪憲。一年還不到，袁大頭就身敗名裂，壽終正寢，所留下的，只有一筆千秋罪過的笑料而已。袁世凱個人的歷史，大家都知道，他的爲人處事，原不足道。《紅樓夢》上有兩句話，大可用作他一生的總評：「負父母養育之恩，違師友規訓之德。」

袁的兩個兒子，大的克定，既拐腳，又要志在做太子繼皇位，慫恿最力。老二克文，卻是文采風流，名士氣息。當時的人，都比袁世凱是曹操，老二袁克文是曹植。我非常欣賞他反對其父老袁當皇帝的兩首詩，詩好，又深明事理，而且充滿老莊之學的情操。想不到民國初年，還有像袁克文這樣的詩才文筆，頗不容易。袁克文是前輩許地山先生的學生，就因爲他反對父親當皇帝，作了兩首詩，據説，惹得老袁大罵許地山一幫人，教壞了兒子，因此，把老二軟禁起來。我們現在且來談談袁克文的兩首詩的好處。

乍著吳棉強自勝　古台荒檻一憑陵

起首兩句便好。吳棉，是指用南方蘇杭一帶的絲棉所作的秋裝。强自勝，是指在秋涼的天氣中，穿上南方絲棉做外衣，剛剛覺得身上暖和一點，勉强可說好多了！這是譬喻他父親袁世凱靠南方革命成功的力量，剛剛有點得意之秋的景況，因此他們住進了北京皇城。但是，由元明清三代所經營建築成功的北京皇宮，景物依稀，人事全非，那些歷代的帝王又到哪裡去了！所以到此登臨攬勝，便有古台荒檻之嘆。看了這些歷史的陳跡，人，又何必把浮世的虛榮看得那麼重要！

波飛太液心無住　雲起魔崖夢欲騰

華池太液，是道家所說的神仙境界中的清涼池水。修煉家們，又別名它爲華池神水，服之可以袪病延年，長生不老。袁克文卻用它來比一個人的清靜心中，忽然動了貪心不足的大妄想，猶如華池神水，鼎沸揚波，使平靜心田，永不安穩了。

跟著便說一個人如動心不正，歪念頭一起，便如雲騰霧暗，蒙住了心智而不自知。一旦著了魔，就會夢想顛倒，心比天高，妄求飛昇上界而登仙了。

偶向遠林聞怨笛　獨臨靈室轉明燈

這是指當時時局的實際情景，他的父兄一心只想當皇帝，哪裡知道外界的輿論紛紛，衆怨沸騰。但詩人的筆法，往往是「屬詞比事」，寄託深遠，顯見詩詞文學含蓄的妙處，所以只當自己還正在古台荒檻的園中，登臨憑弔之際，耳中聽到遠處的怨笛哀鳴，不勝淒涼難受。因此回到自己的室內，轉動一盞明燈，排遣煩惱。靈室、明燈，是道佛兩家，有時用來譬喻心室中一點靈明不昧的良知。但他在這句上用字之妙，就妙在一個轉字。「轉明燈」，是希望他父兄的覺悟，要想平息衆怨，不如從自己內心中真正的反省，閑邪存正。

劇憐高處多風雨　莫到瓊樓最上層

最後變化引用蘇東坡的名句：「瓊樓玉宇，高處不勝寒」。勸他父親要知足常樂，切莫想當皇帝。袁世凱看了兒子的詩，赫然震怒，立刻把他軟禁起來，也就是這兩句使他看了最頭痛，最不能忍受的。另一首：

小院西風向晚晴　囂囂恩怨未分明

這起首兩句，全神貫注，在當時民國成立之初，袁世凱雖然當了第一任大總統，但是各方議論紛紛，並沒有天下歸心。所以便有囂囂恩怨未分明的直說。所謂向晚晴，是暗示他父親年紀已經老大，辛苦一生，到晚年才有此成就，應當珍惜，再也不可隨便亂來。

南回孤雁掩寒月　東去驕風動九城

南回孤雁，是譬喻南方的國民黨的影響力量，雖然並不當政，但正義所在，奮鬥孤飛，也足以遮掩寒月的光明。東去驕風，是指當時日本人的驕橫霸道，包藏禍心，應當特別注意。

駒隙去留爭一瞬　蛩聲吹夢欲三更

古人說，人生百歲，也不過是白駒過隙，轉眼之間而已。隙，是指門縫的孔闕。白駒，是太陽光線投射過門窗空闕處的幻影，好比小馬跑的那樣快速。這是勸他父親，年紀大了，人生生命的短暫，與千秋功罪的定論，只爭在一念之間，必須要作明智的抉擇。蛩聲吹夢，是秋蟲促織的鳴聲。欲三更，是形容人老了，好比夜已深，「好夢由來最易醒」。到底還有多少時間能做清秋好夢呢？

山泉繞屋知深淺　微念滄波感不平

在山泉水清，出山泉水濁。人要有自知之明，必須自知才德能力的深淺才好。但是，他的父兄的心志，卻不是如此思想，因此，總使他念念在心不能平息，不能心安。袁克文的詩文才調，果然很美，但畢竟是世家出身的公子，民國初年以後，寄居上海，捧捧戲子，玩玩古董，所謂民初四大公子之一。無論學術思想，德業事功，都一無所成，一無可取之處。現在我們因詩論詩，不論其人。我常有這種經驗，有的人只可讀其文，不必識其人。有的人大可識其人，何必論其學。人才到底是難兩全的。至於像我這種人，詩文學術，都一無可取之處。人也未做好，只好以「蓬門陋巷，教幾個小小蒙童」勉强混混而已。

人間隨處有乘除

清代的中興名臣曾國藩，大家都知道，他是近代史中一位大政治家，不必多介紹他的身世功業了。後世的人，說他建功立業，一共有十三套本領，但是其中有十一套大的謀略之學，都未曾流傳下來，只留了兩套本領給後世的人。其中一套，是著了一部《冰鑑》，把相人之術——這是他老師教給他的，他又傳給後世的人。自他以後，有許多政治的、軍事的乃至經濟等方面的領導人，運用他這部《冰鑑》所述的相人術，選才用人，的確收到了一些效果。

另一套本領，就是他的日記和家書。或者問：曾國藩的日記和家書，不外乎告訴家人，怎樣弄好雞窩，怎樣整理菜園，表示很快要回家種田等等，這些瑣碎小事，老農老圃也懂，算得什麼大本領，值得留傳給後人？

這只是一種皮毛的膚淺看法而已。如果進一步去分析曾國藩、曾國荃兄弟當時所建的功業，所處的環境，時代的政治背景，歷史的軌跡，就可以了解到曾國藩絮絮於這些瑣碎細事，實際上正深厚地運用了老莊之道。

曾國藩兄弟，經過了九年的艱苦戰爭，終於將曾經佔領了半壁江山、搖撼京師、幾乎取得政權的太平天國打垮了。所建立的功績，是滿清入關以來，前所未有，到達了「功高震主」的程度。

「功高震主」的情況，可能有許多人體會不到，試以創辦一間公司爲比喻。一位公司老闆，找到了一位很能幹的幹部，由於這位幹部精明能幹，而且很努力，於是因其良好的功勞業績，由一名小小的業務員，逐步上升，而股長，而主任，而經理，一直升到總經理。到了這個階段，公司的一切業務，許多事情，他比老闆還更了解更熟練，同下面的人緣又好極了，那麼，這種情況下，當老闆的就會擔起心來。這就「功高震主」了，地位就危險了。在政治上，一個功高震主的大臣，危險與榮譽是成正比的，獲得的榮耀勛獎愈多，危險也愈大。不但隨時有失去權勢財富的可能，甚至生命也往往旦夕不保。

清朝以特務手段駕馭大臣和各級官吏，雍正皇帝是用得最著名而收效的，以後清朝的帝王，均未放棄這一手法。慈禧太后，以一女人而專政，就用得更多更厲害，所以曾國藩的日記與家書，寫這些個雞欄菜圃小事，與其說是給家人子弟看，不如說是給慈禧太后看，期在無形中消除老闆的疑心，表示自己不過是一個求田問舍的鄉巴佬，以保全首領而已。

再從曾國藩給他弟弟曾國荃的一首詩中，也可很明顯地看到他深切的了解老莊思想，靈活運用老莊之道。這首詩說：

左列鐘銘右謗書　人間隨處有乘除
低頭一拜屠羊說　萬事浮雲過太虛

詩中屠羊說的典故，就出在莊子的《讓王篇》。屠羊說，本來是楚昭王時，市井中一個賣羊肉的屠夫，大家都叫他屠羊說，事實上是一位隱士。「說」是古字，古音通悅字。當時，因為伍員為了報殺父兄之仇，幫助吳國攻打楚國，楚國敗亡，昭王逃難出奔到隨國。屠羊說便跟著昭王逃亡，在流浪途中，昭王的許多問題，乃至生活上衣食住行，都是他幫忙解決，功勞很大。後來楚國復國，昭王派大臣去問屠羊說希望做什麼官。屠羊說答覆道：楚王失去了他的故國，我也跟著失去了賣羊肉的攤位，現在楚王恢復了國土，我也恢復了我的羊肉攤，這樣便等於恢復了我固有的爵祿，還要什麼賞賜呢？昭王再下命令，一定要他接受，於是屠羊說更進一步說：這次楚國失敗，不是我的過錯，所以我沒有請罪殺了我；現在復國了，也不是我的功勞，所以也不能領賞。

他這話是多少帶刺的，弦外之音就是說，你當國王失敗了，才弄得逃亡。現在你把國家救回來了，亦是你的努力和福氣。所以楚昭王從大臣那裡聽到他這樣的話，知道這個擺羊肉攤子的並不是普通人物，於是叫大臣召他來見面。不料屠羊說更乖巧，他回答說：依照我們楚國的政治體制，一定要有很大的功勞，受過重賞的人，才可以面對面見到國王。現在我屠羊說，在文的方面，沒有保存國家的知識學問，在武的方面，也沒有和敵人拚死一戰的勇氣，當吳國的軍隊打進我們首都來的時候，我只因爲怕死，而急急慌慌逃走，並不是爲了效忠而跟隨國王一路逃的，現在國王要召見我，是一件違背政體的事，我不願意天下人來譏笑楚國沒有法制。

楚昭王聽了這番理論，更覺得這個羊肉攤子老闆非等閒之輩，於是派了一位更高級的大臣，官司馬，名子綦——相近於現代的國防部長——吩咐子綦說，這個羊肉攤的老闆，雖然沒有什麼地位，可是他所說的道理非常高明，現在由你去請他來，說我要請他做國家的三公高位。想想看，由一位全國的三軍統帥出面來請，這中間有些什麼意味。可是屠羊說還是不吃這一套，他說我知道三公的地位，比我一個羊肉攤老闆不知要高貴多少倍，這個位置的薪水，萬鍾之祿，恐怕我賣一輩子羊肉也賺不了那麼多。可是，我怎麼可以因爲自己貪圖高官厚祿，而使我的君主得一個濫行獎賞的惡名呢？我還是不能夠這樣做的，請你把我的羊肉攤子還給我吧！

當然事實上，楚昭王的能復國，許多主意並非都是由這位羊肉攤老闆提出來的。後來他再三再四的不肯作官，就是「功成，名遂，身退；天之道也」的老莊精神。正是最有學問的人。

曾國藩寫這首詩，引用屠羊說的典故，是對他的弟弟曾國荃下警告。他知道，這時的客觀環境，對他的危險性非常大。不但上面那位老太太——慈禧太后，非常厲害，難侍候之至，自己不能不居高思危。而外面議論他，批評他，講他壞話的人也很多。尤其是曾國荃打進南京的時候，太平天國的王宮裡面，有許多金銀財寶，都被曾國荃搬走了。這件事，連曾國藩的同鄉至交好友王湘綺，亦大爲不滿，在寫《湘軍志》時，固然有許多讚揚，但是把曾氏兄弟以及湘軍的壞處，也寫進去了。這時曾國藩兄弟也很難過。曾國荃的修養到底不如哥哥，還有一些重要幹部，對於外來的批評都受不了，向曾國藩進言，何不推翻滿清，進兵到北京，把天下拿過來，更曾有人把這意見寫字條提出。曾國藩看了，對那人說：「你太辛苦了，疲累了，先去睡一下。」打發那人走了，將字條吞到肚中，連撕碎丟入字紙簍都不敢，以期保全自己的性命。

同時，他訓練出來的子弟兵，也已經變成「驕兵悍將」。打下太平天國以後，個個都有功勞，都有得意自滿的心理，很容易驕橫，所以又教他的學生李鴻章，趕快訓練淮軍，來接他的手，沖淡湘軍的自滿驕橫。

事實上，如果曾國荃與湘軍一衝動，半個中國已經是他的，似乎進一步就可以把大好河山拿下來。但真的拿不拿得下來呢？亦自有拿不下來的道理。我們現在來仔細研究當時的情況，的確有拿不下來的理由。到底還是曾國藩了不起，寧可不做這件事，所以寫了這樣一首詩，要曾國荃低頭一拜屠羊說。他說：儘管左面掛滿了中央政府——朝廷的褒獎狀，可是要知道「功高震主」的道理，不必因此自滿自傲，右邊放了毀謗、詆罵我們的文件，這也同樣沒有什麼了不起，不必生氣，人間隨處有乘除，人世間本來就如天秤一樣，這頭高了那頭低，這頭低了那頭高，不必想不開。低頭一拜屠羊說。只要效法屠羊說的精神與做法，學習這位世上第一高人，那麼萬事浮雲過太虛。榮譽也好，毀謗也好，都不過是碧天之上的一片浮雲，一忽兒就要被風吹散，成爲過去的，澄湛的碧天，依然還是澄清湛藍的。

在近代史上，明朝平宸濠之亂的王陽明，清朝打敗太平天國的曾國藩，都是精通老莊之學，擅用老莊之學，但都是內用黃老，外示儒術的作風，如果硬把他們打入儒家，認爲他們只知道在那裡講講理學，打打坐而已，這種看法，不是欺人，便是自欺，否則，便真的要「悔讀南華莊子文」了！

文章千古事　得失寸心知

對於文章和詩詞一類的文學作品，古人已有「雕蟲小技、不足道也」的觀念。其實，那是文人們自謙的話。相反的，又有「文章華國」、「文以載道」等推崇的定評。因此，大詩人杜甫，便有「文章千古事，得失寸心知」的名句。但無論人們對詩詞文學本身的價值作如何看法，它卻實實在在地表達出一個人的性格、人品、思想和情感，絲毫不得隱藏，也無法躲閃。

歷史上的人物，才華橫溢如曹操父子，在其作品中，處處流露了他們孤寂悲涼的情態，猶如他們畢生事業的局面，始終不能臻於博大悠久。

相傳爲黃巢出家當和尚的僞詩，一點也沒有得道高僧的氣息，只是充滿了殺氣。

近人王國維，談論詩詞文學，以文學的境界爲品評標準，似乎言之成理。其實，無論好作品與壞作品，一著文字相，必然有境界，只是境界有美好與鄙俚的差別而已。至於透過文字所表達的氣魄和氣象，畢竟不是文字技巧所能籠罩。

昔人野史記載，黃巢兵敗，並未被殺，卻逃去當和尚，剃了鬚髮，法名道價。後來在西京龍門寺，自號翠微禪師。最後又住進雪竇寺，所以又稱雪竇禪師（雪竇寺，在浙江寧波四明山中，歷代時出高僧，都以雪竇爲名。黃巢並非禪宗正脈的雪竇重顯禪師，不可誤認）。又說他死在宋初開寶時期，年齡已過八十。史實不符，都是假造的說法。

《揮麈錄》記載他的詩：

三十年前草上飛　鐵衣拋卻著僧衣
天津橋上無人問　獨倚危樓看落暉

讀來確有英雄晚年，一派落寞的意味。但「三十年前草上飛」一句，始終不脫綠林氣息，非常有趣。可是在《賓退錄》上記載，這首詩是好事的後人從元稹（微之）贈智度禪師兩首詩中偷改過來的。在元微之的詩集中，便存有原作：

四十年前馬上飛　功名藏盡擁禪衣
石榴園下擒生處　獨自閒行獨自歸

三陷思明三突圍　鐵衣拋盡衲禪衣
天津橋上無人識　閒憑欄干望落暉

這兩首原詩，是依此湊改而成，假託是黃巢的那首詩，同樣是二十八個字的作品。但器度氣象，就完全不同了。由此，我們同時可以體會，無論新舊文學，都需要器識和氣魄，才能構成好的作品。

金朝末年的完顏亮，桀敖跋扈，氣吞山河，有一手的好書法，也好作詩填詞。當他初封爲岐王而兼平章政事的時期，詩詞中，已經語意倔强，透露著不甘人下的意味。如出使道驛《詠竹》的一首：

孤驛蕭蕭竹一叢　不同凡卉媚春風
我心正與君相似　只待雲梢拂碧空

書壁述懷：

蛟龍潛匿隱滄波　且與蝦蟆作混和
等得一朝頭角就　撼搖霹靂震山河

過汝陰：

門掩黃昏染綠苔　那回蹤跡半塵埃
空亭日暮鳥爭噪　幽徑草深人未來
數仞假山當戶牖　一池春水繞樓台

繁華不識興亡地　猶倚闌干次第開

中秋待月不至（鵲橋仙）：

假杯不舉　停歌不發　等候銀蟾出海
不知何處片雲來　做許大通天障礙
虬髯捻斷　星眸睜裂　惟恨劍鋒不快
一揮截斷紫雲腰　仔細看嫦娥體態

後來他讀到宋朝詞人柳永的名作，便使畫工繪製杭州臨安的都市圖，以及西湖景色，此時即已蓄意南侵。題詩一首：

萬里車書盡混同　江南豈有別疆封
提兵百萬西湖上　立馬吳山第一峯

第二年，便起兵南下兩淮，填詞《喜遷鶯》一闕，遍賜部下：

旌麾初舉　正駃騠力健　嘶風江渚
射虎將軍　落雕都尉　繡帽錦袍翹楚
怒磔戟鬚爭奮　捲地一聲鼙鼓
笑談頃　指長江　齊楚六師飛渡

此去無自墮　金印如斗　獨在功名取
斷鎖機謀　垂鞭方略　人事本無今古
試展臥龍韜略　果見成功旦暮
問江左　想雲霓　望切玄黃迎路

這些，也都是歷史人物的名作，他有境界嗎？當然有。但不是「衆裡尋他千百度，驀然回首，那人卻在燈火闌珊處」一樣的情調。所以說，凡是文字的結構，不論好或壞，境界都是有的，但器度和氣象的差別，就迴然不同了。完顏亮的詩詞，果然充滿了侵略者氣吞山河的意味；而在他的字裡行間，卻透出他的事業和文學都未能成功的氣息，仍然屬於歷史上失敗一流人物的作品。

至於詞人柳永的名作《望海潮》，則真個充滿了純文學的美，恰如杭州西湖的山水一樣，有說不盡的嫵媚。難怪有人說，就因爲柳永的一首詞而引起了完顏亮南侵的貪慾了。

東南形勝　三吳都會　錢塘自古繁華
煙柳畫橋　風簾翠幕　參差十萬人家
雲樹繞堤沙　怒濤捲霜雪　天塹無涯
市列珠璣　戶盈羅綺　競豪奢
重湖疊巘清佳　有三秋桂子　十里荷花
羌管弄晴　菱歌汎夜　嬉嬉釣叟蓮娃
千騎擁高牙　乘醉聽蕭鼓　吟賞煙霞
異日圖將好景　歸去鳳池誇

和尚吟詩有威靈

吳僧月洲，喜作詩，名士沈石田，想請他題畫，便故意騙他說：這裡有一位名妓，特地請你來觀賞。月洲立即趕來，到後才知道上當。便在沈石田的《菜邊蝴蝶圖》上題了一首詩：

桃花結子菜生苔　細雨蛙聲出草萊
一段春光都不見　卻教蝴蝶誤飛來

唐宋以來的一般僧服，多著黑衣。到了元朝文宗時代，因爲特別重視欣笑隱和尚，文宗便御賜黃衣。後來他的徒弟們便都著黃色僧衣了，因此薩天錫便有贈欣笑隱的詩：「客過鐘鳴飯，僧披御賜衣。」一到了明初，制定參禪僧的衣爲黑色。講經僧的衣爲紅色。應請誦經拜懺的僧衣爲葱白色。

明代永樂的南征，都由師僧姚廣孝策劃，事成，封爲少師。有一次姚少師領敕命，到四川雲台觀懸幡，路過蘇州，暫時駐杖寒山寺。臨時到松林中施食，獨自一個人穿了一雙便鞋，一邊施食，一邊慢慢走去。恰好碰到蘇州的縣宰曹二尹帶著官差喝道而來。姚少師一路徑行而去，並不迴避，因此惹怒了曹二尹，叫官差把他抓來，打了他二十皮鞭，少師默然挨打，也不分辯。旁邊有人認識他的，告訴曹二尹說，他便是當今的國師姚少師。曹二尹一聽嚇壞了，趕緊趴下來叩頭請罪。少師當下寫了一首詩給他，又默默回到寒山寺裡去了。

出使南來坐畫船　袈裟猶帶御爐煙
無端撞著曹二尹　二十皮鞭了宿緣

明代王陽明偶遊僧寺，看到一間僧房封鎖得很嚴密，便動了疑心，要求和尚打開門看個清楚。和尚對他說，房裡有一位老僧入定，已經五十年，上代交付，不可隨便開關。王陽明卻堅持要開門一看，和尚强不過他，只好開關。果然看到一個和尚肉身坐在龕中入定，面色儼然如生，而且活像王陽明自己的相貌。他看了心中如有所悟，覺得這個和尚就是他的前生。抬頭四面一看，牆壁上還留有一首詩：

五十年前王守仁　開門即是閉門人。
精靈剝後還歸復　始信禪門不壞身。

王陽明悵然若失，便出錢吩咐寺僧爲這坐龕圓寂的和尚肉身建塔。

《七修類藁》載元代一僧的兩首詩：

百丈岩頭掛草鞋　流行住止任安排
老僧腳底從來闊　未必骷髏就此埋

殘年節禮送紛紛　盡是豪門與富門
惟有老僧階下雪　始終不見草鞋痕

《草木子》載南宋賈似道當國時，一日漫遊西湖，有一個西川和尚，看到他並不迴避，反而徘徊不去。賈似道問他要作什麼？和尚說作詩。賈便指著湖中的漁翁，要他作詩，並以限用天字韻。和尚便應聲寫了一首詩：

籃裡無魚少酒錢　酒家門外繫漁船
幾回欲脫蓑衣當　又恐明朝是雨天

明代承天寺有僧名岫閒，自刻賣閒詩，請各方唱和。憲副李滋（號如穀）便寫了一首呵斥他的詩：

老禿何人敢說閒　八旬行腳古來傳
磨磚碓米僧家事　施鳥添香度日緣
閒自己偷誰敢買　賣千天遣定追還
癡呆可賣閒難賣　鬼斧神鎗不汝憐

朱元璋當了皇帝，政綱重嚴重猛。有一天，要到和尚廟去玩玩，但禁止侍從人員入寺，獨自一人進去。看到寺院的牆壁上畫了一個布袋和尚，墨跡還沒有晾乾，旁邊還題一首詩偈：

大千世界浩茫茫　收拾都將一袋裝
畢竟有收還有散　放寬些子又何妨

他看了，立刻命令侍從的人進去搜索，原來是空無一人的古寺而已。

明初禪僧謙牧，常住小有山中，各方都景仰他的道行高風。朱元璋本來就認識他，當了皇帝以後，親自作詩要召他到南京來：

寄語山中老禿牛　何勞辛苦戀東洲
南方有片閒田地　鞭打繩牽不轉頭

謙牧禪師接到朱皇帝的親筆詩，仍然不肯出山，只回答他一首詩：

老牛力盡已多年　頂破蹄穿只愛眠
震旦城中糧草足　主人何用苦加鞭

朱元璋看了，總算肯放過他，一笑了事。另有人題詩稱讚山頂一僧庵云：

高山頂上一間屋　老僧半間龍半間
半夜龍飛行雨去　歸來翻笑老僧閒

明桃源陳朗溪，有題漳江寺詩，用意恰恰相反，他的詩：

吟遍三千洞　來眠四大床
白雲鐘鼓外　翻笑老僧忙

南宋時，杭州靈隱寺僧元肇，法號淮海。寺有古松大數十圍，與月波亭相對。史相彌遠忽遣人來砍伐大松，要作建宅材料。淮海不得已，作了一首詩：

大夫去作棟樑材　無復清陰覆綠苔
惆悵月波亭上望　夜深惟見鶴歸來

同時閻貴妃的父親閻良臣，要修建香火功德院，也想在靈隱三天竺砍伐松樹作建村。淮海不得已，又作了一首詩：

不為栽松種茯苓　只緣山色四時青
老僧不會移將去　留與西湖作畫屏

淮海的兩首詩，當時便受人重視，宋理宗也看到了，便命令停止砍伐。又靈隱山中舊有久已衰敗的寺基，有一權勢人家，相信風水，想侵占寺基來做墳墓，淮海又作了一首詩：

一帶空山已有年　不須惆悵起頹磚
道旁多少麒麟塚　轉眼無人送紙錢

淮海的這首詩，使權勢豪門看了都不敢再起貪心，顯見文字的威靈，有時也不可輕視。

第二章　文化與文學

古代的音樂

據説，孔子刪詩書訂禮樂，一共整理了《詩經》、《書經》、《易經》、《禮記》、《樂經》及《春秋》六部書。但自秦始皇燒書，再加項羽咸陽的一把火，《樂經》遂告失傳。所以流傳下來只剩了「五經」。到現在，中國文化流傳下來和政治哲學有關的樂禮部分，只有《禮記》中的一篇「樂記」，但不足以概括當時孔子所整理的《樂經》。孔子本身對於音樂的造詣頗高。我們從《論語》中的記載，可以看出一個大概：「子謂韶，盡美矣，又盡善也。謂武，盡美矣，未盡善也。」推崇舜作的韶樂，而批評武王作的武樂不及韶樂好。

儘管孔子在春秋時代，認爲當時的禮樂已經不如古代，文化在衰退了，可是我們現在從歷史的資料上來看，則春秋時代的禮與樂，還是很可觀的。例如孔子曾經從學過的有音樂大師師襄，以及為了音感的靈敏，希望學好音樂，而把眼睛刺瞎的師曠，這兩人都有很高的音樂造詣。

究竟中國的音樂好到什麼程度？據孔子的話，以及古書上的資料，有許多神奇的故事，如彈琴、吹簫，演奏到美妙處，能夠使百鳥來朝，不但天空中所有的飛鳥會來，而且百獸率舞，各種野獸聽到音樂，也都會跑來，滿山遍谷，遠遠近近的，在那裡隨著樂聲起舞。真不知道這種音樂有什麼力量，能夠引起這種共鳴，產生這種反應。至於現代音樂，除非是緬甸人驅蛇，笛子一吹，洞穴裡的蛇都出來了。

諸如上述的神話很多，透過這些神話的流傳，其含義，一言以蔽之，不外乎推崇中國古代音樂的造詣成就。

《樂經》雖然流失，但也不能說中國的古樂就完全消失，例如古代的琴、瑟、箏、簫、鼓等等，都流傳下來，乃至後世傑出的音樂家，也有很好的作品。可是現代的我們，不但找不到秦漢以前的音樂，就是唐、宋間的音樂也找不到了。聽說這些在韓國、日本還保留了一些。當然，很多也走了樣。

唐太宗統一天下以後，在貞觀元年春正月，大宴羣臣的時候，曾經演奏了一首《秦王破陣樂》。是唐太宗當秦王時，破劉武周的戰役中，利用閒暇時所作的一闋大樂章，配合了一百二十八個舞蹈樂工，穿上銀色的甲冑，拿著戟爲武器，隨樂聲起舞，後來這個音樂又改名爲《神功破陣樂》。到貞觀七年的時候，又改名爲《七德舞》，這顯然是場面很壯觀的集體演奏的音樂，但現在也失傳了。最近聽說，韓國還保存了一部分，而日本則保留了全套的音樂和舞蹈。

談到中國上古的樂器，使我們聯想到一個頗爲有趣的問題，如鐘、鼓、琴、瑟、箏、簫，這些上古的樂器，除了鐘以外，多偏重於絲竹之聲，其次爲土、革，或木質等質料，很少用金屬制樂器。現代的金屬樂器，則多來自西方，這又是東西文化基本精神在樂器上所表現的不同之處（甚至可能「鑼」都是由西域傳過來的）。中國古代作戰的時候，是以擊鼓爲號，以鼓聲來傳達進退攻守的命令，後來才有鳴金收兵，以敲鑼聲來輔助傳達作戰時的號令。而胡琴、琵琶等，這些都是外來的兵器。所以我們樂器的歷史，越到後來，發出的聲音愈大，也就是可以讓多些人來共同欣賞，而這些樂器多半來自胡地。

在音樂本身而言，以我們自己幾十年來的生活體驗，禮樂在整個文化中，的確是佔了重要的位置，是一個大問題。音樂往往能代表一個時代的精神，過去的音樂就代表了過去的時代，現代的音樂，則代表了現在的時代。在文化深厚的時代，所產生的音樂的確也更豐碩、更深厚。

文與質

世界各國的歷史發展都有一個通例：凡有高度文化的國家，在文與質兩方面是並重的。如果偏向於文，這個國家一定要發生問題。我們知道，過去世界各民族搞哲學思想，最有興趣，最有成就的，要算是印度和希臘。

印度人自上古以來哲學思想就很發達，因此形成了佛教思想。印度的氣候不比中國，在南印度到中印度一帶，天氣很熱，生活簡單，一年四季都只穿一件衣服就夠了。我們過去講「天衣無縫」，這個「天」原來的意思就是「天竺」。漢代翻譯的音與現在不同，唐以後翻成「印度」。當時印度衣服的大概式樣，現在到泰國邊境還看得見，就是一塊布，身上一圍，就是「天衣」。不需要像我們的一樣用針線縫起來，當然無縫。更熱的地方甚至可以不穿。肚子餓了，香蕉等野生水果，什麼都可以吃。吃飽了以後躺下睡覺，醒來以後坐在那裡靜靜地尋思，想些神祕難解的問題。所以印度哲學的發展，受地理因素的影響很大。

希臘的哲學思想也很發達。我們講到文化史時，心目中對希臘這個地方，充滿景仰之心。如果到了那裡一看，沒有什麼了不起，只是一個比較苦寒的地方。這種苦寒的地方，人生的問題也多，譬如一個人遭遇了困難，會想到自己爲什麼這樣命苦？再想命苦是什麼原因？這樣慢慢想下去，哲學問題就出來了。

這兩個地方，哲學思想那麼高，他們爲什麼不能建立一個富强的大國？那就是文質不相稱的必然現象。

我們再看西方的文化，像羅馬，無論雕刻、建築等等都很高明，但是它的文化在文學藝術到達了最高峯的時候，就開始衰落了。這差不多是世界文化發展史上一個必然的道理。只有我們中華民族的國家、民族、文化、政治、歷史是一體的、整體的，全世界只有我們中國是如此。這就要注意，文化歷史與國家民族的關係有如此深厚，只有中國不受這個影響。

回轉來看中國每一個朝代文與質的問題。我曾講過夏尚質，殷尚忠，周尚文，這三代各有不同。夏禹時代開始建立一個大的農業國家，一切都是質直的、樸素的。到了殷朝的時候，人還是很老實，但是宗教色彩比較濃厚。我們文化整體的建立、完成在周代，因為周尚文。但是周朝的文化，仍是根據夏商文化損益而成，是文化傳統的總匯。

後來歷史的演變，一代一代看得很清楚。

秦紀太短，等於是戰國時代的餘波，不去談它。到了漢朝的建立，四百年劉家政權，早期也非常質樸，慢慢國家社會安定了，文風就開始興盛了。到東漢時文風特別盛，歷史的趨勢也走下坡路了。

漢以後是魏晉南北朝，我們知道魏晉以曹操、司馬懿為宗祖。如果說到文學的境界與質作比較，魏晉的文風，包括了哲學思想，實在是了不起。第一個了不起的人就是曹操，他們父子三人在文學發展史上貢獻非常大，的確是第一流的文人，所以影響整個魏晉時代的文風都很盛，但缺乏尚忠的質樸。一直到了南北朝，這幾百年都很亂，不是沒有文，而是沒有質樸的氣息。

後來唐代統一了天下，他們李家的血統中，有西北邊陲民族的血液，所以唐代開國之初，文風也好，政治風氣也好，社會風氣也好，非常樸實。我們今天講中國文化的詩，都推崇唐詩為代表；別代的詩雖然都很好，為什麼不足以代表，而推崇唐詩？說起來好像唐詩沒有什麼了不起，不外歌頌月亮好，花開得好，風吹得舒服，風花雪月而已。可是唐代的詩詠頌風花雪月，就是有那股質樸的美。到了中唐和晚唐時期，文風越來越盛，而民族的質樸、粗野與宏偉的氣魄衰落了，沒有了。

經歷了五代，到了宋趙匡胤統一中國，一開始文風非常發達。講文學、講學問，誰提倡的？就是趙匡胤他兩兄弟。在馬上二十年，手不釋卷，一邊打仗，還愛讀書。乃至於帶部隊去前方打仗的時候，後面幾十匹馬跟著馱的也是書。我們讀歷史讀到這裡，問題就來了。我們看到趙宋立國的天子，是軍事家而兼文人，以致宋代的統一，只統一了一半，北方幽燕十六州根本就沒有統一過。因爲趙匡胤是軍人，上過戰場打過仗，曉得戰爭的可怕。同時他又是愛好讀書的學者，不願意打仗。再者也覺得沒有把握。所以宋代一開國，等於是半個中國。而宋代的文風非常盛，開國的氣魄則始終不像漢、唐那樣壯觀。

再下來，元朝不必談了，八十年匆匆而過。到了明朝三百多年來繼承宋朝的文學，學術的氣勢、格局就不大。我們要注意，在元朝以前的西方人，哪裡知道有今天，那時他們根本還落後得很。所以當時在中國做過官的意大利人馬可波羅，回去寫了一篇遊記，報導中國的文化。歐洲人看了根本還不相信，認爲世界上哪裡有這樣美麗的天堂。到了明朝中葉以後，西方文化才抬頭，所謂西方文藝復興，就是這個階段。

至於清朝，我們推開民族問題不談，在前一百五十年中，的確是文與質都很可觀的。從這些歷史上看，我們瞭解了一個國家民族的建立，文質兩方面萬萬不能有所偏頗。

再回到現代，今日整個世界危機很重。而且還不是政治軍事這些因素，而是沒有文化了。尤其我們目前所面對的整個世界，經濟失調又導致文化衰亂，這是很嚴重的。目前世界各國經濟上都有赤字，只有德國例外。研究結果，二十多年來世界各國，受了凱恩斯經濟學理論——「消費刺激生產」的影響，大家吃虧很大，像英國人連糖都吃不起了。一種思想，一種學說，對世界人類社會的影響，就有這樣嚴重。美國這幾年來所以通貨如此膨脹，就是一直運用凱恩斯經濟思想的結果。現在曉得後果不佳已經沒有辦法了，短時間內無法糾正。德國之所以能立於不敗，就是經濟恐慌後沒有死守凱恩斯的經濟理論，而用古典的經濟思想，也就是中國人的「省吃儉用，量入爲出」的思想。很簡單，「生之者衆，用之者寡」，經濟自然穩固。證明用古老的思想對了，這就是時代的考驗。這都是學說文化，我們不要把它分割，認爲這是經濟學，與孔孟之學有什麼相干？總之，文化是整體的。

無情何必生斯世

常人言及有情與無情，多情與絕情的問題，大多含糊其詞，難下定論。尤其與人談禪，進而與和尚談禪，自然情不自禁煞住話頭，不敢高談下去。不然，恐爲和尚所笑，視爲紅塵中的俗物。或者，認爲和尚根本不懂得情是何物，不值一談。

事實不然，無論是洋和尚或土和尚，高僧或俗僧，高士或下士，總是一個人。凡是人都有人的氣息，始終未免有情。真能修到太上忘情，也還是沒有跳出情的圈子，只是各正性命，忘其所不敢不忘，忘其所不能不忘而已。

上下億萬年，縱橫大宇宙，凡有生命的存在，各種文字所記載的文獻，無論是文學的，政治的，軍事的，經濟的，是經書，是正史，是筆記小說，一言以概之，都是一部人類五花八門、千奇百怪的情史記錄而已。

推而廣之，上自宗教教主的仙、佛、神、主，下到蠢動微生，無非有情。「無情何必生斯世，有好終須累此身。」恰是萬古不易的名言。仙佛神主，有仙佛神主的情；蠢動微生，有蠢動微生的情。所謂忠臣、孝子、節婦、義士、文學家或藝術家，詩人或學者，田婦或村夫，都是情有獨鍾，情有所寄，因而構成一幅修身、齊家、治國、平天下的織錦圖了。佛說「一切有情衆生」一句，便是一卷無上密語，無上慧學。有情而能解脫，即爲仙佛。永爲情累，便是凡夫。

由此可知釋迦文佛捨王位不爲而出家當和尚，其志在普渡衆生，縱使窮盡未來時空的邊際，還要「虛空有盡，我願無窮。」豈非是多情之至，爲大情種性。孔子一生「棲棲遑遑，如喪家之犬」。明知不能挽回劫運，但還要知其不可爲而爲之，豈非是情多而不惜負累？柳下惠的「直道以事人，何須去父母之邦。」也無非是情之所鍾。耶穌釘上了十字架，流下點點殷紅的鮮血，仍無絲毫怨天尤人的憤懣，還說是爲世人贖罪，也無非是至性至情的昇華。穆罕默德的一手拿劍，一手拿《可蘭經》，來教化他的子民，當然是情存故國，心在天下。只有老子故作無情姿態，裝著一副無可奈何的樣子，騎了一頭青牛，西出函谷關，蒼涼獨步，向流沙而去，寄跡天涯，不知所終，恐也難免是「明朝匹馬相思處，知隔千山與萬山」的情懷吧！

忘情乃人之所難，時隔數十年後，地爲海山間阻，每當和風涼夜，月下燈前，偶憶靈嚴紅葉，離堆波濤，便不禁懷念方外之友傳西上人。上人現出家僧相，受業於歐陽竟無先生門下，精通唯識法相之學，駐錫青城，交遊多天下名士學者，區區亦是其山中常客，平常往返忘形，早已不存其是僧是俗的分別。當時華西大學曾邀上人講授禪學，終不首肯，後來經我輩力促，卻堅持要開「情與愛的哲學」一課。以和尚而講情與愛的哲學，實足聳人聽聞，因此聽衆既無虛座，和尚也不空講，大爲叫座云云。惜我正行役重慶並未及時臨場，後來上人與我言及大要，相與抵掌大笑。

古今文詞傳習，有關於情的大作，多至不可勝數。例如衆所週知的古詩十九首，諸葛亮的前後《出師表》與《梁父吟》，曹子建父子兄弟三人，與建安七子的詩文。又自唐代李世民以次的名作，與李白、杜甫、王維、劉禹錫、李商隱等一大羣才情並茂的詩人們的詩卷。乃至宋代岳飛的《滿江紅》與文天祥的《正氣歌》、《過零丁洋》的名詩，與明代史可法與多爾袞往來的信札，無不是真情流露的佳作，真是數說不盡，例舉不完。甚至可說一部廿六史的興衰成敗，是非邪正的記錄，也只是人類社會的一部情史而已。

大情不說，且對人生境界情我的小境而言，人人都說宋代詩人陸放翁的愛國情操，有如：

王師北定中原日　家祭無忘告乃翁

次如：

夢斷香銷四十年　沈園柳老不飛棉
此身行作稽山土　猶弔遺蹤一泫然

以及辛稼軒的：

飽飯閑游繞小溪　卻將往事細尋思
有時思到難思處　拍碎闌干人不知

都是用情深密，臨老不渝的情話真言。捨此以外，就手邊方便，略檢僧俗中有關情愛哲學的小品詩詞，聊供把玩。

鷓鴣天　宋·辛棄疾

晚日寒鴉一片愁　柳塘新綠卻溫柔
若叫眼底無離恨　不信人間有白頭
腸已斷　淚難收　相思重上小紅樓
情知已被雲遮斷　頻倚闌干不自由

困不成眠奈夜何　情知歸來轉愁多
暗將往事思量遍　誰把多情惱亂他
些底事　誤人哪　不成真個不思家
嬌癡卻妒香香睡　喚起醒忪說夢些

趁得西風汗漫游　見他歌後怎生愁
事如芳草春長在　人似浮雲影不留
眉黛斂　眼波流　十年薄幸說揚州
明朝短棹輕衫夢　只在溪南罨畫樓

木落山高一夜霜　北風驅雁又離行
無言每覺情懷好　不飲能令興味長
頻聚散　試思量　為誰春草夢池塘
中年長作東山恨　莫遣離歌苦斷腸

憶江南　清・納蘭性德

心灰盡　有髮未全僧　風雨消磨生死別
似曾相識只孤檠　情在不能醒
搖落後　清吹那堪聽　淅瀝暗飄金井葉
乍聞風定又鐘聲　薄福荐傾城

攤破浣紗溪

風絮飄殘已化萍　泥蓮剛倩藕絲縈　珍重別拈香一瓣　記前生
人到情多情轉薄　而今真個悔多情　又到斷腸回道處　淚偷零
一霎燈前醉不醒　恨如春夢畏分明　淡月淡雲窗外雨　一聲聲
人到情多情轉薄　而今真個不多情　又聽鷓鴣啼遍了　短長亭

采桑子

誰翻樂府淒涼曲　風也蕭蕭
雨也蕭蕭　瘦盡燈花又一宵
不知何事縈懷抱　醒也無聊

醉也無聊　夢也何曾到謝橋

浪淘沙

悶自剔殘燈　暗雨空庭　瀟瀟已是不堪聽
那更西風偏著意　做盡秋聲
城柝已三更　欲睡還醒　薄寒中夜掩銀屏
曾染戒香消俗念　怎又多情

荷葉杯

知己一人誰是　已矣　贏得誤他生　多情終古似無情　莫問醉耶醒
未是看來如霧　朝暮　將息好花天　為伊指點再來緣　疏雨洗遺鈿

强歡　清・王次回

悲來填臆強為歡　不覺花間有淚彈
閱世已知寒暖變　逢人真覺笑啼難

歸途自嘆

畫屏人去錦鱗稀　愁見啼紅染客衣
縱使到家仍是客　迢迢鄉路為誰歸

文學史上三個夢

中國文學裡，有三個很有名的美夢，是指點人生哲學的妙文。一個是莊子的蝴蝶夢；一個是邯鄲夢；還有一個便是唐人李公佐著的南柯夢。縱然南柯夢醒，但人欲無窮，仍不肯罷休。死了還想昇天堂，到他方佛國，也許在那裡，可以滿足了在這個世界上所不能滿足的慾望吧！

莊子思想，在道家裡是最重要的。一部《莊子》很難講，在裡面，有修道、功夫，比儒家講得明白；同時，有專門用故事笑話來諷刺現實。實際上歷史上的一些大政治家、英雄人物，都懂得莊子。比如曹操、唐太宗都懂，只是嘴上不說，「厚黑教主」李宗吾也是。《莊子》的前七篇叫內篇，後面的一些篇叫外篇、雜篇，都是謀略政治的運用。日本人研究《孫子兵法》、《三國演義》，拿來做生意很成功，其實他們不知道，講謀略，講管理學，最厲害的是《莊子》。

蝴蝶夢出在《莊子》第二篇《齊物論》最後的結論。齊物就是平等，萬物都是平等。佛在《金剛經》裡講，一切諸法皆是平等，所以平等這個口號是釋迦牟尼先講出來的。事實上世界萬物不能平等。莊子生當戰國時代，佛法還沒有傳到中國，爲什麼莊子同佛有相同的思想？可見得道的人思想是一樣的。萬物不齊怎麼平等？《莊子．齊物論》這一篇就講這個東西，內容包括很多，修道，做人，應用。這一篇的最後，原文是：「昔者莊周夢爲蝴蝶，栩栩然蝴蝶也，自喻適志與？不知周也。俄然覺，則蘧蘧然周也，不知周之夢爲蝴蝶，與蝴蝶之夢爲周與？周與蝴蝶，則必有分矣，此之謂物化。」

莊子名莊周，他說：我有一天夢見自己變成蝴蝶，正在飛啊飛，真是自由自在。這個時候，我只曉得我是蝴蝶，不曉得我是莊周。等到我突然夢醒，我變成莊周，不是蝴蝶。這就有一個問題，究竟我是莊周夢中的蝴蝶呢，還是蝴蝶夢中的莊周？生命的真諦究竟蝴蝶是我，還是莊周是我？哪一個是真正的我？這就叫物化。

這個叫莊子的蝴蝶夢，等於佛學所講，晚上閉起眼睛叫做夢，白天是張開眼睛做夢，可是人忘記了，把白天當成真的，把晚上做夢當成假的。究竟夢是人生，還是人生是夢，佛在《金剛經》裡講「一切有爲法，如夢幻泡影」。佛講整個人生就是一個夢，死也是夢，活也是夢，痛苦也是夢，快樂也是夢，都是靠不住的。真正的人生是什麼？莊子不作結論，悟了這個就得道了。

後來民間把莊子的蝴蝶夢誤解了，變成唱戲的了。有一齣戲叫《大劈棺》，還是講的莊子，其實莊子很冤枉。《大劈棺》意思是，莊子有一天問太太：「我死了你怎麼辦？」太太說：「你死了我也活不了，一定跟你死。」這是講愛情的。莊子有一天死了，他有功夫會假死。他的太太哭得很傷心，把莊子放進棺材裡釘上釘子。太太繞著棺材又是哭，又是在地上打滾，一下子她的頭髮被棺材釘子鉤住了，她嚇住了，以爲莊子拖她一起去死，大喊：「我不能去啊！你先走啊！」然後莊子在棺材裡站起來：「哈哈，你都是騙我！」這是民間編的，不過編得很好。

另一個夢是邯鄲夢，出在《唐人筆記小說》。說的是唐代一個盧姓書生，進京去考功名，走到邯鄲道上，疲倦了想休息。旁邊一個老頭子正把黃粱米洗好，要下鍋做飯，就把枕頭借給這位盧生去睡。這個書生靠在他的枕頭上睡熟了，睡中他作了一個夢，夢見自己考上功名中了進士，娶妻生子，很快又當了宰相，出將入相，四十年的富貴功名顯赫一時。結果犯了罪要被殺頭，像秦二世的宰相李斯一樣，被拉出東門去砍頭。當刀子落下來的時候，他一嚇醒了。回頭一看，旁邊這個老頭兒的黃粱飯還沒煮熟。老頭子看他醒了，對他笑一笑說：四十年的功名富貴，很過癮吧！他一想，唉呀！我在作夢，他怎麼知道？他一定是神仙來度化我的。於是，不去考功名，跟著老頭去修道了。

有的說，這個邯鄲夢的主角，就是歷史上有名的神仙呂純陽，那個老者，便是他的老師鍾離權。呂純陽有一首很有名的詩：

帆力劈開千級浪　馬蹄踏破嶺頭春
浮名浮利濃如酒　醉得人間死不醒

呂純陽活得很長，在道家的地位相當於禪宗六祖。神仙分五級：鬼仙、人仙、地仙、天仙、神仙。呂純陽修道修到地仙和天仙之間，他劍術很高明。在湖南省有名的洞庭湖岳陽樓，呂純陽寫了一首詩：

朝遊北海暮蒼梧　袖裡青蛇膽氣粗
三醉岳陽人不識　朗吟飛過洞庭湖

「蒼梧」就是現在的廣西，「青蛇」是他的寶劍。他是個神仙，在洞庭湖飛來飛去，没有人認出他。到了宋朝，范仲淹寫了一篇《岳陽樓記》，其中最重要的兩句話，也是千古名句：「先天下之憂而憂，後天下之樂而樂。」范仲淹是儒家，孔孟的思想，等到世界太平，我們再來享受。在岳陽樓題詩的當然很多，一個湖南人針對呂純陽和范仲淹的詩文，也在岳陽樓題了一副對子：

呂道人太無聊　八百里洞庭　飛過來飛過去　一個神仙誰在眼
范秀才煞多事　數十年光景　什麼先什麼後　萬家憂樂總關心

講到邯鄲夢，順便講到呂純陽。邯鄲夢這個故事，是教化性的，宗教哲學性的，要人看破人生。所以在後世的文學中、詩詞裡，經常提到黃粱米熟或黃粱夢覺。但是後來有一個讀書人，卻持相反的意見。他也落魄到了邯鄲，想起這個故事，作了一首詩說：

四十年來公與侯　縱然是夢也風流
我今落魄邯鄲道　要向先生借枕頭

即使是夢中事，也可以過過富貴癮。這首詩對人慾的描寫，真可以説是淋漓盡致。

還有一個夢叫南柯夢，也叫槐安夢，也出在《唐人筆記小説》裡。説的是一個讀書人，在書房讀書。他的書房向南開窗，窗外有一棵老槐樹，樹上有一個樹杈，上面分別有兩個螞蟻窩。螞蟻是有組織的，有螞蟻王，兩窩螞蟻是分界線的。這個讀書人經常看書看累了，就看螞蟻爬來爬去。有一天這個讀書人讀書讀得疲勞了，就睡著了。在睡夢中他自己去考功名，考取了狀元然後去見皇帝。皇帝看到這位年輕狀元，心裡喜歡，就把自己的女兒嫁給他。以後夫妻恩愛，生了孩子，對國家功勞很大，出將入相。這樣過了幾十年，一天外國軍隊打過來，他擔任指揮同敵人打仗。這一仗打下來被打敗了，國家也亡了，自己也被殺。一刀砍下來把他砍醒了，一看樹上的螞蟻正在打仗，一隊螞蟻都被打死。原來自己做夢變成螞蟻。夢醒後大概也去修道了。南柯夢實際上是一個寓言，套邯鄲夢。

蝴蝶夢、邯鄲夢和南柯夢，在中國文學中很有名。還有一個夢在《列子》上，叫蕉鹿夢，《列子》上說：有一個人頭腦昏昏的。有一天，他去外面碰到一頭鹿，是被獵人射死的，大概獵人没有找到。當時，偶爾得到一頭鹿，等於現在發了一筆意外的財。他怕別人發現，把鹿拖到路邊，用芭蕉葉子蓋起來，準備晚上再背回家去。結果，在外面做事把這件事忘了。第二天早上醒來，碰到一個老朋友，就對他說：真怪，昨天我做了一個夢，夢見在某某地方發現一頭鹿，埋在那個地方，我用芭蕉葉把它蓋上。這個朋友一聽，信以爲真，跑到他說的那個地方，真的有芭蕉葉，真的有鹿。就把鹿背回去了。明明是真的，他當成夢；有人聽了人家說夢，他當真的，結果成功了。人生就是這樣有趣。

武俠小說的來龍去脈

中國武俠，正式見於傳記的，是從司馬遷所著的《史記·遊俠列傳》開始。司馬遷在《遊俠列傳》中，首先引用韓非子的話：「儒以文亂法，俠以武犯禁。」從法家的觀點看來，「二者皆譏」。也就是說，韓非子對於儒與俠兩種人，都有譏評而極不同意。但是單以俠義的精神和俠義道的史實來看，所謂俠義的作風，實淵源於儒墨兩家思想的互相結合，尤其偏重於墨家的精神。而俠義道發展的事實，卻上承戰國時代的六國養士，下接隋唐的選舉制度，與明清以後的特殊社會形式。但司馬遷最初所稱的「遊俠」，並非純粹以個人的尚武見長。以個人的武技與俠義合併而成爲後世的「武俠」，應當說是《史記》中《刺客列傳》的作風與「遊俠」精神互相結合的事跡。唐宋以後，由於禪與道的影響，中國文化的發展，處處進入藝術的境界，而不再是秦漢時代的情形，所以對於文學的造詣境界，便稱之謂「文藝」。對於武功技擊造詣的境界，便稱之謂「武藝」。明清以後，文有文狀元，武也有武狀元、武進士、武舉人、武秀才等。而且民間迷信科舉，甚至有認爲文狀元是天上的文曲星下凡；武藝超羣的武狀元，或古代武功高强的大將，也就是武曲星下凡。於是，宋明以來的「歷史演義」小說，充滿了這種觀念，而普遍灌輸影響到社會各階層。

武俠小說的興起

純粹以個人爲主角，描寫他的武技出神入化，而且有「技而進乎道矣」的造詣。而他們的行爲，在個人方面類似隱士。對國家社會或幫助正人君子的事業，卻滿懷俠義。或爲鋤奸懲惡，或爲濟弱扶危劫富濟貧。這是從唐人的「傳奇」小說開始，例如「崑崙奴」、「空空兒」、「聶隱娘」等故事，便是後世武俠小說的先聲。到了清朝中葉以後，俠義小說糅合了忠君愛國的忠義之氣，把鋤奸懲惡、除暴安良和劫富濟貧混合爲一，於是便有文康的《兒女英雄傳》、石玉昆的《三俠五義》、俞樾的《七俠五義》，以及《小五義》、《續小五義》、《正續小五義全傳》。同時又有《施公案》、《彭公案》、《七劍十三俠》等等，相繼勃然興起。但書中描述人物的邪和正以及人情世故的是和非，個人品行的善和惡，都是涇渭分明，一目瞭然。就如我們兒時看戲，看到紅臉出場，就知道是關公一樣的好人；看到白臉，就會想到和曹操一樣的壞人。總之，它的結局不外是注意正邪善惡的果報，一面藉此而宣洩人人胸中所有的不平之氣，一面也以此而敦正人心，並宣揚傳統的「善惡到頭終有報，只爭來早與來遲」的信念。

至於描寫武功方面，由《兒女英雄傳》的真刀真槍和拳來腳往，到了《七劍十三俠》，便變爲白光一道，飛劍取人首級於百里之外的境界，顯見小說家筆底的「武藝」，隨著時代的發展，逐漸進入玄妙而神奇的想像意境。從另一角度來看，則正好反映出十九世紀中葉以後，東方「止戈爲武」，與西方的「尚武好鬥」的風氣，都從原始技擊和刀兵的運用，而進入神奇的要求。西方文化以物質文明爲本，所以便發展爲槍砲機械。中國文化是以人文本位和個人的精神爲基礎，所以便把技擊進入以氣馭劍，或心劍合一的幻想境界。

抗日期間的武俠小說

精良的藝術是太平盛世以及安定社會中的產品。而宗教、哲學、小說，大體說來，都是歷史變亂、社會不安定中的結晶。自民國初年到抗日期間，武俠小說隨著印刷的發達，風起雲湧。閱讀武俠小說的風氣，也正如西方人閱讀偵探小說和科學幻想小說一樣的普遍。初期影響最大的，便是向愷然（筆名平江不肖生）所著的《江湖奇俠傳》。書中的武俠宗師金羅漢和柳遲，以及主要事件的「火燒紅蓮寺」的故事，不但膾炙人口，而且幾乎成爲家喻戶曉的事跡。因此拍成電影，而大受觀衆的歡迎。甚至，有許多小學生閱讀了《江湖奇俠傳》就離家出走，入山學道，尋訪明師，鬧出許多啼笑皆非的笑話。跟著而來的，便有李壽民（筆名還珠樓主）所著的長篇《蜀山劍俠傳》（又名《峨嵋劍俠傳》）、《青城十九俠》、《兵書峽》等劍俠小說，都暢銷全國而充斥書攤。出租武俠小說的行業，也因此應運而興，賺得大好生意。還珠樓主的小說，又長又玄，幾乎沒有一部完工的著作，但卻永遠吸引著讀者的心理。他以曾經學過道家方術的知識，和他遊歷過許多名山大川的見聞，以及多識蟲魚鳥獸人物等的經驗，並脫胎於《神仙傳》與《山海經》的幻想，配合他文白相間的筆調，實在使當時的青年人讀之，即醉心於心靈幻想的雄奇之境，而逃避了現實的苦悶。他如許多學者大師們，也樂此不疲而藉資消遣。就連大家所謂當時的哲學家胡適之先生，據說也是還珠樓主的忠實讀者之一（是否屬實已無法考證）。但著者以後的下落不明，據說他客居上海寫小說時，墮落到終日躺在鴉片煙舖上吞雲吐霧，挖空心思構想情節，而口授助手來筆錄。後來我碰到有些傳授道家方術的人，居然說出自得明師真傳「離合神光」的道法，實在令人啞然失笑而瞠目不知所對。因爲這些法術的名稱，實出於還珠樓主小說中的杜撰臆造，結果竟公然有人信以爲真，豈非不可思議。其次，比較不太過於以神奇相號召，而以中國少林、武當的武術技擊加以渲染的，則有曾經學過國術的鄭證因所著的《鷹爪王》等，屬於較爲合理的武俠小說。鄭證因也是多產的武俠小說作家，大受國術界的欣賞。其他還有些後起之秀的武俠小說作家，記憶不全，姑不詳說。受到這些武俠小說的影響，抗日戰爭期間，川康一帶，公然有人號稱結合劍仙俠客的地方團隊，願意參加抗戰。這種愛國熱情的忠義之氣，實在值得敬佩，但是他們的見解和常識，卻仍停留在「義和拳」時代，卻令人啼笑皆非。

近年武俠小說的演變

抗戰勝利以後，武俠小說逐漸開始轉變方向，其時平江不肖生的《江湖奇俠傳》已成過去，還珠樓主的《蜀山劍俠傳》、鄭證因的《鷹爪王》的風靡，也漸見減色。介於劍仙俠客之間的故事，和完全不適合中國技擊的功夫，而只憑臆測構想的作品，漸漸抬頭。因此在台灣，出租武俠小說的書攤行業，就憑這些小說，使得在風雨飄搖、流離顛沛中的人們，得以宣洩胸中的滿腔塊壘。當此之時，有一位多年從事文化事業、出版經驗豐富的書俠，他從出版事業的立場而言出版，認爲這些武俠小說都將成爲過去，於是出資請人寫作武俠小說，如《南明俠隱》、《年羹堯新傳》等，陸續出版發行。自此以後，寫作武俠小說的作家，和從事武俠小說的出版商，以及出租武俠小說的大小書店，便如雨後春筍，應運而興。由此解決了許多人的全家生活問題，同時也因此使一股醉心武俠小說的迷風，吹遍了各階層社會，乃至家庭主婦、中小學等學生的腦子裡。看武俠小說的風氣，如此之盛，主要的原因，由於時代與社會心理愈加苦悶的時候，怪力亂神的小說，也愈受人歡迎。何況一般愛情小說、社會小說，千篇一律，更無傑出的作品出現，早已使人厭於閱讀。

閱讀武俠小說風靡一時

但這一二十年來，台灣與海外（包括香港方面）武俠小說的寫作與出版，隨便一本便算一卷，精粗好壞，據我所知道和我所看過的，也不下幾千本乃至萬卷之多。因此我常說笑話：「如果說讀書破萬卷的話，單以武俠小說而言，我早已超過此限。」此中並無學問，而且亂說亂編的多如牛毛，但在精研正式書本與深思學問之餘，借此換換頭腦，保息心靈，遮遮老眼，的確還很有趣。後來發現與我有此同好者，還有許多學者教授、出國留學的學生，和若干自命「才高於頂，眼大如箕」的文人名士。至於一般青年學生，以及勞工朋友們，不但人手一本，而且裝滿兩個褲袋，都是全般武俠。有一天，我經過台北城中公園，看到前任警官學校的校長趙龍文先生，獨自一人坐在樹下看書。我心想，他真用功勤讀，大概又在研究四書、五經吧！爲了不忍心打斷他的讀書境界，所以不好招呼，只輕輕地從背後繞過一看，原來也在聚精會神地看武俠小說。這一時代，中國人之所以喜歡看武俠小說，就相當於美國政壇的重要人物，借著閱讀偵探小說或科學幻想小說以調劑心神。東西雙方的這種情況，也可以說都是時代的心理病態。然而俠風所至，還不止此，多少年來，任何大小報紙刊物，如果去掉武俠小說與描寫黑社會的小說，則幾乎可以使報紙刊物的發行數字直線下降。這股十里刀風，實在有使人不寒而慄之感。

武俠小說寫作的氾濫

但是武俠小說的寫作題材，經過二十年來的挖掘，的確都成陳腔濫調，而無上品出現。偷襲《蜀山劍俠》的《江湖奇俠》、《鷹爪王》的內容，寫光了。繼而外搭色情，配合西洋偵探小說與科學觀念的用毒和解毒，以及易容化裝、利用物理作用等幻想也寫完了。於是跟著而來的，便是好勇鬥狠、幫派復仇，一言不合就拔劍而起，流血五步，在所不惜，或睚眥必報，毫無情理。這種滿懷個人恩怨，或將心理變態的病態武俠，寫成主角，無形中給予青年以極壞的影響，關係極大。至於其中不通地理、不明地方風俗、不知歷史時代的生活方式的例子，實在不勝枚舉。於是華山的絕頂險處，可以騎馬；把崇山峻嶺的地方，描寫成爲大湖深澤。這些不經之談，自然都不在話下了。除此以外，還有亂講佛、道兩家的修氣煉脈之術，同時又把日本武士道的抽刀拔劍的手法，和日本式的打鬥拳腳，變成國術的招式；真正中國武功的技擊，反而毫無所知。甚至把瑜珈術引用到武功裡去，雖然別有精彩之處，但認爲這些便是中國的正宗技擊武術，那就更爲可笑了。目前武俠電影流行，所有舞弄刀槍劍棒的武術技擊，一半以上都是東洋的武士道手法，在行家眼中，真有啼笑皆非之感慨！可是這一流的電影不但大受男女老幼的歡迎，而且多少學者教授們，也都醉心欣賞，還大爲擊節讚揚。這不僅是中國文化中「武藝」的悲哀，還應該説是中國文化真正衰落的一劫。這些現象，也正表示出人心的沉悶，時代的哀愁，大家在無可奈何之中，只好借此一消胸中塊壘，並不在於中國「武藝」文化的真假和是非了。

武俠與社會教育

武俠小說在今日台灣的風氣，概如上述。而我們負責文化者不但完全外行，甚至也無法領導。幾年以前，一位有關人士曾和我說，應想出一個對此稍加限制的良策才好，因爲這種風氣，在無形中給予社會青年一種極壞的教育。我說：天下事往往存在著許多矛盾。教堂的對面開設了「紅燈戶」，最高學府的門前，有人在兜看黃色小電影的生意。一面防範管制「太保」、「阿飛」的好勇鬥狠，一面大量開放粗著濫作的小說，以及電視上極力播演殺人不眨眼的西方牛仔，以及笨拙萬分的摔角鏡頭，誰又願意正本清源從事社會教育。何況「智勇辯力」四者，絕非限制所能生效。只有疏導才是辦法。譬如人「因地而倒，因地而起。」如果認爲武俠小說影響了青少年的行爲，何以不培植寫作武俠小說的名家們，多爲後一代著想，而灌輸一些真正的中國文化，如人倫道德、俠義忠勇等精神和事實。同時再好好研究一下中國文化的「武德」以及真正中國的南北派和其他名家的技擊的「武術」呢？禁止之弊，甚於防範。疏導之功，利於無形。小說之功，過於教育。人謀之臧，可以造成良好的風氣。好的武俠小說，對於培養國家民族正氣的效果，也同樣有不可思議的力量。雖說未必盡然，卻未必不是當前文化的急務。

翻譯的學問

智慧，我們要注意，「智」在東方文化裡並不是知識。書讀得好，知識淵博，這是知識。智慧不是知識，也不是聰明，研究佛學就看出來了。照梵文的音譯，「般若」這兩個字，中文來解釋相當於智慧。當時我們翻譯佛學經典中的《金剛般若波羅密多經》，其中的「波羅密多」、「般若」都是梵文譯音。「般若」的解釋是智慧，爲什麼不譯成《金剛智慧波羅密多經》呢？因爲中國過去翻譯有「五不翻」，外文有此意義而中文無此意義的不翻，爲「五不翻」中的一種。現在對外國學生上課，就常有這種情形。

譬如「境界」一詞，外文裡就沒有這個字，勉强翻成「現象」，但並不完全是境界的意義。「現象」是科學上的名詞，「境界」是文學上的名詞。譬如說有人常引宋代辛稼軒有名的詞句：驀然回首，那人卻在燈火闌珊處。那就是境界，若隱若現。再說詩的境界，如月落烏啼霜滿天，江楓漁火對愁眠。姑蘇城外寒山寺，夜半鐘聲到客船。好境界！如改作「飛機轟轟對愁眠」，那是噪音不是詩了。李後主詞的名句無言獨上西樓，月如鉤，寂寞梧桐深院，鎖清秋。若是「月如團，紅燒鴨子一大盤。」那就沒有境界了。這是講文學的境界。如把境界翻成現象，就只有「月如團，紅燒鴨子一大盤」，才是現象。

又如中國文字的「氣」如何翻譯？西方文字不同，氧氣、氫氣、瓦斯氣，究竟用哪一種氣來代表？中國字就不同了，一個「電」字，就有許多的妙用。在外文就不得了，現在外文有十幾萬字，真正常用的幾千字而已。外文系的學生可不得了，新字一年年增加，我看照這種情形下去，七八十年以後，誰知道要增加到多少字，將來非毀棄不可。而中國只要一個「電」字就夠了，發亮的是電燈，播音的是電唱機，可以燒飯的是電鍋、電爐，還有電影、電視、電熨斗，只要兩個一拼就成了，誰都懂。外文可不行，電燈是電燈的單字，電話是電話的單字，所以他們的物質越進步，文字越增加，增加到最後，人的腦子要爆炸的。所以現在中文翻外文，就是採音譯的方法，然後加注解。

我們過去的翻譯，不像現在，尤其南北朝佛學進來的時候，政府組織幾千個第一流的學者，在一起討論，一個句子原文念過以後，然後負責中文的人，翻譯出來，經過幾千人討論，往往爲了一個字，幾個月還不能解決。古人對翻譯就是那麼慎重，所以佛法能變成中國文化的一部分。現在的人學了三年英文，就中翻英、英翻中，誰知道他翻的什麼東西？所以翻來覆去，我們的文化，就是這樣給他們搞翻了。當時「般若」爲什麼不翻成「智」？因爲中國人解釋「智」往往與「聰明」混在一起，所謂「聰明」是頭腦好，耳聰目明，反應得快就是聰明，是後天的；而智慧是先天的，不靠後天的反應，天分中本自具有的靈明，這就叫智慧。他們考慮梵文中這個字有五種意義，智慧不能完全代表出來，所以乾脆不翻，音譯過來成「般若」。

生活的藝術

音樂和詩歌，用現代話來説，即是藝術與文學的糅合。過去的知識分子，對藝術與文學這方面的修養非常重視。自漢唐以後，路線漸狹，由樂府而變成了詩詞。人生如果沒有一點文學修養的境界，是很痛苦的。尤其是從事社會工作、政治工作的人，精神上相當寂寞。後世的人，沒有這種修養，多半走上宗教的路子。但純粹的宗教，那種拘束也令人不好受的。所以只有文學、藝術與音樂的境界比較適合。但音樂的領域，對於到了晚年的人，聲樂和吹奏的樂器就不合用了，只有用手來演奏的樂器，像彈琴、鼓瑟才適合。因此，後來在中國演變而成的詩詞，它有音樂的意境，而又不需要引吭高歌，可以低吟漫哦，浸沉於音樂的意境，陶醉於文學的天地。

最近發現許多年紀大的朋友退休了，兒子也長大飛出去了，自己沒事做，一天到晚無所適從，打牌又湊不齊人。所以我常勸人還是走中國文化的舊路子，從事於文學與藝術的修養，會有安頓處。

幾千年來，垂暮的讀書人，一天到晚忙不完，因爲學養是永無止境的。像寫毛筆字，這個毛筆字寫下來，一輩子都畢不了業，一定要說誰寫好了很難評斷。而且有些人寫好了，不一定能成爲書法家，只能說他會寫字，寫得好，但對書法——寫字的方法不一定懂。有些人的字寫得並不好，可是拿起他的字一看，就知道學過書法的。詩詞也是這個道理。所以幾千年來的老人，寫寫毛筆字、作作詩、填填詞，好像一輩子都忙不完。而且在他們的心理上，還有一個希望在支持他們這樣做，他們還希望自己寫的字，作的詩詞永遠流傳下來。一個人儘管活到八十、九十歲，但年齡終歸有極限的，他們覺得自己寫的字，作的詩詞能流傳下來，因而使自己的名聲流傳後世，是沒有時間限制的，是永久性的。因此他們的人生，活得非常快樂，始終滿懷著希望進取之心。以我自己來說，也差不多進到晚年的境界，可是我發現中年以上，四五十歲的朋友們，有許多心情都很落寞，原因就是精神修養上有所缺乏。

舊八股與新八股

自孔子「刪詩書，定禮樂」以後，我們從他所修訂的「六經」和他的遺著中，仰窺三代，俯瞰現在，綜羅上下三千年來教育之目的和精神，一言以蔽之，純粹爲注重人格養成的教育。《禮記》遺篇中的《大學》、《中庸》、《儒行》等，雖然敷陳衍義，但自東周以來，仍然不外如《大學》所言：「自天子以至於庶人，壹是皆以修身爲本。」所謂「修身」，用現代語來說，便是人格教育。而人格教育，勢必先從心理和思想的基本修正著手，因此《大學》便有「格物、致知、誠意、正心」等一系列程序的述說了。

我們從這個觀念反觀「六經」，歸納它的主旨便可强調的說：《書》經的精神，是後世政治哲學和政治人格教育的典範。由此再配合孔子所著《春秋》的精神，便成爲政治思想和政治行爲的是非、得失、進退、舉措等有關歷史哲學，與政治人格和政治行爲的成敗事例。

《易》經的精神，從科學（中國古代的科學觀念）的觀察而進入哲學的精微，純粹是潔淨心理、昇華思想的文化教育。由此再配合孔子手編的《詩》經與《樂記》（因《樂》經已失，故只以《樂記》來說），便成為適用於一般人陶治性情、調劑身心的教育。《禮記》所包括「三禮」——「禮記、周禮、儀禮」的精神，則是匯集中國上古傳統文化的大成，包含教育、政治、經濟、軍事、社會、文學、藝術、人生等思想的體系。强調的說，它是後世奉為個人人格教育、政治人格教育等的典範。

但是這些觀念，是從兩漢以迄近代的儒家傳統思想而立論。在歷史的事實上，自春秋戰國迄於秦、漢之際，五百年間「六經」並未受到重視。尤其在春秋、戰國時代，「智、力、勇、辯」之士，競相以「縱橫捭闔」、兵謀、雜說、陰陽等學術，取悅人主而自求爵祿功名榮顯於當世，並即以此為天經地義的要務。少數宗奉孔子匯集的經書思想者，只有魯、衛之間的儒生們，如曾子、子思、孟子等人。但是他們仍然需要依附於人君的喜悅而得其苟安的生活，否則，依然不能榮顯當世而暢懷於當時。因此，淒涼寂寞一生，自所難免。

秦漢以後讀書與教育之目的

歷史上記載漢高祖平定天下後一句最有趣的名言：「乃翁天下，在馬上得之。」後世都把他引為笑談，認為漢高祖沒有受過教育，因此而輕視知識分子，罵儒生們為「豎儒」。事實上，早在秦併六國以後，秦始皇、李斯與儒生們（當時的儒生是各種知識分子的統稱）彼此不能合作，即造成學術思想的真空現象，因此我們大可不必如此恥笑漢高祖的不學無術。同時，自漢初接受叔孫通等的「制禮」（定制度）開始，當時所謂的儒生如叔孫通等人，雖然依附漢高祖而攀龍附鳳，等待引用，但對於中國上古傳統文化的經義，並無高深的造詣。大家只要研究《史記》、《漢書》中有關叔孫通的傳記，便可明白他們的思想和目的，也止於取悅人主、謀一身爵祿的榮顯，並無什麼傳道授業的大志。他與中國自古以來的傳統教育精神以及孔子的學術思想，早已大相逕庭了。

漢初重視儒術，尊崇孔子，事實上是從漢武帝欣賞司馬相如的文章詞賦、重視董仲舒的儒學思想（董學並非純粹的承接孔孟之學）、信任公孫弘的形似儒家之學開始，於是才有西漢的重儒尊孔，由此再演繹漸變，就形成東漢儒家「經學」思想的大戰。

漢儒之學，上面頂著孔子的帽子，內在借題發揮，糅集道、墨、陰陽諸家之所長，外飾儒家為標榜，從此曲學阿世，大得其勢。後世歷經魏、晉、南北朝、唐、宋、元、明、清，中間屢有變質，雖然或有以「詞章、義理、記聞」等為儒林學者的內涵，以「君道、師道、臣道」為儒家學問的本質；但不管如何說法，總之，必須要以功名爵祿、入仕用世為目的。孟子說過「不孝有三，無後為大」，其餘兩種不孝之一，據漢儒趙岐的注解，便是「家貧親老，不爲祿仕」。換言之，讀書除了做官以外，就不能謀生。既不能謀生養親，當然就罪莫大焉。這與現在「教育即生活」、生活以賺大錢爲最有出息的新觀念，本質上究竟有什麼兩樣？

漢唐的「選舉」「考試」制度與教育思想

自周秦以後，讀書受教育之目的，概略已如上述。而朝廷量才任用的方法，除了上古時代，因爲教育尚未發達，以學問德行爲選士入仕的成規以外，到了戰國時期，因爲學術思想的勃興，而諸侯各國稱王稱霸，又須要起用有學術思想的人才，因此便造成戰國末期六國「養士」儲備人才的風氣。

自漢初統一天下以後，國家安定，政治上了軌道，「養士」的風氣沒有了。但是，有思想、有學識的人並不因爲政治社會的安定便沒有了，因此才開創出以品行德學爲標準的選舉制度，推薦地方上賢良方正之士，進爲國家用人取士的體制。

漢初的選舉制度的確是法良意美，但是世界上一切良法美政，實行久了，流弊就出來了，所謂「法久弊深」與「法嚴弊深」，都是中外千古不易的名言。所以到了漢代末期，便有世家門第把持「選舉」，徇私薦賢，於是這就成爲知識分子掀起社會亂源的重要原因。由此在中國的歷史上，相繼紊亂了三百年左右，歷魏、晉、南北朝之間，讀書有學問的知識分子，又需靠類似「養士」薦賢等方式，而顯揚功名於當世。一直到了隋、唐之際，唐太宗承襲隋朝取士方式創立了考試制度以後，才得意地說出「天下英雄，盡入吾彀中」的豪語。從此，考試取士的方法，便演變而成爲宋、元、明、清的科舉考試制度。於是，「三更燈火五更雞，正是男兒立志時」、「十年窗下無人問，一旦成名天下知」等功成名遂的顛倒夢想，便深植人心，永爲世法了。

到了清代末期，以八股制義的「考試」取士制度，流弊叢生，而教育思想也陳腐朽敗，因此才引起清末有學問、有思想的知識分子的不滿，配合民族革命的主張，就結束了三百年的滿清王朝，也由此而推翻了兩千多年來舊傳統的教育方式。

亟待修正的八股學風

大致了解了上下三千年來教育的概況和「考試」取士的情形，無論我們的先聖先賢、諸子百家的名言，關於教育與學問的教誡作過如何莊嚴神聖的定論，但教育的理想與一般社會對教育的「暗盤」思想，畢竟存在一段很大的距離。如果我們真肯深切地反省檢討，那麼，就可以明白地說，我們的一般教育思想歷經兩千多年來，始終還陷落在一個一貫錯誤的「暗盤」裡打轉。這個「暗盤」思想錯誤觀念的由來，首先便是自古以來中外一例的重男輕女思想。爲什麼要重男輕女呢？因爲男主外，女主內。男兒志在四方，「有子克家」，便可以光耀門楣、光宗耀祖。而光耀門楣和光宗耀祖的方法，就只有讀書是最好的出路。尤其在古代輕視工商業的觀念之下，當然就會產生「萬般皆下品，惟有讀書高」的看法了。讀書爲什麼有這些好處呢？因爲讀了書可以考取功名，登科及第而做官。因此，讀書作官自然而然就成爲一般社會天經地義的思想。作官又有什麼好呢？因爲作了官，就能得到坐食國家俸祿的利益。由此「升官發財」便順理成章地被民間視爲當然的道理。由於這一系列錯誤觀念的養成，讀書讀到後來，所有經、史、子、集，也成剩餘的物質，只有「八股」的制義文章，才是生活的寶典，這都是很自然而形成的思想，不足爲怪。

到了十九世紀末和二十世紀初，西方的文化思想東來，「家塾」、「寒窗」、「書院」和「國子監」等中國傳統教育的方式，變成了西方式的學府制度。由「洋學堂」的稱呼開始，一直到了現在三級制的學校制度而至於研究院，教育是真的普及了，一般國民的知識水準是真的提高了。但是知識的普及，使得一切學問的真正精神垮了，尤其是中國文化和東西文化的精義所在，幾乎陷入不堪救藥的境地。不但如此，我們的教育思想和教育制度，雖然接受西方文化的薰陶而換舊更新，可是我們教育的「暗盤」思想，依然落在兩千多年來的一貫觀念之中，只不過把以往「讀書做官」、「光耀門楣」的思想，稍微變了一點方向，轉向於求學就可以賺錢發財的觀念而已；然後引用一句門面話來自我遮蓋這個觀念，而以「教育即生活」作爲正面堂皇的文章。有幾家父母潛意識中對子女的升學大事不受這個觀念的作祟？又有幾家子弟選讀學校、選修科系的心理不爲這個觀念所左右？於是，新的「科學八股」的考試方法，死記硬背的作風，依然猶如歷史的陳跡；只是過去但須記誦八股文章，作爲考試的本錢；現在但須記誦問答和猜題，便能贏得好學校以及聯考的光榮。過去的讀書爲考功名、爲做官；現在的讀書和考試，爲求出路、求職業、賺大錢。過去讀書的「志在聖賢」；做官的一心以天下國家爲己任，如此立志，也大有人在。否則，就抱著「君子乘時則駕，不得其時，則蓬虆以行。」歸到農村社會，以耕讀終生的也不少。現在受了教育以後，不能謀得一個出洋賺大錢的機會，至少也要做個公教人員，才算是不負平生一片讀書求學的苦心。尤其是工商業時代都市生活的誘惑，小市民思想的深入人心，如果不能如此，只好優游等待機會，或者自己封個「馬路巡閱使」來閒蕩閒蕩也可以。至於其它的事，只有付之於命運的安排了。

我們只要細心反省教育的現狀，就可明白現代青少年陷入一片迷惘的前因和後果。因此，我們爲了後一代，對於家庭教育思想、社會教育思想，以及學校教育的思想制度，必須要多作檢討，以建立復興文化的新氣象。雖然說問題並不簡單，但問題終須尋求出答案和調整的方法。這不但是我們老一輩的責任，也正是落在現代青年身上的重要責任，極須淵博通達的學問，才能挽救急待復興的中國文化。

禪宗與中國文學

中國文化，從魏晉以後，隨著時代的衰亂而漸至頹唐之際，卻在此時從西域傳入了佛教文化，使中國的學術思想突然加入新的血液，而開始南北朝到隋唐以後佛學的勃然興起，而形成儒釋道三家爲主流的中國文運。尤其在中國生根興盛的禪宗，自初唐開始，猶如黃河之水天上來的洪流，奔騰澎湃，普遍深入中國文化的每一部分。在有形無形之間，或正或反，隨時隨處，都受到它的滋潤灌漑，確有「到江送客棹，出嶽潤民田」的功用。我們就其顯而易見者，舉例說明，供研究禪宗與中國文化演變關係的參考。

隋唐以後文學意境的轉變與禪宗

自漢末、魏晉南北朝到隋唐之間，所有文章、辭、賦、詩、歌的傳統內容與意境，大抵不外淵源於五經，出入孔孟的義理，涵蘊諸子的芬華，形成辭章的中心意境，間有飄逸出羣的作品，都是兼取老莊及道家神仙閒適的意境，如求簡而易見的，只須試讀《昭明文選》，便可窺見當時的風尚。南北朝到隋唐之間，唯一的特點，也是歷來講中國文學史者所忽略的，便是佛教的輸入，引起翻譯經典的盛行，名僧慧遠、道安、鳩摩羅什、僧肇等人的譯作，構成別具一格的中國佛教文學，其影響歷經千餘年而不衰，誠爲難得稀有之事。只因後世一般文人，不熟悉佛學的義理與典故，遂强不知以爲知，就其所不知的爲不合格，諸般挑剔，列之於文學的門牆以外，遂使中國文學的這一朵巨葩，被淹埋於落落無聞之鄉，正如禪宗們所說：「我眼本明，因師故瞎」，甚爲可惜。

㈠詩：現在只就唐代代表性的作品，如唐詩風格的轉變來說：由初唐開始，從上官體（上官儀）到王（勃）楊（炯）盧（照鄰）駱（賓王）四傑，經武后時代的沈佺期、杜審言、宋之問等，所謂「景龍文學」，還有隋文學的餘波蕩漾，與初唐新開的質樸風氣。後來一變爲開元、天寶的文學，如李白、杜甫、王維、孟浩然、高適、岑參，到韋應物、劉長卿，與大曆十才子等人，便很明顯的加入佛與禪道的成分。再變爲元和、長慶間的詩體，足爲代表一代風格，領導風尚的，如淺近的白居易、風流靡艷的元★，以及孟郊、賈島、張籍、姚合，乃至晚唐文學如杜牧、溫庭筠、李商隱等等，無一不出入於佛道之間，而且都沾上禪味，才能開創出唐詩文學特有芬芳的氣息與雋永無窮的韻味。至於方外高僧的作品，在唐詩的文學傳統中，雖然算是例外，大體不被正統詩家所追認，但的確自有它獨立價值的存在。現在略舉少數偏於禪宗性質的詩律，作爲說明唐代文學與禪學思想影響的體例，詩人如王維（摩詰）的作品，有通篇禪語，如《梵體詩》：

一興微塵念　橫有朝露身　如是覩陰界　何方置我人
礙有固為主　趣空寧捨賓　洗心詎懸解　悟道正迷津
因愛果生病　從貪始覺貧　色聲非彼妄　浮幻即吾真
四達竟何遣　方殊安可塵　胡生但高枕　寂寞誰與憐
戰勝不謀食　理齊甘負薪　子若未始異　詎論疏與親
浮空徒漫漫　汎有定悠悠　無乘及乘者　所謂智人舟
詎捨貧病域　不疲生死流　無煩君喻馬　任以我為牛

植福祠迦葉　求仁笑孔丘　河津不鼓棹　何路不摧輈
念此聞思者　胡為多阻修　空虛花聚散　煩惱樹稀稠
滅想成無記　生心坐有求　降吳復歸蜀　不到莫相尤

又如白居易的《讀禪經》：

須知諸相皆非相　若住無餘卻有餘
言下忘言一時了　夢中說夢兩重虛
空花豈得兼求果　陽焰如何更覓魚
攝動是禪禪是動　不禪不動即如如

唐代方外高僧如寒山子的詩，他的意境的高處，進入不可思議的禪境，但平易近人的優點，比之香山居士白居易，更有甚者，他完全含有於平民化的趣味。其他如唐代詩僧們的詩，確有許多很好的作品，如詩僧靈一：

雨後欲尋天目山，問元駱二公溪路：

昨夜雲生天井東　春山一雨一回風
林花解逐溪流下　欲上龍池通不通

題僧院：

虎溪閒月引相過　帶雪松枝掛薜蘿
無限青山行欲盡　白雲深處老僧多

歸岑山過惟審上個別業：

禪客無心憶薜蘿　自然行徑向山多
知君欲問人間事　始與浮雲共一過

又詩僧靈澈：

東林寺酬韋丹刺史：

年老心閒無外事，麻衣草履亦容身
相逢盡道休官好，林下何曾見一人

此外如唐代的詩僧貫休、皎然等人的作品，都有很多不朽的名作，恕不繁舉。

受禪宗意境影響的詩文學，到了宋代，更爲明顯。宋初著名的詩僧九人，世稱九僧的風格（即劍南希晝、金華保暹、南越文兆、天台行肇、汝州簡長、青城惟鳳、江江宇昭、峨嵋懷古、淮南惠崇）影響所及，更使醉心禪學的詩人，如楊大年（億）等人，形成有名的西昆體。名士如蘇東坡、王荊公、黃山谷等人，無一不受禪宗思想的薰陶，乃有清華絕俗的作品。南渡以後，陸（放翁）、范（成大）、楊（萬里）、龍（袞）四大家，都與佛禪思想結有不解之緣，可是這都偏於文學方面的性質較多，不能太過超出本題來特別討論它，所以暫不多講。現在只選擇在宋、明之間禪宗高僧的詩，比較爲通俗所接觸到的，略作介紹。如道濟（俗稱濟顛和尚）的詩：

幾度西湖獨上船　篙師識我不論錢
一聲啼鳥破幽寂　正是山橫落照邊

湖上春光已破慳　湖邊楊柳拂雕欄
算來不用一文買　輸與山僧閒往還

山岸桃花紅錦英　夾堤楊柳綠絲輕
遙看白鷺窺魚處　衝破平湖一點青

五月西湖涼似秋　新荷吐蕊暗香浮
明年花落人何在　把酒問花花點頭

他的絕筆之作：

六十年來狼藉　東壁打倒西壁
如今收拾歸來　依舊水連天碧

若以詩境而論詩格，與宋代四大家的范成大、陸放翁相較，並無遜色。如以禪學的境界論詩，幾乎無一句無一字非禪境，假使對於禪宗的見地與工夫沒有深刻的造詣，實在不容易分別出它的所指。

再舉幾首唐宋之間禪師們的佳作，藉此以見唐宋詩詞文學風格轉變的關鍵。

唐代禪師寒山大士

吾心似秋月　碧潭清皎潔
無物堪比倫　教我如何說

慧文禪師

五十五年夢幻身　東西南北孰為親
白雲散盡千山外　萬里秋空片月新

慧忠禪師

多年塵土自騰騰　雖著伽黎未是僧
今日歸來酬本志　不妨留髮候燃燈

雪竇重顯禪師（與時寡合）：

居士門高謁未期　且限岩石最相宜
太湖三萬六千頃　月在波心說向誰

此外，明代禪宗詩僧的作品，詩律最精、而禪境與詩境最佳的，無如郁堂禪師的《山居詩》：

千丈岩前倚杖藜　有為須極到無為
言如悖出青天滓　行不中修白壁疵
馬喩豈能窮萬物　羊亡徒自泣多歧
霞西道者眉如雪　月下敲門送紫芝

至於明代詩僧如蒼雪，不但在當時的僧俗詞壇上執其牛耳，而且還是道地的民族詩人，也可稱爲出家愛國的詩人。他又是明末遺老逃禪避世、暗中活動復國工作的庇護者。他的名詩很多，舉不勝舉，現在簡擇他詩境禪境最高的幾首作品爲代表，如：

松下無人一局殘　空山松子落棋盤
神仙更有神仙著　千古輸贏下不完

幾回立雪與披雲　費盡勤勞學懶人
拽斷鼻繩猶不起　水煙深處一閒身

舉頭天外看無雲　誰似人間吾輩人
荊棘叢中行放腳　月明簾下暗藏身

㈡詞曲：中國文學時代的特性，從唐詩的風格的形成與蛻變，到了晚唐五代之間，便有詞的文學產生。在晚唐開始，歷五代而宋、元、明、清之間，禪宗宗師們，以詞來說禪，而且詞境與禪境都很好，也到處可見，只是被人忽略而已。我們現在簡單的舉出歷來被人所推崇公認的詞人作品，以供參考，如辛稼軒的詞：

睡起即事：

水荇參差動綠波　一池蛇影照羣蛙
因風野鶴飢猶舞　積雨山梔病不花
名利處、戰爭多　門前蠻觸日干戈
不知更有槐安國　夢覺南柯日本斜

有感：

出處從來自不齊　後車方載太公歸

誰知寂寞空山裡　卻有高人賦采薇
黃菊嫩　晚香枝　一般同是採花時
蜂兒辛苦多官府　蝴蝶花間自在飛
膠膠擾擾幾時休　一出山來不自由
秋水觀中秋月夜　停雲堂下菊花秋
隨緣道理應須會　過分功名莫強求
先自一身愁不了　那堪愁上更添愁

元曲如劉秉忠的《乾荷葉》：

乾荷葉　色蒼蒼　老柄風搖蕩　減清香　越添黃
都因昨夜一場霜　寂寞在秋江上

又如鮮於去矜的《寨兒令》：

漢子陵　晉淵明　二人到今香汗青
釣叟誰稱　農父誰名　去就一般輕

五柳莊月朗風清　七里灘浪穩潮平
折腰時心已愧　伸腳處夢先驚
聽　千萬古聖賢評。

清初有名的少年詞人、滿清貴族才子納蘭性德的詞《浣紗溪》兩首：

敗吐填溪水已冰　夕陽猶照短長亭　行來廢寺失題名
駐馬客臨碑上字　聞雞人拂佛前燈　勞勞塵世幾時醒

拋卻無端恨轉長　慈雲稽首返生香　妙蓮花說試推詳
但是有情皆滿願　更從何處著思量　篆煙殘燭並迴腸

㈢小說：講到中國文學中的小說，它與唐代的戲劇與詞曲，也是不可分離的連體，而且它猶如中國的戲劇一樣有趣，將近一兩千年來，始終與佛道兩家的思想與情感沒有脫離關係，所以後世民間對於戲劇的編導，流傳著兩句俗話：「戲不夠，仙佛湊」。

爲了貼切本題來講，我們姑且把中國小說寫作的演變，分爲兩大階段：第一階段，便是由上古傳說中的神話，到周秦之際，諸子書中的寓言與譬喻，以及漢魏以後道家神仙的傳記等。如《穆天子傳》、《漢武帝外紀》、《西王母傳》等等，大多是屬於傳統文化思想，摻加道家情感、神仙幻想成分的作品。第二階段，是由唐人筆記小說與佛經變文開始，到了宋元之間的戲曲，以及明清時代的說部與散記等等，大多是含有佛道思想的感情，而且融化其中的往往是佛家思想的感情多於道家。值得特別注意的，無論是小說與戲劇，它的終場結尾，或爲喜劇，或爲悲劇，或是輕鬆散漫的滑稽劇，甚至，是現代所謂黃色的作品，它必然循著一個作家固有的道德規律去布局與收煞，那便是佛家與道家思想綜合的觀念、人生世事的因果報應的定律。舊式言情的小說與戲劇，我們用諷刺式的口吻來說，大都是「小姐贈金後花園，落難公子中狀元」的結局。然而，這也就說明一個人生因果歷然不爽的道理。唐人筆記小說中，因爲時代思想受到禪宗與佛學的影響，固然已經開其先河，而真正匯成這種一仍不變的規律，嵌進每一部小說的內容中去，當然是到了元明之間，才成爲不成文的小說寫作的規範。

元明之間，歷史小說的作者如羅貫中，在《三國演義》的開端，便用一首《西江月》的詞，作爲他對歷史因果循環的觀念，與歷史哲學的總評語，如：

滾滾長江東逝水　浪花淘盡英雄
是非成敗轉頭空　青山依舊在　幾度夕陽紅
白髮漁樵江渚上　慣看秋月春風

一壺濁酒喜相逢　古今多少事　都付笑談中。

如果依哲學的立場而講歷史哲學的觀點，羅貫中的這一首詞，便是《金剛般若經》上所說：「一切有爲法，如夢幻泡影，如露亦如電，應作如是觀。」是爲文學境界的最好注釋。也正如一位禪師的《頌法身向上事》：

昨夜雨滂沱　打倒葡萄棚　知事普請　行者人力
撐的撐　拄的拄　撐撐拄拄到天明　依舊可憐生

豈不是一鼻孔出氣的作品嗎？後人根據這種思想，作了一本小說中的小說——《三國因》，來說明三國時期的局面，是楚、漢分爭因果循環的報應律的結果。施耐庵的名著《水滸傳》，表面看來，好像僅是一部描寫宋明時代社會的不平狀態，官府騙上矇下，欺壓老百姓，而引起不平則鳴共同心理的反應與共鳴；如要再深入仔細研究，它在另一面，仍然沒有離開善惡因果的中心思想，隱約顯現强梁者不得其好死的觀念。後來又有人怕人誤解，才有《蕩寇誌》一書的出現，雖然用心良苦，而不免有畫蛇添足的遺憾。至於《西遊記》、《封神榜》等書，全盤都是佛、道思想，更不在話下。此外，如歷史小說的《東周列國志》、《隋唐演義》《說岳全傳》等等，無一不含有佛學禪宗不昧因果的中心思想。

也正如天目禮禪師頌《楞嚴經》中「不汝還者，非汝是誰」的詩：

不汝還兮復是誰　殘紅落滿釣魚磯
日斜風動無人掃　燕子銜將水際飛

到了清代，以筆記文學著名的蒲松齡所著《聊齋誌異》，幾乎全盤用狐鬼神人之間的故事，襯托善惡果報的關係。尤其他的《醒世姻緣》一書，更是佛家三世因果觀念的傑作，說明人生男女夫婦間的煩惱與痛苦。這種觀念，後世已經普及民間社會，所以杭州城隍廟門口，在清末民初還掛著一幅韻聯：

夫婦是前緣　善緣惡緣　無緣不合
兒女原宿債　討債還債　有債方來

這便是這個觀念的引申。至於聞名世界、反應老式文化中貴族大家庭生活的《紅樓夢》一書，也是現代許多人以一種無法加以解說的情感與心理，醉心於號稱「紅學」的一部名小說。它的開端，便以一僧一道出場，各自歌唱一段警醒塵世的警語與禪機，然後又以仙凡之間的一塊頑石，與一株「小草劇憐唯獨活，人間離恨不留行」的故事，說明許許多多、形形色色、纏綿反側的癡情恩怨，都記在一本似真如幻的太虛幻境的賬簿上，隔著茫茫苦海，放在彼岸的那邊，極力襯托出夢幻空花、回頭是岸的禪境。作者在開始的自白中，便說：「滿紙荒唐言，一把辛酸淚，都云作者癡，誰解其中味。」以及「假作真時真亦假，無爲有處有還無」的警句，這豈不是《楞嚴經》上，「純想即飛，純情即墮」，以及「生因識有，滅從色除」的最好說明嗎？所以有人讀《紅樓夢》，是把它看成一部幫助悟道的好書；有人讀《紅樓夢》，便會誤入風月寶鑑、紅粉迷人的那一面。其中得失是非、好壞美醜的問題，都只在當事人的一念之間而已，吾師鹽亭老人曾有一詩應是最好的結語

色窮窮盡盡窮窮　窮到源頭窮亦空
寄語迷魂癡兒女　寥天有客正屠龍

禪與文學的重要性

以上舉出有關唐詩、宋詞、元曲等的例子，有些並非完全以佛學或禪語混入辭章的作品，但都從禪的意境中變化出來。如果只從表面看來，也許不太容易看出佛學禪宗與

中國文化演變的深切關係，事實上，我也只是隨便提出這些清華淡雅、有關禪的意境的作品，作爲此時此世，勞勞塵境中，擾攘人生的一副清涼解渴劑而已。禪宗本來是不立文字，更不用借重文學以鳴高，但禪宗與唐宋以後的禪師們，與文學都結有不解之緣，在此提出兩個附帶的說明，便可了解禪與文學關係的重要了。

㈠　禪師與詩。孔子晚年删詩書、定禮樂、裁成綴集中國傳統文化學術思想的體系，他爲什麼每每論詩，隨時隨處舉出詩來作爲論斷的證明？秦漢以後的儒家，爲什麼一變再變，提到五經，便以《詩經》作爲《書》、《易》、《禮》、《春秋》的前奏呢？因爲中華民族傳統文化的精神，自古至今，完全以人文文化爲中心，雖然也有宗教思想的成分，但並非如西洋上古原始的文化完全淵源於神的宗教思想而來。人文文化的基礎，當然離不開人的思想與感情、身心內外的作用。宗教可以安頓人的思想與感情，使它寄託在永久的遙遠與不可思議的境界裡去，得到一個自我安心的功效；純粹以人文文化爲本位，對於宗教思想的信仰，有時也只屬情感的作用而已。所以要安排人的喜、怒、哀、樂的情緒，必須要有一種超越現實，而介乎情感之間的文學藝術的意境，才能使人的情感與思想，昇華到類同宗教的意境，可以超脫現實環境，情緒和思想另有寄託，養成獨立而不倚，可以安排自我的天地。在中華民族的文化中，始終强調建立詩教價值的原因，這個特點與特性，確是耀古騰今了。古人標榜「詩禮傳家」與「詩書世澤」，大多但知其然而不知其所以然的關係，就是沒有深刻研究詩詞境界的價值與妙用。

過去中國讀書的知識分子，都知道文學上基本修養的詩、詞、歌、賦，以及必要深入博古通今的史學，與人生基本修養的哲學，乃至琴、棋、書、畫等藝術，都是不可分離的全科知識。所以在五六十年以前，差不多成為一個文人，自然也多會作詩填詞，只有程度好壞深淺的不同，並無一竅不通的情形。因此過去中國的詩人，與學者、哲學家，或政治家、軍事家，很難嚴格區分，並不像西方文化的詩人，完全以詩為生，而不一定要涉及其它學識。

禪宗不但不立文字，而且以無相、無門為門，換言之，禪宗也是以無境界為境界，擺脫宗教形式主義，而著重禪法修證的真正精神，昇華人生的意境，而進入純清絕點、空靈無相而無不是相的境界。我們為了言說解釋上的方便，只好以本無東西而强說東西的方法，列舉世間的學問，可以譬喻禪宗的境界的，只有絕妙詩詞的意境，與上乘藝術作品的境界，以及最高軍事藝術的意境，差可與之比擬。所以自唐宋以後，禪宗的宗師們，隨口吟哦唱道的詩詞與文章，都是第一流有高深意境的文學作品。因此流風所及，就自然而然，慢慢形成唐、宋、元、明、清文學的意境，與中國文學過去特有的風格了。

㈡宗教與文學。它們本來就是不可分離的連理枝，任何宗教，它能普及民間社會，形成永久獨特的風格，影響歷史每一時代與社會各階層的，全靠它的教義構成文學的最高價值；它從本有平民通俗文學中，昇華到文學的最高境界，才能使宗教的生命歷史，永遠延續下去。佛教教義與禪宗的慧命，能夠在中國文化中生根、發芽、開花而壯大的原因，除了它教義本身具有宗教、哲學、科學、藝術與學術思想等，各方面都有豐富的內容與高貴而平實的價值以外，它的最大關鍵，還是因爲佛教輸入中國以後，形成獨立特有的佛教文學，進而影響到中國文化全部所有中心的緣故。例如西方文化中的新舊約全書（俗稱《聖經》），它在西方每一種不同文字的民族與國度裡，無論哪種譯本，都是具有最高權威的文學價值，所以姑且不管教義的內容如何，就以它本身的文學價值而言，亦可謂「文章意境足千秋」了。我時常對許多不同宗教信仰的朋友們說，要想千秋，便須多多注意你們的教義與文學；因爲我認爲宗教信仰儘管不同，每一宗教教義的深淺是非儘管有問題，但是真正夠得上稱爲宗教的基本立足點，都是勸人爲善，都是想挽救世道人心的劫難。這個是幾大宗教共同具有的善事，用不著因爲最後與最高宗教哲學的異同，而爭執到勢同冰炭。那是人文文化過去的錯誤，與人類心理思想的弱點與恥辱，更不是中華民族、中國文化的精神，希望大家多多注意與珍重。

第三章 知命與立世

美醜善惡辨

美與善，本來是古今中外人所景仰、崇拜，極力追求的境界。如西方文化淵源的希臘哲學中，便以真善美爲哲學的鵠的。中國的上古文化，也有同樣的標榜，尤其對人生哲學的要求，必須達於至善，生活與行爲，必須要求到至美的境界。在諸子百家的學術思想中，也都隨處可見。

有個真善美的天堂，便有醜陋、罪惡、虛僞的地獄與它對立。天堂固然好，但卻有人偏要死也不厭地獄。極樂世界固然使人羨慕，心嚮往之，但卻有人願意永遠沐浴在無邊苦海中，以苦爲樂。與其捨一而取一，早已背道而馳。不如兩兩相忘，不執著於真假、善惡、美醜，便可得其道妙而逍遙自在了。

如果從學術思想上的觀點來講，既然美與醜、善與惡，都是形而下人爲的相對對立，根本無絕對標準。那麼，建立一個善的典型，那個善便會爲人利用，成爲作惡多端的擋箭牌了。建立一個美的標準，那個美便會鬧出「東施效顰」的陋習。有兩則歷史故事，濃縮成四句名言，就可說明「美之爲美，斯惡矣。善之爲善，斯不善矣」的道理，那就是：「紂爲長夜之飲，通國之人皆失日。」「楚王好細腰，宮人多餓死。」現在引用它來作爲經驗哲學的明確寫照，說明爲人上者，無論在哪一方面，都不可有偏好與偏愛的趨向。即使是偏重於仁義道德、自由民主，也會被人利用而假冒爲善，變爲造孽作惡的藉口了。

同樣的愛美成癖，癖好便是大病。從歷史經驗的個人故事來說：

明朝初期的一位大名士——大畫家倪雲林。他非常愛美好潔。他自己所用的文房四寶——筆墨紙硯，每天都要有兩位專人來經管，隨時負責擦洗乾淨，庭院前面栽的梧桐樹，每天早晚也要派人挑水揩洗乾淨，因此硬把梧桐樹乾淨死了。有一次，他留一位好朋友在家裡住宿，但又怕那個朋友不乾淨，一夜之間，親自起來視察三四次。忽然聽到朋友在床上咳嗽了一聲，於是擔心得通宵不能成眠。等到天亮，便叫佣人尋找這位朋友吐的痰在哪裡，要清理乾淨。佣人們找遍了所有地方，也找不出那位先生吐痰的痕跡，又怕他生氣罵人，只好找了一片落葉，稍微有點髒的跡痕，拿給他看說找到了。他便立刻閉上眼睛，矇住鼻子，叫佣人把這片樹葉送到三里外去丟掉。

元末起義的張士誠的兄弟張士信，因爲仰慕倪雲林的畫，特地派人送了絹和黃金去，請他畫一張畫。誰知倪雲林大發脾氣說：「倪瓚（雲林名）不能爲王門畫師。」當場撕裂了送來的絹。弄得士信大怒，懷恨在心。有一天，張士信和一班文人到太湖上遊樂。泛舟中流，另外一隻小船上傳來一股特別的香味。張士信說：「這隻船上，必有高人雅士。」立刻靠攏去看個清楚，不料正是倪雲林。張士信一見，便叫從人抓他過來，要拔刀殺了他。經大家懇求請免，才大打一頓鞭子了事。倪雲林被打得很痛，但卻始終一聲不吭。後來有人問他：「打得痛了，也應該叫一聲。」倪雲林便說：「一出聲，便太俗了。」

倪雲林因爲太愛美好潔了，所以對於女色，平常很少接近。這正如清初名士袁枚所說的：「選詩如選色，總覺動心難。」但有一次，他忽然看中了金陵的一位姓趙的歌姬，就把她約到別墅來留宿。但是，又怕她不清潔，先叫她好好洗個澡。洗完了，上了床，用手從頭摸到腳，一邊摸，一邊聞，始終認爲她哪裡不乾淨，要她再洗澡，洗好了又摸又聞，還是認爲不乾淨，要再洗。洗來洗去，天也亮了，他也算了。

上面隨便舉例來說「美之爲美，斯惡矣」的故事。現在再列舉一則故事來說明「善之爲善，斯不善矣。」

宋代的大儒程頤，在哲宗時代出任講官。有一天上殿爲哲宗皇帝講完了書，還未辭退。哲宗偶然站起休息一下，靠在欄杆上，看到柳條搖曳生姿，便順手折了一枝柳條把玩。程頤看到了，立刻對哲宗說：「方春發生，不可無故摧折。」弄得哲宗啼笑皆非，很不高興，隨即把柳條擲在地上，回到內宮去了。

由於這些歷史故事的啟發，便可了解莊子所說的「爲善無近名，爲惡無近刑」的道理，也正是「善之爲善，斯不善矣」的另一面引申了。

再從人類心態的廣義來講，愛美，是享受欲的必然趨向。向善，是要好心理的自然表現。「願天常生好人，願人常作好事。」那是理想國中所有真善美的願望，可不可能在這個人文世界上出現，卻是一個天大的問題。我們順便翻開歷史一看，秦始皇的「阿房宮」，隋煬帝的「迷樓」和他所開啟的運河兩岸的隋堤，李後主的鳳閣龍樓，以及他極力求工求美的詞句，宋徽宗的「艮嶽」與他的書筆和書法，慈禧太后的「圓明園」和她的花鳥，羅馬帝國盛極時期的雕刻、建築，甚至，馳名當世如紐約的摩天大廈，華盛頓的白宮，莫斯科的克里姆林宮，也都是被世人認爲是一代的美或權力的標記。但從人類的歷史經驗來瞻前顧後，誰能保證將來是否還算是至善至美的尤物呢？唐人韓琮有一首柳枝詞說：

梁苑隋堤事已空　萬條猶舞舊春風
何須思想千年事　誰見楊花入漢宮

百姓與官

我們只要粗枝大葉地把歷史事實作個瞭解，便可知道過去一部中國政治制度史上，皇帝的中央政府——朝廷，是高高在上，懸空獨立的。各級的官吏，在理論上，應該是溝通上下，爲民辦事。而事實上，一旦身爲地方官，「天高皇帝遠，猴子稱霸王」，任所欲爲的事實也太多了。我們試想，以此圖功，何事能辦？以此謀國，焉得不亡！然而，我們的民族性，素來以仁義爲懷，老百姓始終順天之則，非常良善，只要你能使他作到如孟子所說的「樂歲終身飽，凶年免於死亡」，也就安居樂業，日子雖然苦一點，還是你做你的皇帝，當你的官，與他毫不相干。這便是中國歷史上政治哲學的重點之一。自春秋戰國以來，中國的官吏和老百姓的關係一直是如此。

現在是民主時代，也是注重基層政治工作的時代。爲民服務的基層工作，實在是一件神聖偉大的使命，很不簡單。最上層到中樞各部院政令的推行，一節一節的統統匯集到了基層。其間事務的繁忙，頭緒的蕪雜，並不亞於上層執政者天天開會，隨時開會的痛苦。而最難辦的，往往是各部門的政令，缺乏橫的整體的協調，致使政令達到基層時，有許多矛盾抵觸之處，無法執行，只好一擱拉倒。還有許多政令，可以用在甲地，卻不適用於乙地，更不合於丙地的事實，但是也例行公文，訓令照辦不誤。實在難以作到，也只有一擱了事。還有最重要的，什麼高官厚祿、實至名歸、風光熱鬧的事，都集中在上層朝市。基層工作者，必須具備有願入地獄的菩薩心腸，和成功不必在我的聖賢懷抱。照這樣情況，我也常常想，假如叫我到窮鄉僻壤，長期擔任一個小學的教員，是不是真能心甘情願的盡心盡力去做好？我對自己的答案是：恐怕未必。己所不欲，何望於人。推己及人，如何可以要求他人呢？

總之，所得的結論便是，從古至今，基層的工作，能幹的不肯幹，肯幹的不能幹。因此，真正參與工作的，就是一批不是不能幹，就是不肯幹的人。往往爲政府幫倒忙，作了喪失民心的工作，你看怎麼辦？至於說貪污不貪污，那還是另一附帶的問題，不必去討論。

有時朋友們與我談到美國的社會政治，基層工作者是如何如何的好，因此才有今天的成就。我說，不錯，美國還年輕，歷史還淺，所以歷史文化的包袱也輕。甚至可以說還沒有背上歷史文化的包袱。我倒願意祝福他們永遠如此年輕，不要背上歷史文化的包袱才好。一旦老大，歷史文化包袱的根基愈深，要想有所改革當然就愈難，那就得慢慢地潛移默化，不可能像現在這樣立竿見影了。

己所不欲　勿施於人

子貢問曰：有一言而可以終身行之者乎？子曰：「其恕乎！己所不欲，勿施於人。——」

子貢問孔子，人生修養的道理能不能用一句話來概括？為人處世的道理不要說得那樣多，只要有一個重點，終身都可以照此目標去作的，孔子就講出這個恕道。後世提到孔子教學的精神，每每說儒家忠恕之道。後人研究它所包括的內容，恕道就是推己及人，替自己想也替人家想。拿現在的話來說，就是對任何事情要客觀，想到我所要的，他也是要的。有人對於一件事情的處理，常會有使人不痛快、不滿意的地方。說老實話，假如是自己去處理，不見得比對方好，問題在於我們人類的心理，有一個自然的要求，都是要求別人能夠很圓滿；要求朋友、部下或長官，都希望他沒有缺點，樣樣都好。但是不要忘了，對方也是一個人，既然是人就有缺點。再從心理學上研究，這樣希望別人好，是絕對的自私，因爲所要求對方的圓滿無缺點，是以自己的看法和需要爲基礎。我認爲對方的不對處，實際上只是因爲違反了我的看法，根據自己的需要或行爲產生的觀念，才會覺得對方是不對的。社會上都是如此要求別人，尤其是宗教圈子裡更嚴重，政治圈子裡也不外此例。一個基督徒、或天主教徒、或佛教徒，對領導人——牧師、神父或法師們的要求，都很嚴格。因爲宗教徒忘記了領導人也是一個人，而認爲牧師、神父、法師就是神。這個心理好不好？好。但是要求別人太高了。從這個例子，就可知恕道之難。後人解釋恕道，把這個恕字分開來，解作「如」「心」。就是合於我的心，我的心所要的，別人也要；我所想佔的利益，別人也想佔。我們分一點利益出來給別人，這就是恕；覺得別人不對，原諒他一點，也就是恕。

恕道對子貢來說，尤其重要，因爲他才華很高，孔門弟子中，子貢在事功上的表現，不但生意做得好是工商業的巨子，他在外交、政治方面也都是傑出人才。才高的人，很容易犯不能饒恕別人的毛病，看到別人的錯誤會難以容忍。所以孔子對子貢講這一個話，更有深切的意義。他答覆子貢說，有一句話可以終身行之而有益，但很難做到的，就是「恕」。「己所不欲，勿施於人。」這就是恕道的注解。

站在書呆子的立場，專門研究自己的人生，我認爲「己所不欲，勿施於人」這八個字做不到，隨時隨地我們會犯違背這八個字的錯誤。尤其在年輕一輩的團體生活中，就可以看到很多事例。前天就有一個正在服兵役的學生回來說，他三支牙刷，六條短褲，都被「摸」跑了。事實上自己根本有這些東西，可是就喜歡把別人的「摸」來，「摸」到了心裡覺得很痛快。這種行爲說他是「偷」嗎？不見得這麼嚴重。前天我們的樓梯口的一副門聯不見了。辦事的人說被偷了，我說算了，一定是被年輕人「摸」去了。說他有意偷嗎？他沒這個意思，說他沒有偷嗎？年輕人有這種心理，摸來很好玩，很有味道，還在那裡稱英雄。東西被人「摸」跑了，心裡一定會不高興，可是自己有機會，也會「摸」人家的。過團體生活的時候，有的人洗了手，本來要在自己的毛巾上擦乾淨，看見旁邊掛了一條，順手擦在別人的毛巾上。爲什麼會有這樣一個思想行爲出來呢？這是小事，不能做到「己所不欲，勿施於人。」對於大的事，做到我所不要、所不願承受的事，也不讓別人承受，就太偉大了，這個人不是人，是聖人了。太難了！可是作人的存心，必須要向這個方向修養。能不能做到，另當別論。

這八個字的修養，要做到很難很難，「己所不欲，勿施於人。」同時也就是「己所欲，施於人。」後來佛家思想傳到中國，翻譯爲「布施」。施字加上一個布字，就是普遍的意思。佛家的布施和儒家這個恕道思想一樣，所謂慈悲爲本，方便爲門，就是布施的精神。人生兩樣最難捨，一是財，一是命。只要有利於人世，把自己的生命財產，都施出來，就是施。這太難了，雖然做不到，也應心嚮往之。

功成身退數風流

「崇高必致墮落，積聚必有消散。緣會終須別離，有命咸歸於死。」這是佛學洞穿世事聚散無常的名言，同時也是出世思想的基本觀點，可是以老子所代表道家哲學的可以出世，可以入世，他卻有「挫其銳，解其紛」的不死之藥，長保「散而未盡」的七字真言：「功遂，身退，天之道。」其中去了一個助語詞的之字，真正只有六字真言。但在後世許多文學家們，感受意猶未盡，又再插入兩字一句，變成九字真言，而爲「功成，名遂，身退，天之道」了。七字真言也好，九字真言也好，說儘管說，說來還很瀟灑，可是在一般的觀念裡，總覺得消沉低調意味太濃。其實，大家只是忘記觀察自然界的「天之道」，因此便覺低沉。如果仔細觀察天道，日月經天，晝出夜沒，夜出晝沒，寒來暑往，秋去冬來，都是很自然的「功遂、身退」的正常現象。植物世界如草木花果，都是默默無言完成了它的生命任務，便又靜悄悄地消逝，了無痕跡。動物世界生生不已，一代交替一代，誰又能不自然地退出生命的行列呢！如果說有，只有人類的心不肯死，不肯甘休，永遠想在不可把握中冀求把握，不可能永久佔有中妄圖佔有。妄想違反自然，何其可悲！

至於老子這些名言，究竟是正言天道不易法則的自然哲學？或是對他當時生存的時勢有感而發，用來警覺世人？似乎不須爭論。但在我們的上古歷史文化上，原來儒道並不分家的共通觀點來看，孔子、孟子，以及其他諸子之學，動稱先王，也都極力推崇堯舜的作爲。堯舜之道的值得贊揚，那便是「功遂，身退，天之道」的最好範例。至於三代以後，家世天下的推位讓國，想要表現一下「功遂身退」，自稱爲太上皇的戲劇，則幾乎没有一個是出於至誠，也没有一個有美好收場。其次，如北魏文帝的退位出家，以及相傳清初順治入五台山的剃度，都是別有心事，絕非「功遂身退」的情懷。

等而次之，從秦漢之後，看歷史上風雲人物的作爲風格，取其稍微類同於道家的，如漢代的張良與諸葛亮，原來存心都想「功遂身退」，但可惜其遭遇仍然不能遂其所願。張良雖然不肯居功，只自謙退封於「留」地而爲「留侯」，但卻身不由己，不能再加上三點水而一「溜」了之，以已絕人間煙火食的半仙之分，結果仍免不了受呂后的飲食毒害而歿。與其如此，還不如諸葛武侯的「鞠躬盡瘁，死而後已」，身成絕代之功，更爲划算。

也許由此歷史經驗的教訓，致使後來道家人物的作爲，如東晉的抱朴子——葛洪，南朝齊梁之際的陶弘景，更加小心謹慎。葛洪便早早抽身，自求出任爲「勾漏」令，以宦途當隱遁，暗暗修他所認爲的仙道以終。陶弘景則及早掛冠「神武門」，悠哉游哉，造成「山中宰相」的局面，作他的「洞天真誥」、自在精神領域了事。

到了隋唐之間，文中子以儒佛道三家通才的學養，講學河汾，造成唐初開國一班文武兼資的盛世人才，在人文文化上立下莫大功德。但結果姓名隱沒不彰，反令後世多方考據，是爲退身幕後的曠代奇人，雖無赫赫事功，卻真合於身退之道。

至於宋初，隱逸在華山的陳摶，已經完全走入道家的神仙行列，另當別論。南宋的韓世忠，知機早退，騎驢湖上，笑傲山林，可算明智之舉，難能可貴。明初的誠意伯劉基，以亦儒亦道的姿態出山，輔助朱元璋而成功帝王事業，但結果仍難逃被毒而亡。

此外，另如佛家出家的高僧而返還俗世，成功留名於歷史的，如元初的劉秉忠，明永樂時期的少師姚廣孝，可算切實作到了「功遂，身退」。此外如幫助朱元璋、專任辦理西番外交政治的高僧宗泐禪師，不論道業學問，或者事功，都是第一流的人物，但照樣不能「功遂身退」而圓寂於西番任所。由此可見無論如何高明的人物，畢生能完全合於「功遂身退，天之道」的，確是不易了！難道「名韁利鎖」，當真牢不可破嗎？

但從唐宋以後儒家思想的觀點來看，對於老子的這句名言，雖然並無非議之處，只是把它換了文字的表達，變成「謙讓」或「謙光」的美德而已。其實，後世的儒家是心有不甘，不敢完全苟同老子的觀念，尤其反對修仙成佛之說，因此而搬弄文字的表相而已。這種思想，最有意趣的代表作品，莫如清人一首借題發揮，詠呂純陽的詩：

十年槖筆走神京　一遇鍾離蓋便傾
不是無心唐社稷　金丹一粒誤先生

介於道家、儒家的風範，能夠做到「功遂身退」，入世又似出世的，歷史上有沒有這一類的典型人物呢？我認爲從兩晉清談玄學的影響，在南北朝之間，有著不少風流人物。風格最爲標準的，要算梁武帝的名臣韋睿。他善於從政，也善於用兵作戰，有諸葛亮綸巾羽扇、指揮若定的神情，又有「上善若水」、「功成不居」的意境。如遇老子，或者肯收他爲徒，較之函谷關的守吏關尹子，應無遜色。可惜南北朝這一時代，在歷史上不大出色，因此南北朝的人物也都被人所遺忘埋沒了。

韋睿，字懷文，京兆杜陵人。他是漢丞相韋賢的後裔，系出名門世族。自少即受郡守祖徵的賞識，認爲是：「干國家，成功業」之才。當南齊紊亂之際，他盱衡人物，認爲梁武帝——蕭衍還可算是命世之才，便決計輔從。歷遷太子右衛率，出爲輔國將軍、豫州刺史，領歷陽太守，後遷調合肥，以功進爵爲侯。

梁武帝決心北伐，魏遣中山王——元英爲征南將軍，率兵南來禦敵。韋睿奉命統部北伐，屢建奇功。他素來體弱多病，雖在前線作戰，也未嘗騎馬，只乘坐白木板輿，手執白如意，督勵將士，勇氣無敵。平常與士卒同甘苦，極力愛護部下，令出必行，戰無不勝。魏人軍中有謠：「不畏蕭娘與呂姥，但畏合肥有韋虎。」對他畏懼萬分。

當前方軍情緊急的時候，梁武帝遣親信曹景宗與他會師，而且特別對景宗說：「韋睿，卿之鄉望，宜善敬之。」因此，景宗見韋睿，執禮甚謹。但每當戰勝，景宗與其他將領，都爭先上報。獨韋睿遲遲報告，不願爭功。有一次，在慶祝勝利的慶功宴會上，韋睿與景宗同席，酒酣興至，大家倡議賭錢來作餘興，約定以二十萬為賭注。景宗一擲便輸，韋睿趕緊把一張骰子翻轉，變成景宗是贏家，韋睿自己還連聲說：奇怪！奇怪！

其實，蕭梁朝代開創之初，所有的臣僚將佐，莫過韋睿。梁武帝明知他的才能，但始終不委任他作統帥，反而用一個無大才略的宗室臨川王——蕭宏來當元帥，而且又派曹景宗與他併肩作戰，在在處處，都心存顧忌。好在韋睿自知苟全於亂世，隱避林下，並非上策，只有如此行其自處之道，不貪名利，不爭功勞，而且還在功成之時，深自謙退，以免猜忌。因此他活到七十九歲而歿，遺囑但穿常服薄葬便了。總算在他身死的時候，感動得梁武帝親臨慟哭，完成他一生苟全於亂世，「功遂身退，天之道」的名劇。

與韋睿行跡有所不同，便是後梁元帝蕭繹的功臣、荊山居士陸法和。他先識侯景的必反，但沒有人相信其言。到了侯景派兵攻擊湘東，他自請統兵以解湘東之危，受任郢州刺史。後又向元帝建議大舉定魏的政策，不為所用，自稱：「吾嘗不希釋梵天王生處，豈窺人王位耶！但於空王佛所，與王有因緣，如不能用，則奈業何！」及元帝失敗，齊宣帝封他為太尉，賜甲第。他只求將府第作佛寺，終日焚香靜坐偏室，預期死日。到時果然坐化，尸縮三尺如嬰兒大小。這也是「功遂身退」、異常之道的一例，頗可耐人尋味。

百年樹人

一個文化的建立，的確是不容易。不說大事，就拿小事來說，我過去寫了一些學術性的東西，後來想把幾十年的人生經驗，我見我聞，寫一部小說，就是寫不出來。新體小說、舊體小說都寫不出來，寫寫又撕掉，像現在擁有很多年輕讀者的作家，我當面稱讚他們，他們真是行，我就無法下筆。所以不要輕看了小說，有許多人都是眼高手低，隨便批評別人的作品，自己卻寫不出來，所以一個文化的建立真難。據我的了解，真是所謂的「十年樹木，百年樹人」。要培養一個人才，是要很長的時間的。我曾說過溥儒的畫好，是清朝入關又出關之間三百年培養出來的。他在宮廷中所看到的那許多名畫，也都是別人學不來的。李後主的詞我也說過，像他的《破陣子》那闋詞：

四十年來家國　三千里地山河
鳳闕龍樓連霄漢　玉樹瓊枝作煙蘿　幾曾識干戈
一旦歸為臣虜　沈腰潘鬢銷磨
最是倉皇辭廟日　教坊猶奏別離歌　揮淚對宮娥

這的確是好詞，讀來令人感嘆，但裡面每一句話都是他的生活經驗，是他的真感情、真思想。由他寫來，非常容易。如果不是一個做了皇帝又變成俘虜的人，誰能寫出這樣的詞來。這是在文學方面的情形，由文學的培養，我們可看到文化建立之難。

其次，我們看看管子的高見：「衣食足而後知榮辱，倉廩實而後禮義興」。這句話放之於全世界，無論古今中外，都是站得住的。所以談中國政治思想，離不開管子。再者，透過這兩句話，可知社會國家的富强、教育文化的興盛，要靠經濟做基礎的；要衣食富足了才會知榮辱，倉廩充實了才禮義興。所以有人說，最大的是窮人，連褲子都没得穿了，拚命都不在乎，還怕什麼？有地位有錢的時候就怕事了。就是這兩句話的道理。可見文化的建立，要靠經濟作基礎。

學成文武藝　貨與帝王家

中國過去有句俗話：「學成文武藝，貨與帝王家。」古人把文學、武學，叫做文藝、武藝。古人這個「藝」字用得非常好，不管是文學、哲學，或任何學問，修養到了藝術的境界，才算有相當的成就。學武也是一樣，學到了相當的程度，才稱得上武藝，入於藝術境界，也就是所謂「化境」。不像日本人，有所謂一段、兩段，一直到九段。日本武術的分段法，是由中國佛家禪宗的「浮山九帶」蛻變而來的。上面引用的這句古話，相當深刻，從這句話來看，人都有不滿現實的情緒，儘管學問好，本事大，賣不出去，也是枉然。孟子賣不出去，孔子也是賣不出去，在《論語》中記載著孔子說的：「沽之哉！沽之哉！」結果到了流動攤位上，還是賣不出去，永遠是受委屈的一副可憐相。孟子也一樣，現代和將來的人也是一樣，賣不掉的時候，都很可憐。這就是世間相。過去是將學成的文武藝賣給帝王家，現在呢？是賣給工商巨子、大資本家。中國的知識分子，幾千年來都是如此。

另一方面，那些大老闆的買主們，態度都很令人難堪，不但是討價還價，苛求得很，有時候對知識分子就像對上門兜售的小販一樣，看也不看一眼，一個勁兒地比著：「去！去！去！」你把黃金當鐵賤賣給他，他也不理，就是那麼個味道。

我在小的時候，父親告誡我兩副語體的對聯：

富貴如龍　遊盡五湖四海　貧窮如虎　驚散九族六親

打我不痛　罵我不痛　窮措大　肝腸最痛

哭臉好看　笑臉好看　田舍翁　面目難看

窮措大現在叫窮小子，田舍翁現在叫有錢人，活了幾十年後，對人間事閱歷多了，回頭再想這副聯語，的確是世間的淋漓寫照。

在古代，尤其春秋戰國間，知識分子第一個兜銷的好對象，當然是賣給人主——各國的諸侯，執政的老闆們。如果賣出去了，立即就可平步青雲，至少可以弄個大夫當當。其次，賣不到人主，就賣給等而下之的世家，如孟嘗君、平原君等四大公子，一般所謂卿大夫之流。能夠作他們的座上客，也就心滿意足了。實際上，名義雖稱之謂賓客，也不過是一員養士而已。如彈鋏當歌的馮諼，即是如此。到了秦始皇統一天下以後，曾經下了逐客令，當時李斯也在被逐之列，臨行之時，上書勸諫，秦始皇覺得有理，於是收回成令，李斯後來因而得以重用。雖然如此，各國諸侯的滅亡，對養士風氣不能說不是個打擊，這一階段的讀書人，是比較淒涼悲慘的，大多流落江湖，過著遊俠的生活，這就是漢初遊俠之風盛行的主要原因。

苦命的皇帝

你們讀了唐詩三百首：無端嫁得金龜婿，辜負香衾事早朝。剛剛結婚，嫁給一個新科狀元，晚上被窩才暖熱，三四點鐘就要起床上朝了，所以說辜負香衾事早朝。不像現在的官，八九點鐘才上班那麼好作。

當大臣不易，當皇帝更爲可憐。各位想想：一個皇帝天剛亮就爬起來坐在大廳裡等著大臣朝謁了，那多辛苦！大家一定疑惑：老師又沒當過皇帝，是怎麼曉得的？是清朝的一位侍候皇帝的王爺，親口說的真實經驗。他說：「老實講，當年若不是你們把清王朝推翻，我也非要推翻它不可。」他說那真苦，當皇帝的是人，我們也是人，誰不想玩？晚上想玩，又那麼多公事，夜裡都要看，不是說幾件公事，太監拿公文來是上秤稱的，每天有多少斤。除了雍正那個精力，晝夜以批公文爲樂，其他的皇帝都吃不消啊！當皇帝的每天除了上朝，還要向皇太后請安、聽大臣講經，再加上和宮女們玩玩，晚上還要批奏折，批完了奏折已經深夜了，還沒睡多久，三四點鐘便又要起床上早朝了。尤其年輕的皇帝貪睡，怎麼能醒得了呢？老太監有個叫司禮太監的，每天早上三四點鐘，便到皇帝寢宮門外大聲高喊，奉皇太后命「請聖上起床……」。

中國的倫理，在朝中皇帝最大，回到宮中，見了媽媽要跪下請安的，這是中國的倫理。太監奉皇太后命，因爲在宮中媽媽最大，所以皇太后命，皇帝不能違犯。小皇帝睡得正甜的時候，司禮太監喊三聲，皇帝還不起床的話，大太監嘴一呶，小太監就捧著面盆，盛滿熱水，熱手巾便捂在皇帝的臉上。皇帝一掙扎，後邊小太監一推，便把皇帝扶了起來。擦臉的擦臉，梳頭的梳頭，換龍袍的換龍袍，這樣七手八腳，便把皇帝推出來了。可見當皇帝真可憐。皇帝睡覺是一個人睡的，妃子們跟皇帝在一起，到了半夜，太監用被子把妃子一裹，就揹走了。不像一般人，可以跟自己的太太長夜溫柔。萬一皇帝跟妃子多親熱一下，那太監便喊了：「請聖上保重龍體」，你說煞不煞風景！而且要幸哪個妃子，還要先在皇后那裡掛號登記，如果哪個妃子被幸的次數多了，皇后還要提出警告。

再說皇帝吃的菜，有一百道之多，事實上只有前面的幾樣能吃，後面放的都是不能吃的。皇帝要吃盤豆腐，也要向內府報帳，比我們在國賓飯店吃的還要貴。皇后吃飯也是一樣，要九十多道菜，能吃的就那幾樣。在宮內皇后是不能跟皇帝同桌吃飯的，倒是妃子還可以，只要皇帝喜歡。但是妃子也不能侍候的次數太多，多了老太監會講話，皇后也會講話。如果皇太后要跟皇帝吃一餐飯呢？也很可憐！皇后跟妃子都要站在旁邊侍候，不能同桌吃飯。皇太后要皇后坐下來吃，皇后還要叩頭謝恩後才能坐下，拿了筷子抿抿嘴，飯也吃不飽。總而言之，天下什麼事情都可以作，就是不能當皇帝。

誰肯將身作上皇

大家要知道人的心理，一個資本家不敢把財富交給後代，權位也是這樣。我經常跟幾位在位的老朋友們講：你們要注意呀！權位就是魔鬼，沒有到手以前，這個人很好，一旦到手了以後，便會著魔的。有一位朋友聽了以後，一拍桌子就跳了起來說，你這話真對，一點也沒錯！他引經據典地指出，有些人權位沒有到手以前，還蠻好，還很可愛，一到了手便像著魔了一樣，六親不認了。這種地方大家要多作檢省和修養。

此外，權位很難交下來的另一個原因，就是有權位的人，尤其到了年齡大的時候，總認爲年輕人的經驗不夠、能力不夠、思想不成熟，所以不敢放手、不敢把權位交下來。但是不敢交下來的後果也是很慘的，造成了歷史上多少的悲劇。

我們看歷史上的皇帝，所謂亢龍有悔，所以當太上皇的境界。清朝的乾隆皇帝也是一個。乾隆活到八十幾歲，最後把皇位交給他兒子嘉慶，結果也很慘。唐明皇用錯了人，用李林甫當宰相。乾隆用了一個最得意的人，叫和珅（不是和坤，一般人都把珅弄錯了，當成乾坤的坤）。和珅很壞，他貪臟枉法是歷史上有名的。乾隆一死，嘉慶先把和珅抄家，抄出他家的財富，比皇帝宮裡的財富還要大、還要多，可見他貪污多厲害。乾隆知道不知道呢？絕對知道。有人就對乾隆講，和珅那麼壞，爲什麼還要用他？乾隆說：你知不知道，你們總要留個人陪我玩玩嘛！這句話講絕啦！將來各位做了大臣，一定要在皇帝身邊弄一個小人。國家皇帝也有些上不了台面的私生活，只有這種人才能去替他辦。他如果找包公，那還了得！如果皇帝聽說西門町有部黃色影片在上演，想弄來看看，包公一定跪下諫諍，「臣期期不敢奉詔」，那多沒趣！如果告訴和珅，那他會做得比皇帝想像的還要周到，包君滿意！你說皇帝怎麼會不喜歡他？因爲在位的人有時候會很苦，所以乾隆才說，你們總要留個人陪我玩玩嘛！意思是說：你們不要都講他，我知道他壞，可是你們都太好了，那怎麼陪我玩呢？和珅這種人，在歷史上叫做弄臣。

唐明皇逃難在四川的路上，騎在馬上，在濛濛細雨中，聽到馬鈴鐺的聲音，那種淒涼味道，不是一般人所能想像的。慈禧太后逃難，虛雲老和尚跟在後邊，看到慈禧太后餓得那個樣子，內侍去民間弄些紅薯給她吃，慈禧太后見到紅薯便口水直流，真是一毛錢也不值，什麼皇太后不皇太后！人都是一樣。當年唐明皇幸蜀，騎在馬上自己在嘆氣，怎麼會弄成這麼個樣子！當時高力士跟在旁邊（高力士是個忠臣，是一個很好的宦官。大家不要被小說家騙了，高力士爲李白脫靴，這是小事。）聽到了，說：「皇上，這還不是怨你自己。」唐明皇問怎麼說？高力士說：「誰叫你用李林甫做宰相呢？」唐明皇在馬上一嘆說：「李林甫這個小子，我曉得他會搞成這個樣子的。」高力士說：「皇上，你也知道他壞？」唐明皇說：「怎麼不知道呢！」高力士說：「他壞，為什麼還要用他？」唐明皇說：「哎呀！這你就不懂了。現在再找一個像李林甫那樣壞的還找不到呢！」一句話說明了人才難求呀！我們看歷史不懂，很多人看歷史都不懂，人才最難，天下就是合意的人才難找。等於一個人喝好茶一樣，個個都會泡茶，泡得喝著舒服夠的很少。所以我不是不知道他壞，但是現在再找一個像李林甫那樣的人才還沒有呢！

說到這裡，想到清朝有一位名士叫鄭板橋，也是一位才子、一位高人。有一首詩寫得很好，他說：

南內淒清西內荒　淡雲秋樹滿宮牆
由來百代明天子　不肯將身作上皇

鄭板橋為什麼要寫這首詩呢？因為他看到乾隆當了太上皇，他有所感慨。第一，感慨乾隆很了不起，能夠在自己老的時候，把皇位交下來給兒子。第二，他又為乾隆擔心，當了太上皇那種味道。雖然皇帝還是自己的兒子，但是權位交了以後，想喝口台灣的凍頂烏龍，幾個月都喝不到。當皇帝的時候，要什麼不到二十分鐘就來了。爲什麼？情況不同了。是皇帝兒子不對嗎？不是，中間搗亂的都是左右的人！所以說南內淒清西內荒，淡雲秋樹滿宮牆。這裡可以看到鄭板橋的文學境界，淡雲秋樹，淡雲是一個人失勢後那種冷漠淒涼的情況；秋樹是秋天的樹，葉子落光了，連一片葉子都沒有，唯有淡淡的枝影，那種冷漠、無助……你們沒有看過皇宮大內，至少到日本京都可以走走看看。那麼大一堵宮牆，一個人坐在那裡，那比當和尚還可憐，真的是比和尚還要和尚，一個鬼影子都看不見。「淡雲秋樹滿宮牆」，就是講權位交了以後那種淒涼。這種境界對修道的人來說倒是很好，因爲修道就是享受淒涼。如果是修禪的人，正好打坐閉關，剛好得其所哉！可是普通人做不到。下面一轉：由來百代明天子——自古以來高明的皇帝，「不肯將身作上皇」——寧可死在位子上。歷史上有些當皇帝的，不肯把權位交出來，到死了以後，屍體臭了，蛆蟲亂爬，屍腐水流，抬不出去的也很多。因爲兒子們在爭權奪位，搶當皇帝，常常把皇帝的屍體，任由蛆蟲嚙食。可見權位搶奪的可怕。不但皇帝如此，當董事長、大老闆的也是一樣。

在台灣有一位華僑很有錢，年紀也大了，一個朋友跟他說：先生，你的年齡那麼大，錢也那麼多了，也應該休息休息了，還那麼辛苦做什麼？他說：就是因爲我年齡大了，所以更要努力賺錢，不然我死了便不能再賺了。我那朋友只有苦笑。這也算是一種哲學。但他死後也是落得老婆兒子爭財產、打官司，老人的後事卻無人管。這種情形，我們就看到很多。老子死了，兒子不管，兄弟們只顧爭財產、打官司。那些大老闆們有很多不能放手的理由，這也是其中最重要的原因。但是等到眼睛一閉，你放不放呢？不放也得放！但也有到那個時候再說！我眼睛沒有閉以前，就是不放。所以由來百代明天子，不肯將身作上皇，就是這個道理。

不過中國從前的皇帝，也真有些是全心全意爲人民辦事，而不顧自己的一切幸福。所以皇帝自稱孤家寡人，那真是孤家寡人。我常常說，就有機會我也絕不當皇帝！不要說當皇帝，連平常人年紀大了，也是孤家寡人一個。你想，兩個老朋友正在那裡說笑話，紅色的、黃色的、綠色的……都可以說，但是你的後生晚輩年輕人一過來，你什麼也不敢說了，不得不傲岸端莊，裝出一副非常道貌的樣子。這樣年輕人自然也不敢靠攏來了，結果没有人跟你講話，那真是孤家寡人了。尤其是讀儒家書方方正正的老朋友們。奉勸各位以後要常跟年輕人跑跑，說說笑笑。不要將來變成孤家寡人的時候，大家看到了只向你敬禮，大家都敬而遠之，永遠不跟你親近。

世上無如人欲險

名與利，本來就是權勢的必要工具，名利是因，權勢是果。權與勢，是人性中佔有欲與支配欲的擴展。雖是賢者，亦在所難免。司馬遷所謂「君子疾没世而名不稱焉」、「天下熙熙，皆爲利來。天下攘攘，皆爲利往」是不易的名言。固然也有人厭薄名利，唾責名利，認爲不合於道。但「名利本爲浮世重，古今能有幾人拋」呢？除非真有如佛道兩家混合思想的人，所謂「跳出三界外，不在五行中」，也許不在此例。也許仍是未能確定之詞，因爲照一般宗教家們所説的超越人類以外的世界，也仍然脱不了權力支配的偶像；那麼，無論在這個世間或是超越於這個世界，照樣還是跳不出權勢的圈套。這樣看來，人欲真是可悲的心理行爲。不過，也許有人會説，人欲正是可愛的動力，人類如果没有佔有支配的欲望，這個世界豈不沉寂得像死亡一樣的没有生氣嗎？是與非，真難説。

首先，我們要確定欲是什麼？很明顯的答案，欲有廣義和狹義兩層涵義。廣義的欲，便是生命存在的動力，包括生存和生活的一切需要。狹義的欲，一般來説，都是指向男女兩性的關係和飲食的需求。

例如代表儒家的孔子，在《周易》序卦傳便說：「有天地，然後有萬物。有萬物，然後有男女。有男女，然後有夫婦。有夫婦，然後有父子。有父子，然後有君臣。有君臣，然後有上下。有上下，然後禮義有所錯。夫婦之道，不可以不久也。」他在《禮記》的說明中，又說：「男女飲食，人之大欲存焉。」孔子雖然不像後來的告子一樣，强調「食色性也」。但很顯然的，他把「喜、怒、哀、樂、愛、惡、欲」七情中的欲字，乾脆歸到男女飲食的範圍。人的生命的存在，除了吃飽喝足之外，跟著而來的，便是男女兩性的關係了。因此，他刪訂《詩經》開端的第一篇，便採用了「關雎」。孔子並不諱言男女飲食，只是强調在男女飲食之際，須要建立人倫的倫理秩序，要「發乎情，止乎禮」。

上面的舉例，就是把欲的涵義，歸納到狹義的色欲範疇。此外，歷來儒道兩家的著述，厭薄色欲，畏懼色欲攫人的可怕說法，多到不勝枚舉。宋代五大儒中，程明道的「座中有妓，心中無妓」的名言，是一直爲後世儒者所讚揚的至高修養境界。乃至朱熹的「十年浮海一身輕，乍睹藜渦倍有情。世上無如人欲險，幾人到此誤平生」等等，似乎都是切合老子的「不見可欲，使民心不亂」的名言。

到了魏晉以後，隨著佛家學說的輸入，非常明顯的，欲的涵義，擴充到廣義的範疇。凡是對一切人世間或物質世界的事物，沾染執著，產生貪愛而留戀不捨的心理作用，都認為是欲。情欲、愛欲、物欲、色欲，以及貪名、貪利，凡有貪圖的都算是欲；不過，把欲剖析有善與惡的層次。善的欲行可與信願並稱，惡的欲行就與墮落銜接。對於欲樂的思辨分析，極其精詳，在此暫且不論。尤其佛家的小乘戒律，視色欲、物欲如毒蛇猛獸，足以妨礙生命與道業，避之唯恐不及。與老子的「不見可欲，使民心不亂」又似如出一轍。因此，從魏晉以後，由儒釋道三家文化的結合，匯成中國文化的主流，輕視物欲的發展，偏重樂天知命而安於自然生活的思想，便普遍生根。有人說，此所以儒道兩家思想——老子、孔子的學說，歷來都被聰明黠慧的帝王們，用作統治的工具。

反正人類總是一個很矛盾的生物，在道理上，都是要求別人能做到無欲無私，以符合聖人的標準，在行為上，自己總難免在私欲的纏縛中打轉。不過，自己都有另一套理由可為自己辯白。

兩頭看人生

有些人用不著讀書，從一些現象，就可以把人生看得很清楚。只要到婦產科去看看，每個嬰兒都是四指握住大拇指，而且握得很緊的。人一生下來，就想抓取。再到殯儀館去看結果，看看那些人的手都是張開的，已經鬆開了。人生下來就想抓的，最後就是抓不住。在大陸西南山中住過的，就看到猴子偷包穀——玉蜀黍，伸左手摘一個，挾在右腋下，又伸右手摘一個，挾在左腋下。這樣子左右兩手不斷地摘，腋下包穀也不斷的掉，到了最後走出包穀田，最多手中還只拿到一個。如果被人一趕，連一個也丟了。從這裡就看到人生，一路上在摘包穀，最後卻不是自己的。由這裡了解什麼是人生，不管富貴貧賤，都是這樣抓，抓了再放，最後還是什麼也沒有。光屁股來，光屁股走，就是這麼回事。

這個生死兩頭的現象我們看通了，中間感覺的痛苦、煩惱，這種心理上的情緒，是從思想這個根源來的。不講現象，只追求思想的根本，便是形而上學。現在我們坐在這裡，試問誰能沒有思想？沒有思想是不可能的。

西方的哲學家笛卡爾說：「我思故我在。」他認爲我有思想則有我，我如沒有思想則沒有我了。西方哲學非常重視「思想」這個東西，人沒有思想叫什麼人呢？當然有個名稱，叫作「死人」，那我就不存在了。

在我們中國哲學，東方哲學，看到西方的這種哲學，能思想的「我」，都是斷續的「我」。我們曾經以燈光、以流水來比喻過它。現在坐在這裡，都可以體會到，只要是清醒的，一定有思想。但回轉來反省、體會一下，沒有一個念頭、沒有一個思想是永恆存在的，一個個很快地過去了。我們腦子裡的意識形態，只要一想到「我現在」，便又立即過去了，現在是不存在的。未來的還沒有來，我們說一聲「未來」，就已經變成現在了，這個「現在」又立即過去了。像流水的浪頭一樣，一個個過去了，不過連接得非常密切。這是人類本性的功能所引起的現象。

佛學對於本性，比方作大海。我們現在的思想——包括了感覺、知覺，是海面上的浪頭。一個浪頭、一個浪頭過去了，不會永恆存在的。我們從這裡看人類的思想、感情，無論如何會變去的。譬如說張三發了脾氣，就讓他去發，發過了他就不發了，就是這個浪頭打過去了。佛學在這一方面就告訴人們，這是「空」的。宇宙間一切現象，包括了人類心理上生命的現象，一切都會過去的，沒有一個停留著。這在佛學上有個名詞叫「無常」。世界上的事情，永遠無常，不會永恆地存在。但不懂宗教哲學的人便不同了，他把「無常」亂變成了「無常鬼」。其實，「無常」是一個術語，意思是世界上的事情沒有永恆存在的。因此人的感情也是無常的，不會永恆不變。我喜愛這個東西，三天以後就過去了。這種「無常」的觀念是印度文化，也在東方文化的範圍。在中國的文化，見於《易經》中，不叫無常，而叫「變化」。天地間的事情，隨時隨地，每分每秒都在變，沒有不變的道理，一定在變。換句話說，《易經》中變化的道理是講原則；佛學的無常是講現象。名稱不同，道理是一個。就是講人的思想，心理的浪頭都會過去的，所以認爲是空的。這是消極的，看人生是悲觀的。就像猴子偷包穀一樣，空手來，然後又空手跑了，什麼都拿不到。這是「小乘」的佛學觀念。上面僅僅說了一半，還有道理，不但思想是無常，是空的，就是這個身體，這個生命，都是無我的。試問哪一樣是我？佛學認爲「我」是假的，沒有真正的「我」。西方笛卡爾的哲學認爲思想是真我，這個理論我們前面已經說過，是不對的，還是有問題的。

知人於微

才、德、學三者都周全具備的人並不多。孔子說：「如有周公之才之美，使驕且吝，其餘不足觀也已。」以前政治上有個大祕密，歷史上聰明的帝王，喜歡用貪而能者。即使明知其品德不大好而才高的，派出來做官，有時還睜隻眼閉隻眼，上面不大管，但這種人真能替國家社會做好事。有的人非常廉潔，品格非常好，學問也好。可是笨得要死，不能做事，那就派到翰林院去，地位高高的，可是搞了半天，在那裡喝西北風。舉一個例子：宋太祖趙匡胤平定天下，當了皇帝以後，有一個年輕時的同學趙普，他自己說沒有讀過多少書，後來當了宰相，自稱以半部《論語》治天下。他抽屜裡放的也是《論語》，有政治問題解決不了，就翻翻《論語》，好像現在信宗教的人查經一樣。

宋太祖喜歡晚上穿了便衣到大臣的家中走走，因為以前與趙普的家人都認識，所以尤其喜歡到他家中。有一個冬天下大雪的晚上，趙普夫妻倆以為這樣冷的天氣，大概皇帝不會來，因為當時南方還沒有平定，當天下午進貢送來一批東西，他還沒有向上報，趕快跪下來接駕，奏明原因。宋太祖安慰他說沒有關係，公事明天早上再說。他仍在客廳轉來轉去。突然看見貢品中有一個大瓶子，上面寫好送趙普的，宋太祖大感稀奇，打開來看看，連趙普在內誰也沒料到裡面都是瓜子金。趙普夫婦嚇死了，立刻又跪下來奏明實在沒有仔細看過，並不知道是黃金。宋太祖說：「你身為一個宰相，別人不知道，以為天下事決定在你書生之手。外邦既要送你這麼一點東西，算得了什麼？你收了，照收不誤！」不論宋太祖的動機是什麼，都是了不起的。但另外一個人曹彬，原來與趙匡胤是同僚，也是好朋友，他是五代時周朝的外戚。趙匡胤常常約他去喝酒，他卻堅持不肯，始終中立不倚，守住崗位。後來趙匡胤當了皇帝，認爲他人品好，和趙普一樣重用，有人在趙匡胤面前打這人的小報告都打不進去，這就是趙匡胤識人於微的地方。

這些故事，就是說才德具全的人，就是國家的大臣，是社會上了不起的人物。孔子也說到才與德不能相配合的問題。中國文化經過周公整理集中起來，孔子不過繼承他的道統。周公從事政治，做國家的首相，有名的「一沐三握髮，一飯三吐哺」，就是他的典故。洗一次頭，三次握起頭髮來；吃一餐飯，三次把飯吐出來，去接見客人，處理公事。一國的首相，內政、外交都要他辦，所以來見他的人，又從不拒絕，是如此的忙。不只是忙，他對於下面的人，所有的事務，如此盡心，如此好的態度，這就是周公的才能與美德。如果真具有周公的才能與美德，但驕傲看不起人，慳吝得連同情包容都不肯付出，又捨不得花錢，捨不得幫忙別人，勉勵別人，捨不得給人家一紙獎狀的話，那也免談了，他做出來的成績，一定沒有什麼可看的了。這也就是說，一個人有了才能而且很努力，還要修養寬宏的胸襟，濃厚的美德，要不驕不吝。不驕傲就是謙虛，不慳吝就是同情、包容和氣魄。

人才難得

我們研究歷史，可以發現無論古今中外，任何一代，真正平定天下的，不過是幾個人而已。漢高祖靠手裡的三傑，張良、蕭何、陳平而已。韓信還只是戰將，不算在內。當然漢高祖也能幹，很懂得採納意見。漢光武中興所謂雲台二十八將，還不是中心人物，真正中心人物也不過幾個人。外國歷史，意大利復興三傑，也只三個人。每一個時代的治亂，最高思想的決策，幾個人而已。

豈止是國家大事，據我個人的經驗所見，所體會的，不說大的，說小的，大公司的老闆，我認識的也蠻多，曾看到他窮的時候，也看到他現在的發達，如舊小說上所說的「眼看他起高樓」的，也不過兩三個人替他動腦筋，鬼搞鬼搞就搞起來了，不到十幾年，擁有千萬財產的都有；個人事業也是如此。所以人生難得是知己。

個人事業也好，國家大事也好，連一兩個知己好友都沒有，就免談了。如果兩夫婦意見還不和的更困難了。《易經》上說：「二人同心，其利斷金。」兩個人志同道合，心性完全一致，真正的同志，這股精神力量可以無堅不摧。周武王也說，他起來革命，打垮了紂王，平定天下，當時真正的好幹部只有十個人，而這十個人當中，一個是好太太，男的只有九人。

孔子說「才難」，真是人才難得。孔子對學生說，你們注意啊！人才是這樣難得，從歷史上舜與武王的事例看，可不就是嗎？「唐虞之際」，堯舜禹三代以下一直到周朝，這千把年的歷史，「於斯爲盛」，到周朝開國的時候，是人才鼎盛的時期，也只有八九個人而已。周朝連續八百年的治權，文化優秀，一切文化建設鼎盛。但是也只有十個人把這個文化的根基打下來，而這十個人當中，還有一個女人，男人只有九人。但在周武王的前期，整個的天下，三分有其二，佔了一半以上，還不輕易談革命，仍然執諸侯之禮，這是真正的政治道德。

我們知道清代乾隆以後，嘉慶年間有個怪人龔定盦。今天我們講中國思想，近一百多年來，受他的影響很大，康有爲、梁啟超等等，都受了他的影響。他才氣非常高，文章也非常好，而且那個時候他留意了國防。蒙古、滿洲邊疆，他都去了，而且他認爲中國問題的發生，都是邊疆問題。事實上邊疆有漏洞，北方陸上有俄國，東面隔海有日本，將來一定出大問題。他也狂得很，作了一篇文章，也講「才難」。當時他說天下將要大亂，因爲沒有人才，他在文章中罵得很厲害，他說「朝無才相、巷無才偷、澤無才盜。」連有才的小人都沒有了，所以他感嘆這個時代人才完了，過不了多少年，天下要大亂了。果然不出半個世紀，內憂外患接連而來，被他説中了。這就是説興衰治亂之機，社會安寧的重心在人才。

不過龔定盦是怪人，不足以提倡。他怪，出個兒子更怪，他兒子後來別號叫龔半倫，在五倫裡不認父親。他更狂，讀父親的文章時，把他父親龔定庵的神主牌放在一邊，手裡拿一支棒子，讀到他認爲不對的地方，就敲打一下神主牌，斥道：「你又錯了！」這就是龔半倫，人倫逆子中的怪物。

決不讓窮愁同時光臨

我們在中國文學裡，對於人生常有「貧病交加」的悲嘆。世界上貧病交迫的人太多了，這是我們應該用心致力的地方。所謂行仁道，就是要從社會整體的環境來均富。拿現在的政治術語來説，就是要達到全民的富强康樂。

有一個朋友，過去地位很高，也是部長級的，現在有七八十歲了。前兩個月碰面，看他氣色很好，相逢便問年齡，他很風趣地説：「我是王（望）八之年。」他來個諧音答話，自我幽默一番。這位朋友，現在蠻窮的，他常說人世上的兩個字，自己只准有一個字，決不許同時擁有兩字。什麼字呢？「窮、愁」兩字。凡「窮」一定會「愁」，窮加上愁就構成窮愁潦倒。他雖然已到望八之年，因爲只許自己窮，絕不再許自己愁，所以能「樂天知命而不憂」。他真的做到了，遇見知己朋友，仍然談笑風生。另外一個人還告訴我關於他的故事說：某老還是當年的風趣，他雖然窮，家裡還有一個跟了他幾十年當差的老佣人，不拿薪水，在伺候他。有一天，他寫了一張條子，叫老佣人送到一個朋友那裡，這個朋友知道他的情況，又是幾十年的老交情，他有條子要錢，當然照給。這一天他拿了一千塊錢，然後到一家飯館，吩咐配了幾樣最喜歡的菜；身上的香煙不大好，又吩咐拿來一聽最喜歡抽的英國加立克牌的高級香煙。一個人慢慢享受，享受完了，口袋裡掏出這一千元，全部給了茶房。茶房說要不了這許多，要找錢給他，他說不必回找了，多餘的給小費。其實連那外國香煙在內，他所費一共也不過三四百元。茶房說小費太多了，他仍說算了不必找了。他以前本來手面就這麼大，賞下人的小費特別多，現在雖窮，還是當年的派頭。習慣了，自己忘了有沒有錢。所以朋友們當面說他仍不減當年的風趣，他聽了笑笑說，我就要做到這一點，兩個字只能有一個。窮歸窮，決不愁，如果又窮又愁，這就划不來，變成窮愁潦倒就寃得很。社會上貧病交迫的人很多，要想心理上不再添愁，這個修養就相當高了。

子曰：「賢哉回也！一簞食，一瓢飲，在陋巷。人不堪其憂，回也不改其樂。賢哉回也！」

這幾句話看起來非常簡單，但是要自己身體力行，歷練起來，就不簡單了。孔子第一句話就讚歎顏回，然後說他的生活——「一簞食」，只有一個「便當」。古代的「便當」就是煮好的飯，放在竹子編的器皿裡。「一瓢飲」，當時沒有自來水，古代是挑水賣，他也買不起，只有一點點冷水。物質生活是如此艱苦，住在貧民窟裡一條陋巷中，破了的違章建築裡。任何人處於這種環境，心裡的憂愁、煩惱都吃不消的，可是顏回仍然不改其樂，心裡一樣快樂。這實在很難，物質環境苦到這個程度，心境竟然恬淡依舊。我們看文章很容易，個人的修養要到達那個境界可真不簡單。乃至於幾天沒飯吃，還是保持那種頂天立地的氣概，不要說真的做到，假的做到也還真不容易。顏回則做到了不受物質環境的影響，難怪孔子這麼讚歎欣賞這個學生。三千弟子只有他作得到這個修養，而他不幸三十二歲就短命死了。近代人研究孔孟思想的，認爲顏回是死在營養不良。雖然是一句笑話，但是大家對營養還是要注意到才對。

小議宿命論

我們常常看到有人寫文章，說「四海之內皆兄弟也」、「死生有命，富貴在天」是孔子說的，這又弄錯了。

在《論語．顏淵第十二》中有：「司馬牛憂曰：『人皆有兄弟，我獨亡。』子夏曰：『商聞之矣：死生有命，富貴在天。君子敬而無失，與人恭而有禮，四海之內，皆兄弟也。君子何患乎無兄弟也？』」

這裡的答話是子夏說的，不是孔子說的。

近幾十年來，大家攻擊中國文化幾千年來受這兩句話的影響太大，說中國人喜歡講宿命論，受了這種思想的阻礙，所以沒有進步。實際上這是中國文化、東方文化中人生哲學的最高哲學。

「命」是什麼？「天」又是什麼？在中國哲學中是大問題。後世的觀念，對於所謂「命」，以爲就是算八字的那個「命」、看相的那個「命」、宿命論的那個「命」，這就弄錯了。這不是儒家觀念的「命」。而儒家觀念中的「命」是宇宙之間那個主宰的東西，宗教家稱之爲上帝、爲神或爲佛，哲學家稱之爲「第一因」，而我們中國儒家稱爲「命」。這樣說來，不就簡單了嗎？所以這「命」與「天」兩個東西，可以討論一生的，也許一生還找不到它們的結論。

在宇宙間生命有一個功能——用現在科學的觀念稱它爲功能。人的生命的功能很怪，因此發展出「宿命論」。

我的醫生朋友很多，中醫也有，西醫也有。我常對他們講，天下醫生都沒醫好過病，如醫藥真能醫好病，人就死不了。藥只是幫助人恢復生命的功能。有一位醫生朋友，在德國學西醫，中醫也很懂。我介紹一位貧血的同學去就醫，這個醫生朋友說什麼藥都不要用，要這病人多吃點肉，多吃點飯。他說世界上哪裡有藥會補血的？除非直接注射血液進去，一百CC注射進去，吸收幾十CC就夠了，其餘變成渣滓浪費了。西醫說打補血針是補血的，中醫說吃當歸是補血的。補血的藥只不過是刺激本身造血的功能，使它恢復作用。與其打補血針，還不如多吃兩塊肉，吸收以後，就變成血了。所以中國人有句老話：「藥醫不死病，佛度有緣人。」所以用藥醫好的病，能夠不死是命不該死。有一個病始終醫不好的，這個病就是死病，這是什麼藥都沒有辦法的。所以我和醫生朋友們說，小病請你看，生了大病不要來，你們真的醫不好。這就是說生命真是有一個莫名其妙的功能，作戰時在戰場上就可以看到，有的人被子彈貫穿了胸腹，已經流血，但在他並不知道自己已受傷時，還可以衝鋒奔跑，等他一發覺了，就會立刻倒下去。等於我們做事時，如果在緊張繁忙之中手被割破，並不會感覺到痛，但一發覺了，立即就感到痛，這種精神的、心理的作用很大。胸腹貫穿了，在發覺以前，中間這段時間，還可維持一下。向前奔跑，這個維持住生命的東西，也是「命」，而命的安排就非常妙。

寵辱誰能不動心

寵，是得意的總表相。辱，是失意的總代號。當一個人在成名、成功的時候，如非平素具有澹泊名利的真修養，一旦得意，便會欣喜若狂，喜極而泣，自然會有震驚心態，甚至，有所謂得意忘形者。

例如在前清的考試時代，民間相傳一則笑話，便是很好的說明。有一個老童生，每次考試不中，但年紀已經步入中年了。這一次正好與兒子同科應考。到了放榜的一天，兒子看榜回來，知道已經錄取，趕快回家報喜。他的父親正好關在房裡洗澡。兒子敲門大叫說：爸爸，我已考取第幾名了！老子在房裡一聽，便大聲呵斥說：考取一個秀才，算得了什麼，這樣沉不住氣，大聲小叫！兒子一聽，嚇得不敢大叫，便輕輕地說：爸爸，你也是第幾名考取了！老子一聽，便打開房門，一衝而出，大聲呵斥說：你為什麼不先說。他忘了自己光著身子，連衣褲都還沒穿上呢！這便是「寵為下，得之若驚，失之若驚」的一個寫照。

「受寵若驚」，大家都有很多的經驗，只是大小事經歷太多了，好像便成為自然的現象。相反的一面，便是失意若驚。在若干年前，我住的一條街巷裡，隔鄰有一家，便是一個主管官員，逢年過節，大有門庭若市之狀。有一年秋天，聽說這家的主人因事免職了，剛好接他位子的後任，便住在斜對門。到了中秋的時候，進出這條巷子送禮的人，照舊很多。有一天，前任主官的最小的孩子站在門口玩耍，正好看到那些平時送禮來家的熟人，手提著東西，走向斜對門那邊去了。孩子天真無邪的好心，大聲叫著說：某伯伯，我們住在這裡，你走錯了！弄得客人好尷尬，只有衝著孩子苦笑，招招手而已。有人看了很寒心，特來向我們說故事，感嘆「人情冷暖，世態炎涼」。我說，這是古今中外一律的世間相，何足為奇。我們幼年的課外讀物《昔時賢文》，便有有酒有肉皆兄弟，患難何曾見一人？貧居鬧市無人問，富在深山有遠親。不正是成年以後，勘破世俗常態的經驗嗎？在一般人來說，那是勢利。其實，人與人的交往，人際事物的交流，勢利是其常態。純粹只講道義，不顧勢利，是非常的變態。物以稀為貴，此所以道義的絕對可貴了。

勢利之交，古人有一特稱，叫作「市道」之交。市道，等於商場上的生意買賣，只看是否有利可圖而已。在戰國的時候，趙國的名將廉頗，便有過「一貴一賤，交情乃見」的歷史經驗。如《史記》所載：「廉頗之免長平歸也，失勢之時，故客盡去。及復用爲將，客又復至。廉頗曰：『客退矣！』客曰：『吁！君何見之晚也。夫天下以市道交。君有勢，我則從君；君無勢，則去。此固其理也，有何怨乎！』」

廉頗平常所豢養的賓客們的對話，一點都沒有錯。天下人與你廉大將軍的交往，本來就都爲利害關係而來的。你有權勢，而且也養得起我們，我們就都來追隨你。你一失勢，當然就望望然而他去了。這是世態的當然道理，「君何見之晚也」，你怎麼到現在才知道，那未免太遲了一點吧！

有關人生的得意與失意，榮寵與羞辱之間的感受，古今中外，在官場、在商場、在情場，都如劇場一樣，是看得最明顯的地方。以男女的情場而言，如所周知唐明皇最先寵愛的梅妃，後來冷落在長門永巷之中，要想再一見面都不可能。世間多少的，癡男怨女，因此一結而不能解脫，於是構成了無數哀艷戀情的文學作品！因此宋代詩人便有「羨他村落無鹽女，不寵無驚過一生」的故作解脫語！無鹽是指文宣王的醜妃無鹽君，歷史上都把她用作醜陋婦女的代名詞。其實，無鹽也好，西施也好，不經絢爛，哪裡知道平淡的可貴。不經過榮耀，又哪裡知道平凡的可愛。這兩句名詩，當然是出在久歷風波、遍嘗榮華而歸於平淡以後的感言。從文字的藝術看來，的確很美。但從人生的實際經驗來講，誰又肯「知足常樂」而甘於淡泊呢！除非生而知之的聖哲如老子等輩。其次，在人際關係上，不因榮辱而保持道義的，諸葛亮曾有一則名言，可爲人們學習修養的最好座右銘，如云：

「勢利之交，難以經遠。士之相知，溫不增華，寒不改棄，貫四時而不衰，歷坦險而益固。」

欲除煩惱須無我

昨天一個朋友來看我，說他看到我的《孟子．盡心章》那篇文章，連著看了三遍，感慨很多。他說：「你的看法我很讚成，這樣來講對極啦！從前有些人講不動心，好像是可把心壓著不讓它動，那是不動的。不動心是要能做到臨事不動心，才是真不動心。」事實上，到了利害關頭，這個事業可做不可做？很難下決心。真正的實力，是要在這個時候能不動心，如果能夠做到，那麼打坐那個不動心，在佛學上講已是小乘之道，不算什麼了。要知道處世之間，危險與安樂，不動心非常難，難得很。另外一個現象，一般而言，大家看活人的文章，不如看死人的文章來得有興趣。這也是《易經》的道理，「人情重死而輕生，重遠而輕近」，遠來的和尚好唸經，那是必然的。曹丕在他的文章裡，就提到「常人貴遠而賤近，向聲而背實」這兩句話。譬如最近美國一個學禪的來台北，他原本在美國名氣就很大，但經我們把他一捧，「美國的禪宗大師來弘道啦」，中山堂便有千把人來恭逢其盛。如果要我去講，不會有兩百人來聽的。要是我到外國去，那就又不同啦！所以要做事業，人情的道理大家要懂，如果這個道理不懂，就不要談事業。

前面說過，人情多半是「重遠而輕近，重古而輕今」。古人總歸是好的，現在我不行了，死了以後我就吃香了。像拿破崙啊、楚霸王啊，死了以後就有人崇拜。所以大家要了解人情及羣衆的心理。人情是什麼呢？除了飲食男女之外，權力慾也是很大的，不僅是想當領袖的人才有，權力慾人人都有。男的想領導女的，女的想領導男的，外邊不能領導，回家關起門來當皇帝。先生回家了對太太說：「倒杯茶來！」太太呢？「鞋子太亂了，老公請你擺一擺……」這就是權力慾，人都喜歡指揮人，要想人沒有權力慾，那就要學佛家啦！到了佛家無我的境界就差不多了。

一個人只要有「我」，便都想指揮人，都想控制人，只要「我」在，就要希望你聽我的。這個裡邊自己就要稱量稱量你的「我」有多大？蓋不蓋得住？如果你的「我」像小蛋糕一樣大，那趁早算啦！蓋不住的！這個道理就很妙了。權力慾要控制，不僅當領袖的人要控制自己的權力慾，人人都要控制自己的權力慾。因爲人有「我」的觀念，「我」的喜惡，所以有這個潛意識的權力慾。權力慾的傾向，就是喜歡大家「聽我的意見」，「我的衣服漂亮不漂亮？」「嗳喲！你的衣服真好、真合身。」這就是權力慾，希望你恭維我一下。要想沒有這一種心理，非到達佛家無我的境界不行。

佛家說的「欲除煩惱須無我」，就是要到無我的境界，才沒有煩惱；「各有前因莫羡人」，那是一種出世的思想。真正想做一番治世、入世的事業，沒有出世的修養，便不能產生入世的功業。我看歷史上很少有真正成功的人，多數是失敗的。做事業的人要真想成功，千萬要有出世的精神。所以說，「欲除煩惱須無我，各有前因莫羡人」。人到了這個境界，或者可以說權力慾比較淡。

誰人肯向死前休

孔子曰：「君子有三戒。少之時，血氣未定，戒之在色；及其壯也，血氣方剛，戒之在鬥；及其老也，血氣既衰，戒之在得。」

這是孔子將人生分三個階段、對人慎戒的名言。我們加上年齡、經驗、心理、生理的體驗，就愈知這三句話意義之深刻。少年戒之在色，就是性的問題，男女之間如果過分的貪慾，很多人只到三四十歲，身體就毀壞了。有許多中年、老年人的病，就因爲少年時沒有「戒之在色」而種下病因。中國人對「性」這方面的學問研究得很周密，這是在醫學方面而言，但是很可憐的，在道德上對這方面遮擋得太厲害，反而使這門學問不能發展，以致國民健康受到妨礙。據我所瞭解，過去中小學幾乎沒有一個青少年不犯手淫的，當父母的要當心！當年德國在納粹時代，青少年都穿短褲，晚上睡覺的時候將手綁起來放在被子外面，這是講究衛生學，爲了日耳曼民族的優越。這樣做法，雖然過分了，但教育方面大有益處。現在年輕一代的思想，女孩子願意嫁給有錢的老年人，丈夫死了，反正有錢再嫁人；男孩子受某些外國電影的影響，喜歡愛戀中年婦女。這是一個嚴重問題。所以知道了青少年的思想後，發現我們的教育問題很多。至於外國，如美國的男女青年，很不願意結婚，怕結婚以後負責任，只是玩玩而已，以致社會一片混亂。這是人類文化一個大問題，所以孔子說：「血氣未定，戒之在色。」這句話真的發揮起來，問題很多，性心理的教育，要特別注意。

壯年戒之在鬥，這個鬥的問題也很大，不止是指打架，一切鬧意氣的競爭都是鬥。這裡說戒之在鬥，處處想打擊人家，自己能站起來，這種心理是中年人的毛病。

老年人戒之在得，這個問題蠻嚴重，不到這個年齡不知道。譬如說一個人的個性相當慷慨，自己就要常常警惕，不要老了反而不能做到。曾經看到許多人，年輕時仗義疏財，到了老年一毛錢都捨不得花，事業更捨不得放手。早年慷慨好義，到晚年一變，對錢看得像天一樣大。不止錢這一點要「戒之在得」，別的方面事情還多。小說《官場現形記》裡描寫一個做官的人做上了癮，臨死時躺在床上，已經進入彌留狀態，這時他的心裡只有一個意念：還在做官，還要過官癮。於是兩個副官站在房門口，拿出舊名片來，一個副官唸道：「某某大員駕到！」另一個副官唸道：「老爺欠安，擋駕！」他聽了過癮。以前覺得這部小說寫得太挖苦人，等到年齡大了，就知道寫得並不挖苦人，的確有許多這一類的人。有人在做事情的時候，生龍活虎，退休下來以後，在家就閒得發愁、發煩。還有一個人，聽人說某一著名大建築是他蓋的，已經很有錢了，一位將軍問他，既然這樣富有，年紀又這樣大了，還拚命去賺錢幹什麼？這位老先生答說，正因爲年紀大了才拚命賺錢，如再不去賺錢，沒有多少機會了。這又是什麼人生哲學呢？有個朋友說某老先生，也很有錢，專門存美鈔，每天臨睡以前，一定要打開保險箱，拿出美鈔來數一遍，才睡得著。看這類故事，越發覺得「戒得」的修養太重要了，豈只是爲名爲利而已。人生能把這些道理看得開，自己能體會得到，就蠻舒服了，否則到了晚年，自己精神沒有安排，是很痛苦的，所以孔子這個人生三戒很值得警惕。

宿將還山不論兵

中國人說「天下興亡，匹夫有責」，人人都應該關心。但是，有個原則，如孔子所說：「不在其位，不謀其政。」他不在那個位置，不輕易談那個位置上的事。一個知識分子，如果不是身居官職，最好不要隨便談論批評政事。真當隱士的更須要有如此的胸襟。這幾句話，我們要常注意。現在順便告訴大家一些有趣的經驗。我不是學者文人，但常與學者文人接觸。學者文人最喜歡談政治，而且他們對現實的政治，幾乎沒有滿意過的，尤其學自然科學的學者，更喜歡談政治。如果將來由科學家專政，人類可能更要糟糕。因爲政治要通才，而科學家的頭腦是「專」的，容易犯以偏概全的錯誤。我的結論是越外行的越喜歡談內行話，不知大家的經驗如何？

所以孔子這兩句話，「不在其位，不謀其政」，是爲政的基本修養，表面上看來，好像帝王可以利用這兩句話實行專制，要人少管閒事。事實上有道理在其中，因爲自己不處在那個位置上，對那個位置上的事情，就沒有體驗，而且所知的資料也不夠，不可能洞悉內情。因此，我們發現歷史上許多大臣下來以後，不問政治。像南宋有名的大將韓世忠，因秦檜當權，把他的兵權取消以後，每天騎一匹驢子，在西湖喝酒遊賞風景，絕口不談國家大事，真如後人有兩句名詩說：英雄到老皆皈佛，宿將還山不論兵。這也就是「不在其位，不謀其政」道理的寫照，孔子並不是說把政治交給當權者去做，我們大家根本不要管。

據我所知，文人更喜歡談戰爭，開口就是應該打。他們可不知道打仗的難處，自己又沒有打過仗，也不知道怎麼打。等於有人在街上看到別人打架，自己在旁邊吆喝著大聲喊打，可是叫他自己來，只要一揚拳頭，他就先跑了。這就是歷代文人的談戰爭。知識分子喜歡談軍事、談政治，大多數絕對外行。所以我常引用孔子這句話對他們說：

「不在其位，不謀其政。」他們答道：「這有什麼難？」我說：「你我知不知道季辛吉此時此刻看的什麼公文？說的什麼話？你我所知道的情報、資料，都是從報上看來的，並不是第一手資料，可靠性大有問題。就算是可靠的，在報紙上發表出來的，還是有限，不知道還有多少不能發表的，而且和此刻的現況，又相隔很遙遠了。像這樣如何可以去談政治？而且政治絕對要靠經驗，不是光憑理論的。你說某某不行，你自己來試試看，毫無經驗的話，不到三個月就完了。」所以孔子說的這句話非常有道理——「不在其位，不謀其政。」不在那個位置上，不能真知道它的內容。以很具體的事實來說，榮民總醫院某手術室，此時在為某一病人的某一病開刀，你我能知道嗎？即使自己親人進手術室接受治療，而我們被關在門外，他在裡面危險到什麼程度，我們不知道，只隔薄薄的一扇門就不知道。所以「謀其政」不是想像中的簡單，要在那個位置上才能執其政、謀其政。

很不幸的，孔子的這句話常常被人用來做滑頭話，作推託詞。甚至，有些人看見別人用這句話作擋箭牌，都誤認為是跟孔子學滑頭。所以打倒孔家店的人，也把這句話列為「罪狀」之一，把罪過弄到孔子身上了。事實上這句話是告訴我們，學以致用，真正的學問，要和作人作事配合。他也是告誡學生們，對一件事，有一點還不了解，還無法判斷時，不要隨便下斷語，不要隨便批評，因爲真正了解內情，太不容易了。

當然，一個人，尤其關於現實的思想，不要太不守本分。不守本分就是幻想、妄想，徒勞而無益的。這個話我們可以站在社會文化的立場反對。而研究科學，不怕人有幻想。强調一點來說，歷史也是幻想創造出來的，科學的發明，開始也由幻想而創造出來的。真正的科學家，很少個性不古怪的，他的環境影響了他。每天在實驗室裡，生活沒有情調，如果研究到深入的時候，他手上拿著正在吃的麵包，換上塊腐肉給他，他都不知道，照拿照吃。但是他如不這樣研究得發瘋，就決不會成爲一個真正的科學家。做學問也是這樣，要想學問有成就，一定要鑽進去，像發了瘋一樣，然後跳出來，這就成功了。不到發瘋的程度，就沒有成功的希望。搞通才的，樣樣搞又樣樣搞不好，就犯了太聰明的毛病。科學有成就的人，可以說是笨的人，也是世界上最聰明的人，這就不能說「思不出其位」了。所以現在年輕人來讀這些書，都是反感的，往往加上「統制思想」、「控制思想」等等許多罪名。

事實上，這是說人的基本修養。以現在的政治思想來解釋這句話的意義，就是：「不要違反思想的法則。」如果用在做事方面，也可以說，不要亂替別人出主意。由這樣去理解，這句話的意思就通了。

殯儀館的故事

我們常常看到訃文上有「壽終正寢」這四個字，但現代往往與事實不符，因爲現在的人都是死在醫院，有幾個壽終正寢的？古代說壽終正寢，是指死在自己的房間裡，斷氣以後，才抬到正門的大廳上，所以是壽終正寢。現在都死在醫院，送到太平間，哪來的正寢？還有現在殯儀館中，有許多太太輓丈夫，兒子輓父母的輓聯，都是不合理的。因爲照古禮，自己是當事人，沒有心情在文學境界上作詩作聯，所以親人是沒有輓聯的。若是自己不會寫，由別人代寫，更是莫名其妙。輓聯要與死者有感情才輓得出來，與之毫無感情，怎麼代寫？有感情的自己寫，很簡單。白話的：「你死了，我也快來了！」或：「你先走一步，我會跟來的，你安心的去吧！」不很好嗎？所以講到中國文化，目前許多地方都是問題。

說到這裡想起了兩位老朋友與殯儀館的故事。一位是上將軍某公，有一次，他說真想在殯儀館附近，最好隔壁找一幢房子。我問他什麼意思。他說有兩點理由。第一，老朋友一個個凋零，經常要跑殯儀館，方便些。第二，有一天自己要去的時候，就走過去了，也方便。第二個朋友也是一位將軍，十多年前一個春節，碰到我說，今年真倒楣。我問他爲什麼？他說剛過年，大正月坐三輪車去弔一個朋友的喪，到了門口付了車錢，那個三輪車夫問道：「先生你還回去不回去？」可真把他氣得不得了，大罵車夫：「你才不回去！」不料幾個月後，這位朋友真到那裡不再回去了。就是這樣巧的事情。這是兩個故事，也是兩種絕對不同的觀念。

我們經常看到「生榮死哀」四個字，生的時候享盡了榮華，死後的榮耀，就是大家都會哀痛。可是我們現在到殯儀館弔喪，有許多人在那裡已經沒有哀痛之情了。

此情可待成追憶

任何事情，任何行爲，能慢一步蠻好的。我們的壽命，欲想保持長久，在年紀大的人來說，就不能過「盈」過「滿」。對那些年老的朋友，我常常告訴他們，應該少講究一點營養，「保此道者不欲盈」，凡事做到九分半就已差不多了，該適可而止，非要百分之百，或者過了頭，那麼保證你適得其反。

年輕人談戀愛，應該懂得戀愛的哲學。凡是最可愛的，就是愛得死去活來愛不到的。且看古今中外那些纏綿悱惻的戀愛小說，描寫到感情深切處，可以爲他殉情自殺，可以爲他痛哭流涕，但是，真在一起了，算算他們你儂我儂的美滿時間，又能有多久？即便是《紅樓夢》，也不到幾年之間就完了，比較長一點的《浮生六記》，也難逃先甜後慘的結局。所以人生最好的境界是「不欲盈」。雖然有那永遠追求不到的事，卻同李商隱的名詩所說「此情可待成追憶，只是當時已惘然」，豈非值得永遠閉上眼睛，在虛無縹緲的境界中，回味那似有若無之間，該多有餘味呢！不然，睜著一雙大眼睛，氣得死去活來，這兩句詩所說的人生情味，就沒啥味道了。

中國文化同一根源，儒家道理也一樣。《書經》也說「謙受益，滿招損」。「謙」字亦可解釋爲「欠」。萬事欠一點，如喝酒一樣，欠一杯就蠻好，不醉了，還能惺惺寂寂，惱子清醒。如果再加一杯，那就非醜態畢露、丟人現眼不可——「滿招損」。又如一杯茶，八分滿就差不多了，再加滿十分，一定非溢出來不可。

吉事怎樣方得長久？有財富如何保持財富？有權力如何保持權力？這就要做到「不欲盈」。曾有一位朋友談到人之求名，他說有名有姓就好了，不要再求了，再求也不過一個名，總共兩個字或三個字，沒有什麼道理。

有一次，從台北坐火車旅行，與我坐在同一個雙人座的旅客，正在看我寫的一本書，差不多快到台南站，見他一直看得津津有味。後來兩人交談起來，談話中他告訴我說：「這本書是南某人作的。」我說：「你認識他嗎？」他答：「不認識啊，這個人寫了很多書，都寫得很好。」我說：「你既然這樣介紹，下了車我也去買一本來看。」我們的談話到此打住，這蠻好。當時我如果說：「我就是南某人。」他一定回答說：「久仰，久仰。」然後來一番當然的恭維，這一俗套，就沒有意思了。

「此情可待成追憶，只是當時已惘然」，名利如此，權勢也如此。即使家庭父子、兄弟、夫妻之間，也要留一點缺陷，才會有美感。例如文藝作品的愛情小說而言，情節中留一點缺陷，如前面所說的《紅樓夢》、《浮生六記》等，總是美的。又如一件古董，有了一絲裂痕，擺在那裡，絕對心痛得很。若是完好無缺的東西擺在那裡，那也只是看看而已，絕不心痛。可是人們總覺得心痛才有價值，意味才更深長，你說是嗎？

理解青少年

目前中國青年，身受古今中外思潮的交流、撞擊，思想的彷徨與矛盾，情緒的鬱悶與煩躁，充分顯示出時代性的紊亂和不安，因此形成了青少年的病態心理。而代表上一代的老輩子人物，悲嘆窮廬，傷感「世風日下」、「人心不古」，大有日暮途窮，不可一日的憂慮。其實，童稚無知，懷著一顆赤子之心，來到人間，宛如一張白紙，染之朱則赤，染之墨則黑，結果因爲父母的主觀觀念——「望子成龍，望女成鳳。」塗塗抹抹，使他們成了五光十色，爛污一片，不是把他們逼成書呆子，就是把他們逼成太保，還不是真的太保。我經常說，真太保是創造歷史的人才。所以老一輩人的思想，無論是做父母的，當老師的，或者當領導人的，都應該先要有一番自我教育才行。尤其是搞教育、領導文化思想的，更不能不清楚這個問題。

所以青少年教育的問題，首先要注意他們的幻想，因爲幻想就是學問的基礎。據我的研究，無論古今中外，每一個人學問、事業的基礎，都是建立在少年時期的這一段，從少年時期的這一段，從少年的個性就可以看到中年老年的成果。一個人的一生，也只是把少年時期的理想加上學問的培養而已，到了中年的事業就是少年理想的發揮，晚年就回憶自己中少年那一段的成果。所以我說歷史文化，無論中外，永遠年輕，永遠只有三十歲，沒有五千年，爲什麼呢？人的聰明智慧都在四十歲以前發揮，就是從科學方面也可以看到，四十歲以後，就難得有新的發明，每個人的成就都在十幾歲到二三十歲這個階段，人類在這一段時間的成果，累積起來，就變成文化歷史。人類的腦子長到完全成熟的時候，正在五六十歲，可是他大半像蘋果一樣，就此落地了。所以人類智慧永遠在這三四十歲的階段作接力賽，永遠以二三十年的經驗接下去，結果上下五千年歷史，只有二三十年的經驗而已。所以人類基本問題沒有解決。先有雞還是先有蛋？宇宙從哪裡來的？人生究竟如何？還是沒有絕對的答案。因此，有了思想，還要力學。有了學問而沒有思想則「罔」，沒有用處；相反的，有了思想就要學問來培養，如青少年們，天才奔放，但不力學，就像美國有些青少年一樣，由吸毒而裸奔，以後還不知道玩出什麼花樣。所以思想，沒有學問去培養則「殆」，危險！

以孝治天下

研究西方文化，不要只以美國爲對象，要從整個歐洲去看；而研究歐洲文化，必須研究希臘文化，從雅典、斯巴達兩千多年以前開始。同時要知道西方文化與我們有基本的不同。中國這個國家，因爲地理環境影響，能夠「以農立國」，歐洲做不到，尤其希臘做不到，他們要生存，必須發展商業。過去歐洲的歷史，在海上的所謂商業，看得見就是做生意，看不見時就是做海盜。所以十六世紀以前，西方缺乏財富，窮得一塌糊塗。十六世紀以後，搶印度、騙中國，黃金才流到西方去，所謂西方文化、經濟發展等等，原先都是這樣來的。

我們了解西方文化以後，再回頭來看中國。中國以農立國，有一個文化精神與西方根本不同，那就是中國的宗法社會。三代以後，由宗法社會才產生了周代的封建。一般講的封建，是西方型的封建，不是中國的封建。把中國封建的形態，與西方文化封建的奴隸制度擺在一起，對比一下，就看出來完全是兩回事。中國的封建，是由宗法形成的。因爲宗法的社會，孝道的精神，在周以前就建立了，秦漢以後，又由宗法的社會變成家族的社會，也是宗法社會的一個形態。那麼家族的孝道，把範圍縮小了，但精神是一貫的。這個孝字，是人情世故的擴充，把中國這個孝字，在政治上提倡實行而蔚爲風氣。是什麼時候開始的呢？是在西漢以後，魏晉時代正式提倡以孝道治天下。我們看到二十四孝中有名的王祥臥冰，他就是晉朝的大臣。晉朝以後，南北朝、唐、宋、元、明、清一直下來，都是「以孝治天下」。我們看歷朝大臣，凡是爲國家大問題，或是爲愛護老百姓的問題，所提供的奏議，很多都有「聖朝以孝治天下」的話，先拿這個大帽子給皇帝頭上一戴，然後該「如何如何」提出建議，這是我們看到中國文化提倡孝的好處、優點。

但是天下事談到政治就可怕了，我們關起門來研究，也有人利用孝道作爲統治的手段，誰做了呢？就是滿清的康熙皇帝。

滿清孤兒寡婦入關以後，順治很年輕就死掉了，不過這個是滿清一大疑案，有一說順治沒有死，出家去了，這是清代歷史上不能解決的幾大疑案之一。接著康熙以八歲的小孩當皇帝，到十四歲正式親政。老實講，那時候如果是平庸之輩，要統治這樣龐大的四萬萬人的中國，是沒有辦法的。但這個十四歲的小孩很厲害，康麻子——康熙臉上有幾顆麻子——十四歲開始統治了中國幾十年（康熙八歲當皇帝，十四歲親政，六十九歲去世，在位六十一年）。滿清天下在他手裡安定下來。當時，中國知識分子中，反清復明的人太多了。如顧亭林、李二曲、王船山、傅青主這一班人都是不投降的，尤其是思想上、學說上所作反清復明的工作，實在太可怕了。結果呢？康麻子利用中國的「孝」字，虛晃一招，便使反清的種子一直過了兩百年才發芽。

用人不求全

我們觀察人才，尤其在學生裡可以看出來，有些學生品德非常好，但是決不能叫他辦事，他一辦事就糟。所以作領導人的要注意，自己不能偏愛，老實的人，人人都喜歡，但不一定能夠做事。有才具的人能辦事，但不能要求他德行也好。

所以過去中國帝王，用人唯才，尤其處亂世，撥亂反正的時候，要用才只好不管德行。我們知道，曹操下一道徵求人才的命令，也是歷史上有名的文獻，他說不問是偷雞摸狗的，只要對我有幫助都可以來投效。只有曹操有膽子下這樣的命令，後世的人不敢這樣明說，可都是這樣做。其次漢高祖只有張良、蕭何、陳平三傑幫他平定天下。其中陳平曾爲他六出奇計，在當時只有他和陳平兩個人知道。當時漢高祖和項羽作戰，要陳平對項羽做情報工作，而且用反間計，給了陳平五十鎰黃金作經費。這時有人向漢高祖挑撥，說陳平盜嫂，是最靠不住的人。漢高祖對這個話聽進去了。在陳平出去辦事之前，來辭行請示的時候，提起盜嫂的事，陳平聽了以後，立即把黃金退還漢高祖，表示不去了。他說你要我辦的是國家大事，我盜不盜嫂和你國家大事有什麼關係？實際上陳平根本沒有哥哥，當然沒有嫂嫂，而是別人揑造的，但是他不去辯白這一套，這就是有才幹的人的態度。漢高祖非常聰明，馬上表示歉意，仍然請陳平去完成任務，這也是高祖英明之處。

有些人則會因小失大，往往因爲這些小事而誤了大事。後來還有一個文學上有名的故事——張敞畫眉。漢武帝也是了不起的皇帝，張敞是當時的才子，後來成了名臣。他和他的太太感情很好，因爲他的太太幼時受傷，眉角有了缺點，所以他每天要替他的太太畫眉後，才去上班，於是有人把這事告訴漢武帝。一次，漢武帝在朝廷中當著很多大臣對張敞問起這件事。張敞就說：「閨房之樂，有甚於畫眉者。」意思是夫婦之間，在閨房之中，還有比畫眉更過頭的玩樂事情，你只要問我國家大事做好沒有，我替太太畫不畫眉，你管它幹什麼？

所以讀書讀歷史，就是懂得人情，懂得作人做事。有時候一些主管，對部屬管得太瑣碎了，好像要求每一個人都要當聖賢，但辦事的人，不一定能當聖賢。我們在孔子的弟子中看到，德行有成就的人，言語不一定成功。而言語上有成就的，如宰我、子貢，在德行上不一定有顏回那麼標準。政治有成就的人，氣度又與有德行的人不同。文學好，文章寫得好，更不要問了，千古以來，文士風流。歷史上文人牢騷最大，皇帝們賞賜幾個宮女，找幾個漂亮太太給他，多給他一點錢，官位高一點，他就沒有時間發牢騷了。這都是說人才的難求全。但歷史上也並不是沒有全才，不過，德行、言語、政事、文學都好的，實在少見。

天哪媽呀

「不遷怒，不貳過」，這六個字我們一輩子都做不到。孔子也認爲，除了顏回以外，三千弟子中，沒有第二個人了。凡是人，都容易犯這六個字的毛病。「遷怒」，就是脾氣會亂發，我們都有遷怒的經驗。舉例來說，我們最容易遷怒的是自己家人，在外面受了氣回家，太太好心前來動問：「今天回得那麼晚？」於是對太太：「你少討厭吧！」這就是遷怒了。其實並不是罵太太，而是在外面受了氣，無處可發，向太太遷怒了，所以我們有時候對長官、對朋友也要原諒。很多人挨了長官的罵，仔細研究一下，這位長官上午有件事弄不好，正在煩惱的時候，你正好去找他，自然挨他的罵，這是被遷怒了。處理事情也是這樣，我們看到歷史上，有些人做了歷史的大罪人，就是由於遷怒。有的因爲對某一個人不滿意，乃至把整個國家拿來賭氣賭掉了。不遷怒真是太難的事。

我現在講兩個故事：

第一次世界大戰以前，德國的名宰相俾斯麥與國王威廉一世是對有名的搭檔。德國當時會强盛，不但是俾斯麥這個首相行，同時也因爲有這個寬容大度的好皇帝。威廉一世回到後宮中，經常氣得亂砸東西，摔茶杯，有時連一些珍貴的器皿都砸壞。皇后問他：「你又受了俾斯麥那個老頭子的氣？」威廉一世說：「對呀！」皇后說：「你爲什麼老是要受他的氣呢？」威廉一世說：「你不懂。他是首相，一人之下，萬人之上。下面那許多人的氣，他都要受。他受了氣哪裡出？只好往我身上出啊！我當皇帝的又往哪裡出呢？只好摔茶杯啦！」所以他能夠成功，所以德國在那時候能夠那麼强盛。

另外一個故事。朱元璋的馬皇后也是個了不起的人物。朱元璋當了皇帝以後，有一天在後宮與皇后談笑，兩個人談得高興，朱元璋突然拍了一下大腿，高興地跳起來說：「想不到我朱元璋也會當皇帝！」手舞足蹈，又露出了他寒微時那種樣子，這是非常失態的。當時還有兩個太監站在旁邊，他沒有留意到。一會兒朱元璋出去了，馬皇后立即對那兩個太監說：「皇帝馬上要回來，你們一個裝啞巴，一個裝聾，否則你們兩人都會沒有命了，記住，聽話！」果然，朱元璋在外面一想，不對勁，剛才的失態，將來給兩個太監傳了出去，那還了得。於是回到後宮，一問之下，兩個太監，一個是啞巴，不會說話；一個是聾子，沒有聽見，這才了事。否則這兩個太監的頭豈不掉下來？所以馬皇后也是歷史上一個有名的好皇后。

這就講到人生的修養與遷怒，一點事情不高興，脾氣發到別人身上，不能反省自訟。尤其是領導別人的，要特別注意。

第二點最難的，「不貳過」。所謂貳過，第一次犯了過錯，第二次又犯。等於我們抽煙一樣，這次抽了，下決心，下次再不要抽，可是到時候又抽起來了。再犯同樣的過錯，這就是「貳過」。孔子說只有顏回才能做到「不遷怒，不貳過」這六個字，人們真能做到如此，不是聖人，也算是個賢人了。

事實上，我們所講的「不遷怒，不貳過」，只是人生修養中的一小點。如果認真的研究起來，這兩句話是概括了全部歷史哲學，也概括了人類的行爲哲學。人若真能修養到「不遷怒，不貳過」，那是太不容易了。所以孔子再三讚歎顏回，是有他的道理。

譬如我們說「怨天尤人」，就是遷怒的一例，一個人到了困難的時候怨天，這是普通的事。說到「怨天」，如韓愈所說的，一個人「窮極則呼天，痛極則呼父母」，這是自然的現象。又如司馬遷《史記》中對《離騷》的評論：「夫天者，人之始也；父母者，人之本也。人窮則反本，故勞苦倦極，未嘗不呼天也；疾痛慘澹，未嘗不呼父母也。」這裡所指的「窮」，並不只是沒有錢了才叫作「窮」。一件事到了走投無路的地步，就叫作窮。此時往往情不自禁地會感嘆：「唉！天呀！」身上受了什麼難以忍受的痛苦，往往就脫口而出：「我的媽呀！」這是一種自然的反應。人到無可奈何的時候，心理上就逃避現實，認爲這是上天給我的不幸。「尤人」，就是埋怨別人、諉過於人，反正是「我没有錯」。古時平民文學中有一首詩說：

作天難作四月天　蠶要溫和麥要寒
行人望晴農望雨　採桑娘子望陰天

像這樣，天作哪一種天才是好天呢？作天都難作，何況作人？所以一個人爲朋友效力，受人埋怨，是難免的。尤其當領導的人，受人物議，更是必然。至於「不貳過」這層修養，比起「不遷怒」的操守，那是更深一層的功夫了。

貧戒怨　富戒驕

孔子說：「貧而無怨，難；富而無驕，易。」

「富而無驕」，有地位有財富，成功了不驕傲。本來這個修養很難的，並不是很容易，但是比較起來還是容易。古今中外有些人因爲地位高了，風度蠻好；風度好是外形的，外形過得去，看不出驕傲來，已經了不起，但是內心到底還有一點覺得自己了不起。

剛才與幾個國外回來的學生閒談，他們說到，過去有一部分人，父母與孩子之間的代溝，相差太遠，做父母的尊嚴得不得了，非要擺成那副樣子不可。也有的說，自己的父母並不如此，與子女相處像朋友一樣。有的以地域來說，指本省有些家庭，父母對子女還是擺一副尊嚴的模樣，我就問他們在國外有沒有注意，華僑社會裡，多數父母對子女的態度，也是保持著尊嚴。這是廣東福建的風氣，他們還保持了老一輩子的父母的威嚴。而父母子女相處比較開明一點，多半是在上海生長的人。父母保持他們的尊嚴，只是過分或不過分，並沒有錯。有的又說，父母保持那股威嚴，就是一種傲慢心理，覺得我有兒女，兒女就要聽我的。我說這可不能列入驕傲的範圍，更不要錯用了驕傲這個形容詞。

由我個人的觀察和體會，有許多人想不驕傲，很難做到。富貴了，地位高了會驕傲；有錢會驕傲；年齡大了也會驕傲，認爲自己多吃了幾十年飯，年輕小伙子就不行，其實多吃的幾十年飯，不一定吃得對；學問高了也會驕傲。所以要修養到「無驕」，實在不容易。不過在比較上，富而無驕和貧而無怨，兩者之間，還是無驕容易一點。

「貧而無怨」的貧並不一定是經濟環境的窮；不得志也是貧；沒有知識的人看到有知識的人，就覺得有知識的人富有；「才」也是財產，有很多人是知識的貧窮。莊子就曾經提到，眼睛看不見的瞎子，耳朵聽不見的聾子，只是外在生理的；知識上的瞎子，知識上的聾子，就不可救藥。所以貧並不一定指沒有錢，各種貧乏都包括內。人貧了就會有怨，所謂怨天尤人，牢騷就多。人窮氣大，所以教人作到「安貧樂道」，這是中國文化中，一個知識分子的基本大原則。但是真正的貧而能安，太不容易。

現在有人拿「安貧樂道，知足常樂」這兩句話，批評中國文化，說中國的不進步，就是受了這種思想的影響。這種批評不一定對，「安貧樂道」與「知足常樂」，是個人的修養，而且也少有人真正修養到。我們當然更不能說中國這個民族，因爲這兩項修養，就不圖進取。事實上沒有這個意思，中國文化還有「天行健，君子以自强不息」等鼓舞人的名言，我們不可只抓到一點，就犯以偏概全的錯誤。這兩句話，是對自己作人作事的一個尺碼，一個考驗。

以牛比心

中國歷史上關於牛的故事也蠻多的，五代時的一位才子皇帝——前蜀的後主王衍，他的醉詞：

者邊走　那邊走　只是尋花柳
那邊走　者邊走　莫厭金杯酒

是膾炙人口的名句。他愛好文學也喜歡看戲，自己還會唱戲，常有一些伶人在他身邊玩樂。南唐中主李璟也有此同好，有一次他正玩得高興，見原野上一頭牛，悠閒地吃著草，畫面很美，他順口就稱讚那頭牛很肥。晚唐以後的伶人——現在叫作明星的，有一些真是了不起的。這時他身邊有一位伶人李家明，聽見他稱讚這頭牛以後，就立刻作了一首詠牛的詩：

曾遭寧戚鞭敲角　又被田單火燎身
閒向斜陽嚼枯草　近來問喘更無人

四句中，三句說到牛的典故，這是大家都知道的。秦國的名相寧戚，在他未發跡以前，曾經替人放過牛，也許在他牧牛的生活當中，磨鍊了自己，也許在牛的身上得到過什麼啟示，而結果成爲名臣。反過來說，牛對寧戚是曾經有所貢獻的。次句田單的故事，用火牛陣，一舉而復國，牛的功勞可大得很。第三句指眼前的這條牛，可就可憐了，在日落黃昏的斜陽下嚙草，吃的卻還是枯草，連嫩草都没得吃。最後一句就厲害了，近來問喘更無人，這講的是漢代名宰相丙吉在路上，遇到殺人事件，他理也不理，後來看見一頭牛在路邊喘氣，他立即停下來，問這頭牛爲什麼喘氣。後來有人問他，爲什麼關心牛命，而不關心人命。丙吉說，路上殺人，自有地方官吏去管，不必我去過問；而牛異常的喘氣，就可能是發生了牛瘟，或者是其他有關民生疾苦的問題，地方官吏不大會注意，我當然就必須問個清楚。由於他細察垂詢牛喘的事，於是名聲流傳，而稱他爲好宰相。

李家明的這首詩，等於是說當時的南唐，可惜没有像丙吉這樣的賢相。這是李家明對李中主的一種諷諫，另一面看，也就是李中主身邊的這位伶人，很大膽地把當朝在位的大臣都駡了。他想促使這位風流才子型的皇帝，收收心，好好當政。

我有一天吃西餐，當牛排端上來的時候，曾經想到上面這首詩，因此也作了一首詩，題名吃牛排有感。說來供大家一笑：

曾馱紫氣函關去　又逐斜陽芳草回
掛角詩書成底事　粹身碎骨有誰哀

老子出函谷關，沒有交通工具，只有坐在牛的背上。又隋唐之間的李密，早年時，家貧好讀，曾騎在牛背上讀書。他每次出門，便把書本掛在牛角上，這就是後世掛角讀書的典故。這一天，當我看到大家吃牛排時，油然生起了對牛的感激之心。現在全世界的人，都在風行保護動物的運動，成立動物保護會，利用電影書刊以及各種傳播工具，廣爲宣傳提倡，可沒見人成立一個敬牛會。爲什麼要敬牛？現在全世界的人，都在吃牛肉、喝牛奶、穿牛皮等等。可是除了印度尊牛爲聖牛，尊得太過份之外，全人類就沒有人感謝牛所給予的恩惠。看來似乎是可以替牛掉一滴同情之淚。

同時想到，曾經有一位老兄講過一則頗有深意的笑話。他說世界上愛好吃牛肉、戴尖頂高帽的民族，都是喜歡征服別人的。反之，不吃牛肉，戴平頂帽的或圓頂帽的民族則比較愛好和平。他說，你如果不信，就去研究一下世界歷史看看。這話雖幽默，確也有些道理，不過有一個很大的例外，戴平帽的日本人，曾經對我們發動了這麼一次重大的侵略戰爭。

另外，在好的一面，如佛教或其他宗教學說，他們談修養時，也常常談到牛。四川峨嵋山上，有一座佛教的寺廟，命名爲牛心寺。我問廟裡的和尚，這寺名的來歷，他說是因爲這座廟前面的溪水中，有一塊大石，被稱爲牛心石，所以這座廟宇，就據以命名爲牛心寺。實際上並非如此，因爲佛教中常常談到牛，如禪宗的大師們，就好幾位都是談牛說法的。

因爲佛學中本來就有拿牛來比喻心性的故事，所以唐代著名的禪宗大師百丈和尚，有一次答覆他的弟子長慶禪師時，便用牛作比喻。長慶問他：「學人欲求識佛，何者即是？」百丈說，你這一問：「大似騎牛覓牛。」長慶又問，那麼，假如「識得後如何？」百丈說：「如人騎牛至家。」長慶又問：「未審始終如何保住？」百丈說：「如牧牛人，執杖視之，不會犯人苗稼。」因此長慶便悟到了此心即佛的要旨，再也不向外面去亂找什麼佛法了。後來長慶禪師教化別人，也常用牛的故事作譬喻。

因此，在宋元以後，禪師裡出了一位普明和尚，把心性的修養，比如牧牛，從一頭野牛修到物我雙忘，分作了十個步驟。第一是「未牧」，好比恣意咆哮、隨意踐踏禾苗的野牛。第二是「初調」，已經穿上了鼻子隨著人意牽著走。第三是「受制」，不再亂走，牛繩子可以放鬆一點。「回首」是第四，癲狂的心境比較柔順了，但是還要牽著鼻子走。「馴伏」第五，可以自然收放，不必牽了。「無礙」第六，可以安穩不動，不必讓人費心。「任運」第七，牧童可以睡大覺了。「相忘」第八，牧人和牛兩無心。「獨照」第九，到了無牛的境界，人的一切妄心已除。最後「雙泯」，則人也不見，牛──心也不見。

天下由來輕兩臂

在我們舊式文學與人生的名言裡，時常聽到人們勸告別人的話，如「身外之物，何足掛齒」。對於得意而受到的榮寵，與失意所遭遇的羞辱，利害、得失，畢竟還只是人我生命的身外之物。在利害關頭的時候，慷慨捨物買命，那是很常見的事。除非有人把身外物看得比生命還更重要，那就不可以常理論了！

十多年前，有一個學生在課堂上問我，愛情哲學的內涵是什麼？我的答覆，人最愛的是我。所謂「我愛你」，那是因爲我要愛你才愛你。當我不想，或不需要愛你的時候便不愛你。因此，愛，便是自我自私最極端的表達。其實，人所最愛的既不是你，當然更不是他人，最愛的還是我自己。

那麼，我是什麼？是身體嗎？答案：不是的。當你患重病的時候，醫生宣告必須去了你某一部分重要的肢體或器官，你才能再活下去，人們差不多都會同意醫生的意見。寧願忍痛割捨從有生命以來同甘共苦、患難相從的肢體或器官，只圖自我生命的再活下去。由此可見，即使是我的身體，到了重要的利害關頭，仍然不是我所最親愛的，哪裡還談什麼我真能愛你與他呢！所以明朝的一位詩僧便說出天下由來輕兩臂，世間何苦重連城的雋語了！

輕兩臂的故事，見於《莊子雜篇》的《讓王篇》。

「韓魏相與爭侵地，子華子見昭僖侯。昭僖侯有憂色。子華子曰：今使天下書銘於君之前，書之言曰：左手攫之則右手廢，右手攫之則左手廢。然而攫之者必有天下。君攫之乎？昭僖侯曰：寡人不攫也。子華子曰：甚善。自是觀之，兩臂重於天下也。身亦重於兩臂。韓之輕於天下亦遠矣。今之所爭者，其輕於韓又遠。君固愁身傷生以憂戚不得也。僖侯曰：善哉！教寡人者衆矣，未嘗得聞此言也。」

「故曰：雖富貴不以養傷身。雖貧賤不以利累形。」老子亦因此而指出「吾所以有大患者，爲吾有身。及吾無身，吾有何患」的基本哲學。再進而說明外王於天下的侯王將相們，所謂以「一身繫天下安危」者的最大認識，必須以愛己之心，來珍惜呵護天下的全民，發揮出對全人類的大愛心，才能寄以「繫天下安危於一身」的重任。這也是全民所寄望的所信託以天下的基本要點。同樣的道理，以不同的說法，便是曾子的「可以託六尺之孤，可以寄百里之命，臨大節而不可奪也。君子人歟？君子人也。」

由此觀點，我們在本世紀中的經歷，看到比照美式民主選舉的民意代表們，大都是輕舉兩臂：拜託！拜託！拜託！力竭聲嘶地攻訐他人，大喊投我一票的運動選民，不禁使旁觀者聯想起：「貴以身爲天下、愛以身爲天下」、「天下由來輕兩臂，世間何苦重連城」的幽然情懷了！

色厲內荏

許多人，在外表的態度上非常威風，非常狠，而內心則非常空虛。孔子對這類人下了一個結論，說他們相當於低級的小人，譬如一個小偷一樣，在被人抓到時，嘴上非常強硬，而實際上內心非常害怕。孔子這句話所指的是當時——春秋戰國時代，許多大人先生們，往往犯了這種變態心理。我們知道，一個人內心沒有真正的涵養，就會變成「色厲內荏」，外表蠻不在乎，而內心非常空虛。有時我們反省自己，何嘗不會如此。坦白的說，有時生活困難，過著「窮不到一月，富不到三天」的日子，表面上充闊氣，內心裡很痛苦，也是「色厲內荏」的一種。其實大可不必這樣做法，一個人好就是好，窮就是窮，痛苦就是痛苦，從歷史的法則上看，當領導人，更不可「色厲內荏」。

像唐明皇這個人，少年了不起，中年了不起，晚年差一點，也是感覺到手下沒有人才。舉兩件唐代的歷史，就可以瞭解。唐明皇早年用了名宰相張九齡和韓休，都是唐明皇所相當敬畏的人，所以他的初期功業很了不起。對於唐明皇與楊貴妃這一段，後人寫歷史把責任都推到女人身上，好像唐明皇寵愛了楊貴妃，才一切都完了，這個話並不公平。有些精明的皇帝，寵愛女人的也很多，並不致於像唐明皇一樣，所以問題還是在皇帝本人。唐明皇在他宗族的排行，是老三，所以諱名也叫李三郎。他有時候作了一點錯事，馬上問旁邊的人，韓休會不會知道。往往他的擔心還沒有完，韓休的諫議意見書就到了。旁邊的人說，你用了韓休以後瘦多了。唐明皇說，沒關係，瘦了我，肥了天下就好。後來他寵愛了楊貴妃姊妹，又喜歡打球、唱戲，也可以說是心裡空虛，找刺激。

但這事是在唐明皇中年以後，所以晁無咎有詩

閶闔千門萬戶開　三郎沉醉打球回
九齡已老韓休死　無復明朝諫疏來

這是替唐明皇講出了無限的痛苦，在安祿山叛亂以前的這一段時期，他的政府中人才少了，肯說話的人沒有了，張九齡、韓休都過去了，沒有敢對他提反對意見的人。唐明皇遭安祿山之亂，逃難到了四川的邊境，相當於後世清代慈禧逃難一樣，很狼狽、很可憐。他騎在馬上感嘆人才的缺乏，便說：現在要想找像李林甫這樣的人才都找不到了。而歷史上公認李林甫是唐明皇所用宰相中很壞的一個，說他是奸臣。這是唐明皇感嘆連李林甫這種能耐、這種才具的人才都找不到。旁邊另一諫議大夫附和說：的確人才難得。唐明皇說：可惜的是李林甫器量太小，容不了好人，度量不寬，也不能提拔人才。這位諫議大夫很驚訝的說：陛下，您都知道了啊！這時唐明皇說：我當然知道，而且早就知道了。諫議大夫說：既然知道，可爲什麼還用他呢？唐明皇說：我不用他又用誰？比他更能幹的又是誰呢？這就是當了主管以後，爲了人才難得，有時會感到很痛苦，明知道「色厲內荏」，但是當沒有人的時候，比較起來，還是好的。

毀與譽

我的體驗，不要輕易攻訐人，也不要輕易恭維人。人很容易上恭維的當。但是我總覺得恭維人比較對，只要不過分的恭維。對於自己要看清楚，沒有人不遭遇毀的，而且毀遭遇到很多，即使任何一個宗教家，都不能避免毀。像耶穌被釘十字架而死，就是因爲被人毀。而且越偉大的人物，被毀得越多，所以說「謗隨名高」。一個人名氣越大，後面毀謗就跟著來了。

曹操還沒有壯大起來的時候，初與袁紹作戰，情勢岌岌可危，他的部下沒有信心，認爲會打敗仗，很多人都和袁紹有聯絡，腳踏兩邊船，以便萬一情勢不對時，可以倒過袁紹那邊去。他們往來的書信資料，曹操都派人查到，掌握在手裡，後來仗打下來勝利了，曹操立刻把這些資料全部毀了，看都不看，問更不問。有人對曹操說，這些人都是靠不住的，應該追究。曹操說，跟我的人，誰不是爲了家庭兒女，想找一點前途出路的？在當時是勝是敗，連我自己都沒把握，現在又何必追究他們？我自己信念都動搖，怎能要求他們？如果追究下去，牽連太廣了，到最後找不到一個忠貞的人。這也是曹操反用恕道，故意作到能夠寬容人。

古人說：「誰人背後無人說？哪個人前不說人？」人與人相見，三兩句話就說起別人來了，這是通常的事，沒有什麼了不起。不過，如果作爲一個單位主管，領導人的人，要靠自己的智慧與修養，不隨便說人，也不隨便相信別人批訐人的話，所謂「來說是非者，便是是非人」。一個攻訐人的人，他們之間一定有意見相左，兩人間至少有不痛快的地方，這種情形，作主管的，就要把舵掌穩了，否則就沒有辦法帶領部下。另外一些會說人家好話的人，中間也常有問題。李宗吾在他諷世之作《厚黑學》裡，綜合社會上的一般心理，有「求官六字真言」、「做官六字真言」、「辦事二妙法」，所謂「補鍋法」、「鋸箭法」，都是指出人類最壞的作法。有些人最會恭維人，但是他的恭維也有作用的。

近代以來，大家都很崇拜曾國藩。其實，他當時所遭遇的環境，毀與譽都是同時並進的。因此他有贈沅浦九弟四十一生辰的一首詩說他們當時的處境，左邊放了一大堆褒揚令、獎狀。右邊便有許多難聽而攻擊性的傳單。世間的是非誰又完全弄得清楚呢！多了這一頭，一定會少了那一邊，加減乘除，算不清那些帳。你只要翻開《莊子》書中那段屠羊說（人名）的故事一看，人生處世的態度，就應該有屠羊說的胸襟才對，所謂「萬事浮雲過太虛」。

「子曰：吾之於人也，誰毀誰譽？如有所譽者，其有所試矣，斯民也，三代之所以直道而行也。」孔子這裡說，聽了誰毀人，誰譽人，自己不要立下斷語；另一方面也可以說，有人攻訐自己或恭維自己，都不去管。假使有人捧人捧得太厲害，這中間一定有個原因。過分的言詞，無論是毀是譽，其中一定有原因，有問題。所以毀譽不是衡量人的絕對標準，聽的人必須要清楚。孔子說到這裡，不禁感嘆：「現在這些人啊！」他感嘆了這一句，下面沒有講下去，而包含了許多意思。然後他講另外一句話：「三代之所以直道而行也」，夏、商、周這三代的古人，不聽這些毀譽，人取直道，心直口快。走直道是很難的，假使不走直道，隨毀譽而變動，則不能作人；作主管的也不能帶人。所以這一點，做人、作事、對自己的修養和與人的相處都很重要。

《莊子》也曾經說過：「舉世譽之而不加勸，舉世毀之而不加沮」。真的大聖人，毀譽不能動搖。全世界的人恭維他，不會動心；稱譽對他並沒有增加勸勉鼓勵的作用；本來要作好人，再恭維他也還是作好人，全世界要毀謗他，也決不因毀而沮喪，還是要照樣作。這就是毀譽不驚，甚而到全世界的毀譽都不管的程度，這是聖人境界、大丈夫氣概。

據歷史上記載，有一個人就有這股傻勁，王安石就有這種書呆子的氣魄。王安石這個人，過去歷史上有人說他不好，也有人說他是大政治家，這都很難定論。但是王安石有幾點是了不起的，意志的堅定，是一般人所不能。他有過：「天變不足畏，人言不足懼，祖宗不足法，聖賢不足師」的倔勁。沒有把古聖賢放在眼裡，自己就是當代的聖賢，可見這種人的氣象，倔強得多厲害。相反的，他是不是魔道呢？也難下斷語。他一輩子穿的都是破舊衣服，乃至他當宰相時候，皇帝都看到他領口上有虱子，眼睛又近視，吃菜只看到面前的一盤，生活那麼樸素，可是意志之戇，戇得不得了。他對毀譽動都不動，表面上的確不動，實際上內心還是動的。所以這一段可以作爲我們的座右銘，能夠做到毀譽都不動心，這種修養是很難的。

負心多是讀書人

絕大多數清廉之士，最高的成就只到這個地步。他們清，很清。他們批評什麼事情，都很深刻，都很中肯，很有道理。但是讓他一做，就很糟糕。高尚之士談天下事，談得頭頭是道。不過，天下事如果交給他們辦，恐怕只要幾個月就完蛋。國家天下事，是要從人生經驗中得來。什麼經驗都沒有，甚至連「一呼百諾」的權勢經驗都沒有嘗過，那就免談了。否則，自己站在上面叫一聲：「拿茶來！」下面龍井、烏龍、香片、鐵觀音，統統都來了，不昏了頭才怪。你往地上看一眼，皺皺眉頭，覺得不對，等一會就掃得乾乾淨淨。這個味道嘗過沒有？沒有嘗過，到時候就非昏倒不可。頭暈、血壓高，再加上心臟病，哪裡還能做事？一定要富貴功名都經歷過了，還能保持平淡的本色，最了不起時是如此，起不了時還是如此；我還是我，這才有資格談國家天下事。不然去讀讀書好了。

至於批評儘管批評，因為知識分子批評都很刻骨，但本身最了不起的也只能做到清高。嚴格說來普通一般的清高，也不過只是自私心的發展，不能做到「見危授命」，不能做到「見義勇為」。所以古人的詩說：仗義每從屠狗輩，負心多是讀書人。這也是從人生經驗中體會得來，的確大半是如此。屠狗輩就是古時殺豬殺狗的貧賤從業者，他們有時候很有俠義精神。歷史上的荊軻、高漸離這些人都是屠狗輩。雖說是沒有知識的人，但有時候這些人講義氣，講了一句話，真的去做了；而知識越高的人，批評是批評，高調很會唱，真有困難時找他，不行。

講到這裡，想起一個湖南朋友，好幾年以前，因事牽連坐了牢。三個月後出來了，碰面時，問他有什麼感想？他說三個月坐牢經驗，有詩一首，是特別體裁的吊腳詩，七個字一句，下面加三個字的注解。他的詩是：

世態人情薄似紗——真不差

自己跌倒自己爬——莫靠拉

交了許多好朋友——煙酒茶
一旦有事去找他——不在家

我聽了連聲讚好。這就和「負心多是讀書人」一樣，他是對這個「清」字反面作用的引申；對社會的作用而言就是這個道理。

缺憾的人生

人生永遠是缺憾的。佛學裡把這個世界叫做「娑婆世界」，翻譯成中文就是能忍許多缺憾的世界。本來世界就是缺憾的，而且不缺憾就不叫做人世界，人世界本來就有缺憾，如果圓滿就完了。像男女之間，大家都求圓滿，但中國有句老話，吵吵鬧鬧的夫妻，反而可以白頭偕老；兩人之間，感情好，一切都好，就會另有缺憾，要不是沒有兒女，要不就是其中一個早死。《浮生六記》中的沈三白和芸娘兩人的感情多好！其中就一個人早死了。拿小說來講，言情小說之所以美，只是寫兩三年當中的事，甚且幾個月中間的事情。永遠達不到目的的愛情小說才美，假使結了婚，成了柴米夫妻，才不美哩！

再說笑話，太陽出來了，又何必落下去？永遠有個太陽，連電燈都不必要去發明了，豈不好！也有人說笑話，認爲上帝造人根本造錯了，眉毛不要長在眼睛上面，如果長在指頭上，牙刷都不必買了，這些是關於缺憾的笑話。

這是個缺憾的世界，在缺憾的世界中，就有缺憾的人生。花開得那麼好！爲什麼要謝了？人生活得那麼好，又爲什麼要死了？這些都是哲學的問題。這宇宙的奧祕、神奇，誰是他的主宰呢？有沒有人管理它呢？如果有人管，這個管的人大概是用電腦計算的。人同樣都有鼻子、嘴巴、眼睛等五官，可是那麼多的人，卻沒有兩個完全相同的。只看這麼一點點，就有那麼多的不同。所以人家說人是上帝造的，我說那個製造廠裡，大概有時候抓模型抓錯了，所以有的鼻子不好，有的耳朵不好。這到底怎麼來的？西方的宗教，有的就告訴我們不要再追問，這是上帝照他的型態造了人。那麼上帝的型態又是什麼樣子？不知道。西方宗教說，到此止步，不能再問了，信就得救，不信不得救；東方的宗教，信的得救，不信的更要救，好人要救，壞人更要救；在東方宗教裡，認爲人生不是哪一個主宰，既不是上帝，也不是神，另定了一個名稱：第一因。第一個因子哪裡來的？第一個「人種」哪裡來的？印度來的佛教、中國的道教，都認爲人不是生物進化來的，也不是由一個主宰所創造的，也不是偶然的，這是一個大問題。

十年前有一位外國的神父來和我研究中國宗教思想問題，他說中國人沒有宗教信仰。我說中國絕對有宗教信仰。第一個是禮，第二個是詩。不像西方人將宗教錯解成爲「信我得救，不信我不得救」的狹義觀念。我說這一點的誤解，使我絕對不能信服，因爲他非常自私嘛！對他好才救，對他不好便不救。成嗎？一個教主，應該是信我的要救，不信我的更要救；這才是宗教的精神，也就是中國文化的精神。其次，談到中國「詩的精神」，所謂詩的文學境界，就是宗教的境界。所以懂了詩的人，縱使有一肚子的難過，有時候哼呀哈呀的唸一首詩，或者作一首詩，便可自我安慰，心靈得到平安，那真是像給上帝來個見證。第三，中國信多神教，這代表了中國的大度寬容。出了一個老子，還是由東漢、北魏到唐代才被後人捧出來當上個教主——老子自己絕對沒有想過要當教主的癮。孔學後來被稱爲孔教，是明朝以後才捧的，孔子也不想當教主。總之，世界上的教主，自己開始都不想當教主，如果說爲了想當教主而當上教主的話，這個教主就有點問題，實在難以教人心服。因爲宗教的熱忱是無所求，所以他偉大，所以他當了教主。我們中國，除了老子成爲教主以外，孔子的儒家該不該把他稱爲宗教，還是一個問題。但是中國人的宗教，多是外來的，佛教是印度過來的，天主教、基督教也是外來的。我們中國人自古至今對於任何宗教都不反對，這也只有中華民族才如此的雍容大度。爲什麼呢？有如待客，只要來的是好人，都「請上坐，泡好茶」。一律以禮相待，誠懇的歡迎。所以我們的宗教信仰，能叫出五教合一的口號，而且這種風氣，已經傳到美國去了。現在紐約已經有教堂，仿照我們中國人的辦法，耶穌、孔子、釋迦牟尼、老子、穆罕默德，都「請上坐，泡好茶」了，凡是好人都值得恭敬。所以我最後告訴那位外國神父，不是因爲我是中國人替中國的宗教辯護，而是外國人沒有研究深入而已。

人人可做觀世音

關於觀世音菩薩的法門，大家應該都很清楚，尤其觀音菩薩的慈悲威德，只要是中國人，或者韓國、日本、南洋等國家地區，乃至隔山越海的西方世界，都或聞或頌，少有不知其聖號者。

觀世音菩薩的名號，在中國佛教裡有兩種翻譯，舊譯爲「觀世音」。到了唐朝，由於中國文化習慣從簡，便改稱「觀音」，少了一個「世」字；當然這也是爲了避諱唐朝創業皇帝李世民的名字。爾後乃習以爲常，但亦有仍稱「觀世音菩薩」者。

另一種譯名叫「觀自在」，是中國最偉大的第二位留學生玄奘法師所譯。第一位比他早到印度取經的中國僧人爲晉朝的法顯法師，玄奘法師個人認爲原先許多位菩薩的譯名，包括觀世音菩薩，並不合宜，因此別譯。

事實上，舊譯觀世音並無差錯，因爲觀世音菩薩是依修音聲法門而成道的，即是《楞嚴經》所說的「耳根圓通」，藉著傾聽萬法之聲，得證菩提。因此，就其本身修行的因地上說，觀世音菩薩的稱謂沒有錯誤。而由此法修證成功的行者，能徹萬法根源，看透所有存在的本來面目，十方世界自由來往，過去現在未來，一切無不自在，故稱觀自在。以現代觀念來講，即是真正得到解脫、獲得自由自在的人，這是很不容易的。

平常我們說自由自在，那是放在很小的範圍、很淺的層次上說，真正的自由自在，對我們人類而言，幾幾乎是不可能的。首先，人便脫不開時間的限制，一生下來，隨著年齡的增長會老，老了會病，病了會死。對於自己根本無法作主，可說是很不自在，何況其他。只有得了道的人，才能解脫生老病死的困囿，爲宇宙萬法之主，超越任何時空，永恆存在於十方三世，達到真正「觀自在」的境地。

化身周遍十方

據釋迦牟尼佛介紹，觀世音菩薩在久遠劫前早已成佛，佛號爲「正法明如來」。這位古佛願力宏深，不可思議，有千百億化身，周遍十方，豎窮三際，於任何危急的劫難中救度一切有情。因此，觀世音菩薩的聖像，有時成千手千眼，執持各式各樣的莊嚴法寶，即是代表了正法明如來無窮無盡的祕密藏。

觀世音菩薩就只有這麼一千隻手、一千隻眼嗎？不是的。他每一隻手掌心中一隻眼，每一隻眼中又有一隻手，這隻手中又現出另一隻眼，如此類推，可達無盡之數，難以想像。一般信衆儘管外表虔誠恭敬、頂禮膜拜，內心是否真正信得過，恐怕還是個問題。大家一到寺廟中的大殿，看到千手千眼觀世音菩薩的莊嚴寶相，就會很自然地跪下來求這求那，什麼升官、發財、長壽、健康、妻、財、子、祿等等，無所不禱，無所不願；假使當觀世音菩薩真以此「德相」現身站立在你面前，你不嚇住才怪！

佛教中，每位大菩薩的形象，都象徵著某種深刻的意義。觀世音菩薩千手千眼的造型又代表什麼呢？千隻眼睛代表透徹一切萬法的智慧。人如果没有眼睛，見不到光明，什麼都不能看，難以辨識事物，安頓生活，那是很痛苦很不幸的。而一千隻手則代表種種濟生利衆的方便，也是智慧的一種行爲表現。所謂方便，並不是隨隨便便、馬馬虎虎，人家的東西我也可以隨手拿來使用，不必去買，那很方便。如果當做這樣解，那就不夠水準，太不懂事了。

「方便」二字爲佛學專有名詞，意即一切妥善成就事物的方法。觀世音菩薩的千手，意味著他有許許多多、各式各樣高明的方法，來教化衆生，令其解脫三界輪迴之苦，得證無上菩提道果。

佛在心中莫遠求

中國佛教有四大聖地、五大名山。山西五台山是文殊菩薩的道場，四川峨嵋山是普賢菩薩的道場，安徽九華山是地藏菩薩的道場，而浙江舟山羣島的普陀山則是觀世音菩薩的道場。因爲地處浙江東南海濱，故中國人又習慣稱觀世音菩薩爲「南海觀世音」。

至於這位大菩薩的性別是男是女？又是個問題。歷來很多人對此作過不少研究，而平常一般學佛的人也常問，到底答案爲何？其實，我們中國佛教徒一般所供奉的觀世音菩薩像雖是女身，但依佛法的道理，一切諸佛菩薩成就菩提時，皆是非男女相。此非男非女之相，並非平常醫學觀念中的陰陽人，而是超越男女相的限制，不執著於任何一邊，可做完全自由的變現，亦即是「即男即女」，隨緣示現，應化無窮。

觀音菩薩蹤跡，你不一定要到寺廟中求，不一定要到南海去找。說不定你在街上遇到一個最窮苦、最可憐的人，那個就是，只是你有眼無珠，不認識而已；如果此時你行一些慈悲，做一點布施，那便得大利益了。或者一個你看了最不順眼、最討厭的人，也可能是觀世音菩薩的化身。甚至可以說每個人家中都有一尊觀世音菩薩，或許是你太太，或許是你先生，或許是你爸爸，或許是你媽媽。

有人學顯學密，東拉西扯，最後念觀音聖號，往往煩惱一來，或者遇到危難，便唸道：「我的媽！」這個沒錯，本來觀世音菩薩就是我們的媽媽麼！我們的媽媽也就是觀世音菩薩（台灣本省人也有人稱觀音菩薩爲「觀音媽」）。世上沒有比母愛更偉大的了，學佛能依此精神而修，那是很容易上路的。也因此，觀世音菩薩現女身的場合非常之多，以母愛的光輝來照應我們。

中國歷代所流傳的觀音菩薩的畫像，有男性留鬍子的，有出家現和尚相的，有道士身的，乃至現爲百獸飛禽，各式各樣，種類非常之多。而在三國以後，魏晉南北朝之間，已多畫作女身的模樣，面龐和姿態都非常華貴漂亮，但不失莊嚴穩重的氣質。目前街上有些觀音瓷像，又搽口紅，又塗脂粉，總覺得不大對勁。當然，菩薩是以種種瓔珞珠寶莊嚴其身的，加以口紅脂粉並無不可，然而基本上慈悲喜捨的神聖感，應是不可或缺的。

由於觀音菩薩是這麼慈悲，這麼不辭辛勞地在我們人間濟物利生，因此清代有位女詩人金雲門女士寫了兩句名詩：神仙墮落為名士，菩薩慈悲念女身。一方面描寫她自己的丈夫，同時也影射天下文人，另一方面感念觀世音菩薩大慈大悲，特別與世間所有女性有緣的願心。觀世音菩薩非常同情這個世界女性的苦惱，女人家的問題太多太多了，往往欲訴無處，上不敢對父母親言明，下難以向兒女啟齒；如果再碰上一個不懂體貼、不知憐香惜玉的丈夫，那也只有默默嘆息，無語問蒼天了。此時，觀世音菩薩正是這些女性在精神上最後唯一的憑藉與依持。金雲門女士這首切身體驗有感而發的詩句，在我看來是所有讚頌觀音菩薩文詞中最動人細膩的一首。

觀音菩薩在這個世界上常現女身，以慈母的德性與形象，撫慰一切有情種種的苦痛。我們若能深切了解世上一般婦女作爲一個女人的甘與苦，那麼也便差不多能體會到這個世界種種不同的生活滋味了。

第四章　讀書與論史

半部論語的啟示

《論語》，凡是中國人，從小都唸過，現在大家手裡拿的這一本書，是有問題的一個版本，它是宋朝大儒朱熹先生所註解的。朱熹先生的學問人品，大致沒有話可講，但是他對四書五經的註解絕對是對的嗎？在我個人非常不恭敬，但卻負責任地說，問題太大，不完全是對的。

在南宋以前，四書並不用他的註解；自有了他的註解，而完全被他的思想所籠罩，那是明朝以後，朱家皇帝下令以四書考選功名，而且必須採用朱熹的註解。因此六七百年來，所有四書五經、孔孟思想，大概都被限制在「朱熹的孔子思想」中。換句話說，明代以後的人為了考功名，都在他的思想中打圈子。其中有許許多多問題，我們研究下去，就會知道。

我們既然研究孔子，而孔子在《易經．繫傳》上就有兩句話説道：「書不盡言，言不盡意」。以現代觀念來講，意思是人類的語言不能表達全部想要表達的思想。現在有一門新興的課程——語意學，專門研究這個問題。聲音完全相同的一句話，在錄音機中播出，和面對面加上表情動作的説出，即使同一個聽的人，也會有兩種不同的體會與感覺。所以世界上沒有一種語言能完全表達意志與思想。而把語言變成文字，文字變成書，對思想而言，是更隔一層了。

我們研究孔孟思想，必須要從《論語》著手。並不是《論語》足以代表全部孔孟思想，但是必須從它著手。現在我的觀念，有許多地方很大膽地推翻了古人。我認為《論語》是不可分開的，《論語》二十篇，每篇都是一篇文章。我們手裡的書中，現在看到文句中的一圈一圈，是宋儒開始把它圈斷了，後來成為一條一條的教條，這是不可以圈斷的。再説整個二十篇《論語》連起來，是一整篇文章。至少今天我個人認為是如此，也許明天我又有新認識，我自己又推翻了自己，也未可知，但到今天為止，我認為是如此。

宋朝開國的宰相趙普説過「半部《論語》治天下」，這是中國文化中的一句名言。因爲趙普與趙匡胤年輕時等於是同學，出身比較艱苦，來自鄉間，一生沒有好好讀過書，後來當了宰相。半部《論語》是謙虛的話，表示讀書不多，只讀了半部《論語》。另一方面，據歷史上記載，碰到國家大事或重要問題不能解決的時候，他都停下來，把今天不能解決的問題，擱置到明天再解決。有人看到他回去以後，往往在書房裡拿出一本書來看。後來他的左右，因爲好奇，想知道這個祕密，背地裡拿出來一看，就是一部《論語》。其實《論語》並沒有告訴我們如何治理國家，更沒有告訴我們什麼孔門的政治技巧，它講的都是大原則。本來讀書就不該把書上的話呆板地用。通常某一句書的原則，可以啟發人的靈感，發生聯想。我們小時候讀書的經驗，遇到不懂的句子，問到老師時，老師說，你不要管，背熟就行了，將來就會懂。我們當時對這種答覆，心裡很不滿意。但背熟了以後，年齡慢慢增加，作人作事的經驗多了，碰到某一件事，突然觸發了這一句書，給我們很大的靈感，很高的智慧，往往就因此知道如何去處理事情，這是事實。

三百千千是捷徑

「法語」，就是我們現在普通說的「格言」。古人的名言，古時也稱「法語」，有顛撲不破的哲理。我經常告訴來學中國文化的外國人，不要走寃枉路，最直捷的方法是先去讀「三百千千」，就是《三字經》、《百家姓》、《千家詩》、《千字文》四本書，努力一點，三個月的時間，對中國文化基本上就懂了。

三字一句的《三字經》，把一部中國文化簡要的介紹完了。歷史、政治、文學、作人、作事等等，都包括在內。尤其是《千字文》，一千個字，認識了這一千個字以後，對中國文化就有基本的概念。中國真正了不起的文人學者，認識了三千個中國字，就了不起了。假如你考我，要我坐下來默寫三千個中國字來，我還要花好幾天的時間，慢慢地去想。一般腦子裡記下來一千多個字的，已經了不起了。有些還要翻翻字典，經常用的不過幾百個字。所以《千字文》這本書，只一千個字，把中國文化的哲學、政治、經濟等等，都說進去了，而且没有一個字重複的。這本書是梁武帝的時候，一個大臣名叫周興嗣，據説他犯了錯誤，梁武帝就處罰他，要他一夜之間寫一千個不同的字，而且要構成一篇文章，如果作不出來就問罪，作得出來就放了他。結果他以一日一夜的時間寫成了《千字文》，頭髮都白了。即「天地玄黃，宇宙洪荒。日月盈昃，辰宿列張……」四個字一句的韻文，從宇宙天文，一直說下來，說到作人作事，所謂「寒來暑往，秋收冬藏。」不要以爲千字文簡單，現代人，能夠馬上把《千字文》講得很好的，恐怕不多。

至於格言，也有一本書《增廣昔時賢文》，是一種民間的格言。過去讀舊書的時候，等於一種課外的讀本，個個都會唸，包括作人作事的道理在內。當然裡面也有一些要不得的話，如「閉門推出窗前月，吩咐梅花自主張」的作風。但有很多好的東西，都被收進去了。到了台灣以後，發現市面上發行的《昔時賢文》，又把閩南語的一些民間格言也放進去了。

講中國文化，除四書五經以外，不要輕視了這幾本小書，更不要輕視那些傳奇小說。真說中國文化的流傳與影響，這幾本小書和一些小說發生的力量很大。四書五經，除了爲考功名以外，平常研究起來又麻煩，就很少有人去研究。而這幾部書，淺近明白，把中國文化的精華都表達出來了。

春秋大義

《春秋》是孔子著的，像是現代報紙上國內外大事的重點記載。這個大標題，也是孔子對一件事下的定義，他的定義是怎樣下法呢？重點在「微言大義」。所謂「微言」，是在表面上看起來不太相干的字，不太要緊的話，如果以文學的眼光來看，可以增刪；

但在《春秋》的精神上看，則一個字都不能易動；因爲它每個字中都有大義，有很深奧的意義包含在裡面。所以後人說：「孔子著《春秋》，亂臣賊子懼。」爲什麼害怕呢？歷史上會留下一個壞名。微言中有大義，這也是《春秋》難讀的原因。

孔子著的《春秋》，是一些標題，一些綱要。那麼綱要裡面是些什麼內容呢？要看什麼書？就要看三傳——《左傳》、《公羊傳》、《穀梁傳》。這是三個人對《春秋》的演繹，其中《左傳》是左丘明寫的，左丘明和孔子是介於師友之間的關係。他把孔子所著《春秋》中的歷史事實予以更詳細的申述，名爲《左傳》。因爲當時他已雙目失明，所以是由他口述，經學生記錄的。

《公羊》、《穀梁》又各成一家。我們研究《春秋》的精神，有「三世」的說法。尤其到了清末以後，我們中國革命思想起來，對於《春秋》、《公羊》之學，相當流行。如康有爲、梁啟超這一派學者，大捧《公羊》的思想，其中便提《春秋》的「三世」。所謂《春秋》三世，就是對於世界政治文化的三個分類。一爲「衰世」，也就是亂世，人類歷史是衰世多。研究中國史，在二三十年之間沒有變亂與戰爭的時間，幾乎找不到，只有大戰與小戰的差別而已，小戰爭隨時隨地都有。所以人類歷史，以政治學來講，「未來的世界」究竟如何？這是一個非常大的問題。學政治哲學的人，應該研究這類問題。

如西方柏拉圖的政治理想——所謂「理想國」。我們知道，西方許多政治思想，都是根據柏拉圖的「理想國」而來。在中國有沒有類似的理想？當然有，第一個：《禮記》中《禮運．大同篇》的大同思想就是。我們平日所看到的大同思想，只是《禮運篇》中的一段，所以我們要了解大同思想，應該研究《禮運篇》的全篇。其次是道家的思想「華胥國」，所謂黃帝的「華胥夢」，也是一個理想國，與柏拉圖的思想比較，可以說我們中國文化有過之而無不及。但從另一面看，整個人類是不是會真正達到那個理想的時代？這是政治學上的大問題，很難有絕對圓滿的答案。因此我們回轉來看《春秋》的「三世」，它告訴我們，人類歷史衰世很多，把衰世進步到不變亂，就叫「昇平」之世。最高的是進步到「太平」，就是我們中國人講的「太平盛世」。根據中國文化的歷史觀察來說，真正的太平盛世，等於是個「理想國」，幾乎很難實現。

《禮運篇》的大同思想，就是太平盛世的思想，也就是理想國的思想，真正最高的人文政治目的。歷史上一般所謂的太平盛世，在「春秋三世」的觀念中，只是一種昇平之世。在中國來說，如漢、唐兩代最了不起的時候，也只能勉强稱爲昇平之世。歷史上所標榜的太平盛世，只能說是標榜，既是標榜，那就讓他去標榜好了。如以《春秋》大義而論，只能夠得上昇平，不能說是太平。再等而下之，就是衰世了，孫中山先生的三民主義，最後目標是世界大同，這也是《春秋》大義所要達成的理想。

老子五千字過關

自古以來，有一個關於老子的問題：他晚年究竟到哪裡去了？不知道。他死在哪裡？不知道。在歷史文獻的資料上，只說他西渡流沙，過了新疆以北，一直過了沙漠，到西域去了。究竟是往中東或者到印度去了？不知道。在他離開中國時，有沒有領到關牒——相當於現在的護照和出入境證，也不知道。

但是，歷史上提到一個人物——關吏尹喜，大概相當於現在機場、碼頭海關的聯檢處長，知道這位過關老人是修道之士。據《神仙傳》上記載：有一天，這位函谷關的守關官員，早晨起來望氣——中國古代有一種望氣之學——他看到紫氣東來，有一股紫色的氣氛，從東方的中國本土，向西部邊疆而來，因此斷定，這天必定有聖人過關。心下打定主意，非向他求道不可。

果然，一位鬚髮皆白的老頭子，騎了一條青牛，慢慢地踱到函谷關來了。關吏向他索取關牒，他卻拿不出來。這一下，可正給了關吏機會，他一本正色地說：「沒有關牒，依法是不能過關的。不過嘛，你一定要過關，也可以設法通融，你可也得懂規矩」。所謂「規矩」就是陋規，送賄賂。這時，老子似乎連買馬的錢都沒有，哪兒湊得出「規矩」，好在這位關吏，對於老子的「規矩」，志不在錢，所以對他說：「只要你傳道給我。」老子沒法，只好認了，於是被逼寫了這部五千字的《道德經》，然後才得出關去。

老子以「變相紅包」，留下了這部著作，西渡流沙不知所終。而他的這部著作流傳下來，到了唐代，道家鼎盛起來，道教變成國教。這時，道教的人，要抗拒佛教，就有一個進士，也是五代時的宰相，名叫杜光庭的，依據佛經的義理，寫了很多道經。有一說，後世對於沒有事實根據而胡湊的著作，叫作杜撰，即由此而來。其中有一部叫作《老子化胡經》，說老子到了印度以後，搖身一變，成了釋迦牟尼。在佛教中，也有些僞經，說中國孔子是文殊菩薩搖身一變而成。宗教方面這些扯來扯去，有趣的無稽之談，古往今來不可勝數。

關於老子本身的這些說法，不管最後的結論如何，但有一事實，他的生死是「不知所終」，查不出結果的。倘使根據《神仙傳》上古神話來說，那麼，老子的壽命就更長到不死的境地了！

那些神仙故事，我們暫且不去討論。他的這部著作，則確實是被徒弟所逼，一定要得到他的道，後來只好留下這部著作來。尹喜得到老子的傳授，亦即得到了這五千字的《道德經》以後，自己果然也成道了。因此，連官也不要做，或者連移交也沒有辦，就掛冠而去，也不知所終。

道教就是這樣傳說，由老子傳給尹子，繼續往下傳，便是壺子、列子、莊子。一路傳下去，到了唐朝，便搖身一變而成為國教，而《老子》一書，也成了道教的三經之首。道教三經，是道教主要的三部經典，包括：由《老子》改稱的《道德經》，《莊子》改稱的《南華經》與《列子》改稱的《清虛經》。

最近，有些上古的東西出土，如帛書《老子》等等。由這些文獻資料中，更顯示了老子學說思想的體系，是繼承了殷商以上的文化系統，亦證明了古人所說的話沒有撒謊，是真實的。

墨子難讀

《墨子》這本書是比較難讀的，他的理論非但「尚天」，崇拜天，而且也「尚鬼」。

這個「鬼」字，我也曾就文字的構造上解説過，中國人所説的鬼，究竟是什麼東西，很難界説。所以畫家最好畫的對象是鬼，誰也沒有見過，所以怎麼畫都對，越難看就越對。

殷商時尚鬼，宗教氣氛最濃厚。研究中國信奉什麼宗教，可説沒有一定，樣樣都信。尤其現在還新興了「五教同源」，某些宗教團體，把孔子、老子、釋迦牟尼、耶穌、穆罕默德五位教主，都請在上面排排坐。中華民族是喜歡平等的，認爲每個教主都好，所以五位一起供奉。

殷商的時候就「尚鬼」——重視鬼神。墨子是宋人的後裔，宋就是殷商的後裔，所以墨子的思想，繼承了宋國的傳統。孔子本來也是宋的後代，但孔子的祖先一直住在魯國，而魯是周人文化的後裔。我們要注意，春秋戰國時代，各國的文字沒有統一，交通沒有統一，各地方的思想不同，有如現在的世界形態，美國與法國，各有不同的文化。墨子的思想又尚天、又尚鬼。前些時，一位學生要以墨子思想作論文，他説墨子思想非常崇敬天，與天主教的教義有相同地方，但是我告訴他要注意，墨子思想也尚鬼，而天主教、基督教就不同了。

翻開《墨子》來看，他把鬼的權力説得很大，也就是過去中華民族思想的共同信仰。

人如做了壞事，鬼都來找的。好的鬼則可以保護人。所以我們講了幾千年中國文化，民間所流傳鬼會找壞人的觀念，並非孔子思想，乃是墨子思想的傳承。墨子這套思想的源流，是遠溯自夏禹的文化，我們真正研究起上古史的中國文化來，便很費事了。

中國文化在春秋戰國時有諸子百家，重要的有三家：儒家，以孔子、孟子爲代表；道家，以老子、莊子爲代表；墨家，就是墨子爲代表。

墨子是中國文化的重要一家。中國幾千年來，俠義道的存在，講俠客、義氣，甚至幫會，可以說都是墨子精神的影響。墨子的教育是「摩頂放踵，以利天下」，就是從頭到腳，凡是對天下有利的事，都要全身心地去做。墨子的時代比孔子遲，比孟子早，可以說是中國最初的社會主義思想，也差不多有共產主義的思想。

《墨子》這本書很難研究。墨家在春秋戰國時代等於是一個幫會，是一個黨派。墨子一天到晚專門解除別人的痛苦，解決別人的困難。當時，兩個國家要打仗，墨子來了，叫他們不要打，如果不聽他的話，墨子的學生就會來制止。當時楚國找了一個叫公輸班的人，出來跟墨子談判，公輸班是個科學家，有很多科技發明。他舉一樣東西出來，墨子說他也有，公輸班辯論輸了。最後公輸班說，我有一樣法寶拿出來，你就沒有辦法了。墨子笑了，你的法寶就是叫人殺了我，你要知道，你現在殺了我沒有用，我的學生、徒弟多得很，你殺了一個墨翟，天下會有很多的墨翟出來反對你。結果兩國戰爭沒有打起來。

在春秋戰國時代，墨家的影響很大，講義氣。墨子的學生們、分黨的領袖、黑社會的頭子稱巨子，現在報紙上稱工商巨子，就是從這兒來的。當時在秦國，墨家的力量很大。有一個臣子，他只有一個兒子，犯了法被判死罪。宰相向秦王報告，這個人非死不可，但是他是某某人的兒子。秦王一聽是某某人的兒子，馬上下命令特赦。這個巨子來看秦王，首先表示感謝，兒子犯了罪應該死，被大王赦免；但是，國法可以特赦，墨家的家法不能赦，回去把兒子殺了，把人頭給國王送來。這種幫會組織幾千年來存在，家法很嚴，現在的黑社會是亂七八糟。清朝末年的青幫、紅幫，如果有人在外面犯了法，幫會會出面把他救回來。救回來後自己治法，如果有不忠不孝不講義氣、害了朋友的行爲，那是很嚴重的，要以家法論處。

墨家精神影響中國幾千年。現在大陸黑社會的力量也開始出現。我對大陸來的人說，你們要注意，不要以爲黑社會就沒有了，黑社會還是一直存在的。我說你們懂不懂，過去中國黑社會的頭子是誰?是皇帝，青幫的真正頭子是乾隆，擁護滿清，所以叫青幫。紅幫的頭子，在清末是左宗棠。左宗棠在打新疆時，沒有軍費，是胡雪巖給的，就是台灣作家高揚寫的小說《紅頂商人》裡的胡雪巖。胡雪巖是中國第一個向外國人借錢的人，他借了錢給左宗棠當軍費。左宗棠的部隊是湖南人，部隊到了陝西、甘肅的秦嶺一帶，幾十萬人不走了。大元帥左宗棠很奇怪：爲什麼？旁邊的人都不吭氣，左宗棠大發脾氣。他的參謀對他講：大師，他們在接龍頭。左宗棠說：什麼龍頭？參謀說：這些湖南兵每個人都是紅幫，紅幫的龍頭來了。左宗棠說：豈有此理，黑社會頭子，那麼大的威風。參謀說：這些將官士兵都是紅幫，你發脾氣他們是不會聽的。左宗棠一琢磨，有這樣的事。但他非常聰明，「好，請大哥來。」左宗棠見了龍頭大哥，大談幫會的人了不起。搞幫會當龍頭的有三個條件，三句話：第一句話，「仁義如天」，朋友有難，命丟掉都要去救；第二句話，「筆舌兩兼」，要會寫文章會講，能寫能講；第三句話，「武勇當先」，武功很高。左宗棠一看，這個龍頭大哥這些條件都具備。最後他也要參加。龍頭大哥捧他爲龍頭的龍頭，左宗棠成爲一步登天的大龍頭。

我寫過一本書，《中國兩三千年的特殊社會》，沒有出版，書稿不知壓在哪兒了。這種特殊社會永遠存在。美國的黑社會，意大利的黑手黨，政治、軍事都消滅不了他們，這些人不懂政治。我看過很多大老闆，本身表面上是殷實商人，實際上在幫會裡都是龍頭。他們的生意、貨物不會出問題，土匪來搶，儘管搶，關照一聲，弟兄們保管好，這是某某老闆的，土匪心中有數了，搶去的東西原封不動。過幾天老闆派人去，帶了一張支票：辛苦了，這趟生意你們蝕本了，這是點小意思。過幾天，東西送回來了。不能光賣面子，也得有利。

所以說，古代中國文化主要是儒、道、墨三家。墨家的東西混到佛家裡了。現在有人研究墨子，我看過兩篇博士論文，說墨子不是中國人，而是印度人。「摩頂放踵」，光頭光腳是印度和尚，臉黑黑的是印度人、阿拉伯人，這種研究很有趣，不過，墨子是中國人是沒有問題的。

管子與商君書

再說「仕而優則學，學而優則仕。」古人不但是讀書，而且把工作經驗和學問融化在一起，所以寫真有價值的著作，準備流傳。我們看古人有價值的著作，如講中國政治哲學吧，絕對離不開《管子》。但是《管子》這本書，就不是像現在我們這樣，爲了拿一個學位或是爲了出名而隨便亂寫的，而是從他一生的經驗，乃至從他在歷史上有名的「一匡天下，九合諸侯。」——這是孔子對他的評語——寫出來的。管仲原是一個犯法的罪人，齊桓公起用他以後，他能夠九合諸侯。當時的國際關係比現在還難做好，而他能前後開了九次國際聯合會議，而且大家非聽他的不可，並沒有用原子彈壓迫別人，也沒有利用石油控制別人，就把政治上一個混亂的時代，領導上了軌道。所以孔子非常佩服他。以他這樣一生的事功，也只寫了《管子》這一本書。不過後人再研究這本書的內容，認爲真正是他寫的不過十分之三四，有十分之六七是別人加進去的，或是後人假托他，或是他當時的智囊人物加進去的。但不管如何，這本書對中國的政治思想、文化思想，是非常重要的，可以說比孔子的思想還早。他這樣以一生的經驗，只寫下了一本書，可見古人著作，慎重得不得了。

還有一本《商君書》，秦始皇以前的秦國，之所以特別强盛起來，就靠商鞅變法，商鞅是講法治的法家，也可以說以法律作統治工具的政治家。秦國用商鞅以後，一直主張法治。這本書究竟真假的成分多少，我們不去管他，但在中國法家政治思想上非常重要，要想研究思想鬥爭，這些書是不可少的。我們一般人，這幾十年來接受外國哲學思想，比接受自己的哲學思想更多，洋裝書比線裝書看得多，這也是一個大問題。滿清入關打明朝的兵法，就是用了一部《三國演義》，雖然這個話太概括，也未免太輕視清朝了，但是大體上是如此。《三國演義》雖是一部小說，所包括的外交、政治、經濟、軍事、謀略思想太多了。第二次世界大戰，日本人打中國以前，幾乎日本全國的人都在讀《孫子兵法》與《三國演義》，這是值得我們注意的，而我們現在的年輕人看過這些書的，實在是少之又少了。

春秋多權謀

講到謀略兩個字，大體上大家很容易瞭解。假使研究中國文化，古代的書上有幾個名詞要注意的，如縱橫之術，勾距之術，長短之術，都是謀略的別名。古代用謀略的人稱謀士或策士，專門出計策，就是拿出辦法來。而縱橫也好，勾距也好，長短也好，策士也好，謀略也好，統統都屬於陰謀之術。以前有人所說的什麼「陰謀」、「陽謀」，並不相干，反正都是謀略，不要把古代陰謀的陰，和「陰險」相聯起來，它的內涵，不完全是這個意思。所謂陰的，是靜的，暗的，出之於無形的，看不見的。記載這些謀略方面最多的，是些什麼書呢？實際上《春秋左傳》就是很好的謀略書，不過它的性質不同。所以我們要研究這一方面的東西，尤其是和現代國際問題有關的，就該把《戰國策》、《左傳》、《史記》這幾本書讀通了，將觀念變成現代化，自然就懂得了。現在再告訴大家一個捷路：把司馬遷所著《史記》的每一篇後面的結論，就是「太史公曰」如何如何的，把它集中起來，這其間就有很多謀略的大原則，不過他並不完全偏重於謀略，同時還注意到君子之道，這是作人的基本原則。

研究這幾本書的謀略，其中有個區別。像《戰國策》這本書是漢代劉向著的，他集中了當時以及古代關於謀略方面的東西，性質完全偏重於謀略，可以說完全是記載智謀權術之學的。這本書經過幾千年的抄寫刻板，有許多字句遺漏了，同時其中有許多是當時的方言，所以這本書的古文比較難讀懂。左丘明著的《左傳》，如果從謀略的觀點看這本書，它的性質又不同，它有個主旨——以道德仁義作標準，違反了這個標準的都被刷下去，事實上對歷史的評斷也被刷下去了。所以雖然是一本謀略的書，但比較注重於經——大原則。至於《史記》這一本書，包括的內容就多了。譬如我們手裡這本《素書》中，就有一篇很好的資料——《留侯世家》，就是張良所寫的傳記。如果仔細研究這一篇傳記，就可從這一篇當中，了解到謀略的大原則，以及張良作人、作事的大原則，包括了君道、臣道與師道的精神。

長短經——反經

《長短經》這本書大家也許很少注意到它，作者是唐朝人，名趙蕤，一生沒有出來做官，是一位隱士。有名的詩人李白，就是他的學生。如果研究李白，我們中國人都講李白、杜甫是名詩人，實際上李白一生的抱負是講「王霸之學」，可惜他生的時代不對，太早了一點，唐明皇的時代天下是太平，到天下亂時，他已經死了無所用處。趙蕤著的是《長短經》，就是縱橫術。這一本書在古代，尤其在滿清幾百年間，雖然不是明禁，因爲是古書，沒有理由禁止，可是事實上是暗禁的書，它所引敍的歷史經驗，都是到唐代爲止。後來到了宋朝，《素書》就出來了，以前也有，但宋朝流傳出來的《素書》是否即是漢時的原版，無從證明。到了明末清初，另一本書《智囊補》出來了，作者馮夢龍是一位名士，把歷史的經驗都拿出來了。我們如把《左傳》、《國語》、《戰國策》、《人物志》、《長短經》、《智囊補》，以及曾國藩的《冰鑑》等等，編成一套，都是屬於縱橫術的範圍以內。長短之學和太極拳的原理一樣，以四兩撥千斤的本事，「舉重若輕」，很重的東西拿不動，要想辦法，掌握力的巧妙，用一個指頭撥動一千斤的東西。

反經在領導哲學的思想上很重要，我們看過去很多的著作，乃至近七八十年來的著作，都不大作正面的寫法。所以，我們今日對於一些反面的東西，不能不注意。

反經的「反」字，意思就是說，天地間的事情，都是相對的，沒有絕對的。沒有絕對的善，也沒有絕對的惡；沒有絕對的是，也沒有絕對的非。這個原理，在中國文化中，過去大家都避免談，大部分人都沒有去研究它。這種思想源流，在我們中國文化裡很早就有，是根據《易經》來的，《易經》八卦，大家都曉得，如「☷」是坤卦，它代表宇宙大現象的大地，「☰」是乾卦，它代表宇宙大現象的天體。兩個卦重起來，「䷋」爲天地「否」卦，否是壞的意思，倒楣了是否，又有所謂「否極泰來」，倒楣極點，就又轉好了。但是，如果我們倒過來看這個卦，就不是「䷋」這個現象，而變成了「䷊」地天「泰」卦，就是好的意思。《易經》對於這樣的卦就叫作綜卦，也就是反對卦，每一個卦，都有正對反對的卦象。其實《易經》的「變」是不止這一個法則，這都叫卦變。

這就說明天地間的人情、事理、物象，沒有一個絕對固定不變的。在我的立場看，大家是這樣一個鏡頭，在大家的方向看，我這裡又是另外一個鏡頭。因宇宙間的萬事萬物，隨時隨地都在變，立場不同，觀念就兩樣。因此，有正面一定有反面，有好必然有壞。歸納起來，有陰就一定有陽，有陽一定有陰。陰與陽在哪裡？當陰的時候，陽的成分一定涵在陰的當中，當陽的時候，陰的成分也一定涵在陽的裡面。當我們作一件事情，好的時候，壞的因素已經種因在好的裡面。譬如一個人春風得意，得意就忘形，失敗的種子已經開始種下去了；當一個人失敗時，所謂失敗是成功之母，未來新的成功種子，已經在失敗中萌芽了，重要的在於能不能把握住成敗的時間、機會、與空間形勢。

我們在說反經之前，提起卦象，是說明人類文化在最原始的時代，還沒有文字的發明，就有這些圖像、重疊的圖案。這種圖案就已經告訴了我們這樣一個原理：宇宙間的事沒有絕對的，而且根據時間、空間換位，隨時都在變，都在反對，只是我們的古人，對於反面的東西不大肯講，少數智慧高的人都知而不言。只有老子提出來：「禍兮福之所倚，福兮禍之所伏。」福禍沒有絕對的，這雖然是中國文化一個很高深的慧學修養，但也導致中華民族一個很壞的結果。（這也是正反的相對。）因爲把人生的道理徹底看通，也就不想動了。所以我提醒一些年輕人對於《易經》、唯識學這些東西不要深入。我告訴他們，學通了這些東西，對於人生就不要看了。萬一要學，只可學成半吊子，千萬不要學通，學到半吊子的程序，那就趣味無窮，而且覺得自己很偉大，自以爲懂得很多。如果學通了，就沒有味道了。（衆笑）所以學《易經》還是不學通的好，學通了等於廢人，一件事情還沒有動就知道了結果，還幹嘛去做！譬如預先知道下樓可能跌一跤，那下這個樓就太沒道理了。《易經》上對人生宇宙，只用四個現象概括：吉、凶、悔、吝，沒有第五個。吉是好，凶是壞，悔是半壞，不太壞、倒楣。吝是閉塞、阻礙、走不通。《周易·繫傳》有句話，「吉凶悔吝，生乎動者也。」告訴我們上自天文，下至地理，中通人事的道理盡在其中了。人生只有吉凶兩個原則。悔吝是偏於凶的。那麼吉凶哪裡來？事情的好壞哪裡來？由行動中來的，不動當然沒有好壞，在動的當中，好的成分有四分之一，壞的成分有四分之三，逃不出這個規則。如鄉下人的老話，蓋房子三年忙，請客一天忙，討個老婆一輩子忙，任何一動，好的成分只有一點點。

這些原理知道了，反經的道理就大概可以知道。可是中國過去的讀書人，對於反經的道理是避而不講的。我們當年受教育，這種書是不准看的，連《戰國策》都不准多讀，小說更不准看，認爲讀這方面的書會學壞了。如果有人看《孫子兵法》、《三國演義》，大人們會認爲這孩子大概想造反，因此縱橫家所著的書，一般人更不敢多看。但是另一觀點來說，一個人應該讓他把道理搞通，以後反而不會做壞人，而會做好人，因爲道理通了以後，他會知道做壞的結果，痛苦的成分佔四分之三，做好的，結果麻煩的成分少，計算下來，還是爲善最划算。

其次所謂反，是任何一件事，沒有絕對的好壞，因此看歷史，看政治制度，看時代的變化，沒有什麼絕對的好壞。就是我們擬一個辦法，處理一個案件，拿出一個法規來，針對目前的毛病，是絕對的好。但經過幾年，甚至經過幾個月以後，就變成了壞的。所以真正懂了其中道理，知道了宇宙萬事萬物都在變，第一等人曉得要變了，把住機先而領導變；第二等人變來了跟著變；第三等人變都變過了，他還在那裡罵變，其實已經變過去了，而他被時代遺棄了。反經的原則就在這裡。

蘇秦的歷史時代

蘇秦與張儀，是中國史上的兩個名人，過去稱他們為說士或說客，所謂遊說之士，意思是他們專門玩嘴巴的。我們今天提出這一篇來研究，是非常有意義的。像現在美國的季辛吉，我們中國人就稱他為遊說之士，是蘇秦、張儀之流。一個書生用他的嘴巴，憑他的腦筋，擺布整個世界的局勢，在我們過去的歷史上，最知名的就有蘇秦、張儀兩同學，這是我們都知道的故事。現在我們回轉來再研究蘇秦、張儀的傳記資料，對我們這個時代有很深的啟發，許多道理，都可以在這裡看出來。

這裡就牽涉到歷史哲學問題。講歷史哲學，有兩個重要觀點，一個觀點認為人類歷史是重演的；一個觀點認為人類歷史是進化的，不會反覆重演的。但這兩個觀點是可以融會貫通的。歷史的現象，事物的變化，並不一定重演。譬如我們現在穿的西裝，同古代衣服的式樣就不同了；但是大原則，人要穿衣服，則是一樣的。我們知道了歷史的原則是一樣的，所以看到蘇秦這一篇，就可以找出很多很多的重點來。

我們如果是作學術的研究，當然，只靠這一篇是不夠的。《戰國策》是漢代劉向編的，根據歷史的資料集中起來，編輯成書名為《戰國策》。古代所指的「策士」就是專講謀略學的人。譬如現在我們因為某一事件，向上面提出一個建議，這建議就是「策」。專門以這種計策起家的，就叫「策士」。另外，像宋代因時勢的需要，改變了考試制度，應考的文章中，必須加寫一篇策論。這就是看應考人對政治和時事的見解，對國家大事的認識。到清朝末年，提倡廢除「八股」的時候，有一度又主張考試策論。我們知道宋代蘇東坡考中科名的那篇著名的文章《刑賞忠厚之至論》，討論司法上判罪的問題，也即是與政治有關的司法問題。現在我們要看的這篇文章摘自《戰國策》，就是屬於策論這一類的——也可說明《戰國策》一書的完成，是劉向當時，把戰國時代的許多謀略問題，集中起來，編為一書。

從前讀書人對於《戰國策》這本書，有兩種主張：一種是限制年輕人不許讀這本書。

古代的觀念，認爲讀了這本書容易學壞。所以要先讀四書、五經，等讀好了以後再讀，由正經而懂得如何權變。但是另一個觀點，每逢時代亂的時候，便有許多人主張應該多讀《戰國策》，因爲時代亂的時候，需要有頭腦的人才，所以讀了《戰國策》，對事物的觀點會不同。但是，研究謀略這一類東西，僅僅是讀《戰國策》還是不夠的，譬如研究蘇秦，就得再讀司馬遷所著《史記》中蘇秦等人的傳記。但那樣還是不夠，最好再能了解戰國時候蘇秦當時所有的歷史情勢。

現在，我們僅就《戰國策》中「蘇秦始將連橫」這一篇來研究。所謂「合縱」等於組織一個聯合國。當時秦國是一個新興起來、有强大力量的國家，蘇秦就把弱小的國家聯合起來抗秦，用歷史的觀點來看，蘇秦的「合縱」計，也就是這個組織的建議，是很不錯的，應該的。但是有一點，我們看了全篇以後，首先要認識一個人的動機，因爲蘇秦當時的用心，並不是爲了天下國家，而是爲了個人出鋒頭，這是首先我們必須了解的。

第二點，根據歷史的記載研究，蘇秦當時是一個讀書的年輕人，後世人稱他是鬼谷子的學生。關於鬼谷子，又是一個可以用來作專題研究的題材了。歷史上究竟有沒有鬼谷子這個人，另外待考。如在河南有「鬼谷」這樣一個地方，不過古代又稱「歸谷」，意思是歸隱在這個山谷。據説這是道家的人物，有如張良所遇到的黃石公一樣，是不是確實有這個人，不知道。就是真有這樣一個人，無疑的，學問一定非常好，據說蘇秦便是他的學生。今天講謀略學，所謂撥亂反正的這一套學問，乃至於用在壞的這一方面，搗亂造反的學問都是出於他——鬼谷子。蘇秦當時出來，拿鬼谷子的這套學問，遊說諸侯晉見每個國家的領袖，希望取得功名富貴，實行他自己的思想。

第三點要注意的，遊說在當時是一種普遍的風氣，那個時候還没有建立考試制度，知識分子都靠遊説出來做事的。譬如孟子，一天到晚見這個諸侯，見那個諸侯，也是遊說。各個諸侯雖然尊重他的學問，可是卻不用他。同樣的，後來蘇秦第一次出來遊說，也是完全失敗了，没有人聽他的。我們看他遊說的內容對不對？完全講的正道，但是正道當中有歪道。以現在的觀念來説，蘇秦是偏重在軍國主義的思想，主張富國强兵。他舉出歷史上的實例，只有戰爭才有辦法，才能夠强盛，才能夠安定。可是秦國並没有接受，這又是什麼原因？這就是我們讀書要注意的地方。當時的秦國，是秦始皇的祖父輩。天天想統一，想消滅其他大國，可是蘇秦主張用兵，又爲什麼不聽從他的意見？這同我們今天的情形一樣，爲什麼季辛吉提倡以和談代替戰爭，大家都明知道是毒藥而還是吃下去？爲什麼不肯言戰？我們讀歷史就要懂得這些。懂得歷史就懂得現在，懂得現代也就懂得古代。歷史並不一定重演，但原則是一樣。

第四點，再講到蘇秦個人，第一次遊說失敗，弄到回家的路費都没有，穿雙破蹻鞋，拿隻破箱子，回到家裡來，嫂嫂不給他飯吃，家裡的人都看不起他，那種難受是到了萬分。因此蘇秦重新發憤讀書，所謂懸樑刺股，把頭髮用繩子捆起來掛在樑上，身旁放一把錐子，等到夜晚讀書打瞌睡時，頭一低，頭髮一扯，醒了。再不行就自己用錐子刺自己的肉，如此鞭策自己用功。據説讀的是《太公兵法》，把太公兵法讀通了，於是再度出來遊説諸侯。這次不再跑到秦國去主張打仗，反而跑到弱小的國家，等於今日世局中，受人侵略、受人宰割的國家，由燕國、趙國開始，組織聯合陣線抗秦，不主張打仗，主要目的在使秦國不敢出兵。他把天下大事、人的心理、政治的心理，戰爭的心理，都摸透了，果然成功了。這一下身佩六國相印，同時當起六個國家的行政院長，印都掛在身上走，隨時拿來蓋就行了。當時這位聯合國的祕書長，還不比現在的聯合國祕書長，他是有實權的，只要他説一句話就行了，國與國局勢就受這樣一個書生的擺布，安定了二十多年，這又是一個什麼道理？爲什麼他後來主張合縱，大家會團結？這是矛盾的團結，利害關係的團結，不是道義的團結。爲什麼會這樣，也是值得我們研究的，這和現代的情形又是一樣。

第五點，到了他個人成功以後，就看出這一班人是只講手段的，只求如何達到目的。所以中國文化中講正統文化的，素來對於這些人不大重視，因爲他們只以個人爲出發點，而孔孟思想是不以個人爲出發點。蘇秦成功以後，自己知道這套手法只是玩弄玩弄而已，各國君王的頭腦不一定都是豆腐渣做的，不會一直聽他的擺布，只不過是所拿出來的辦法，正投合了時代的需要，都只是手段。他也知道這個手段不會長久，他的另外一招就很厲害了。當有一個强大的敵人存在，大家需要團結起來與它抗衡，這時是做得到。但對秦國封鎖了以後，秦國的軍國主義不能擴張了，結果蘇秦的戲就不能唱了。沒有了敵人，怎麼還能夠玩？

於是他利用機會培養和他學問差不多的好同學張儀，他這培養方法就很高明了。他怎麼培養張儀的？他和張儀的感情原來好得很，而且兩人約定在先，誰先有辦法，誰就幫忙另一人站起來。這時蘇秦佩了六國的相印，張儀還窮得很，去找蘇秦，心想求取一個祕書、科長的位置，還會有什麼問題？蘇秦正在辦公室接見各國大使，忙碌得很，知道張儀來了，教他在外面小工友的小房子裡等候，自己威風得很。到了吃飯的時候，也留張儀吃飯，可是隨便打發他在一個角落裡吃，自己卻和各國貴賓周旋。故意使張儀看見，使張儀難受，用種種方法刺激他，最後告訴張儀目前沒有機會，囑到旅館等候，也不送點錢去，使他受盡冷落淒涼之苦。然後教一個人對張儀說：你是找蘇秦的？同學有什麼用？他已經功成名就，不理你了，你的學問也很好，又何必求他呢？用種種方法挑撥，使張儀恨死了蘇秦，決心非打倒蘇秦不可。到秦國去，你蘇秦搞合縱，我就弄一個專門破合縱的計劃。實際上，蘇秦正需要像張儀這樣的人到秦國去，但是他爲什麼不告訴張儀合作唱對台戲？因爲他知道張儀如果不受這樣大的刺激，就發不起狠來，如果說明了，反而搞不好，必須要培養出他如此怨恨的氣憤，硬是要立地做破壞的計畫，兩人才有戲唱。所以後來張儀連橫的計劃成功了，蘇秦派去挑撥張儀到秦國去、始終「臥底」的人，這時才把真相說出來。實際上張儀到秦國的路費還是蘇秦奉送的，一切都是蘇秦安排的。所以張儀說，我還是沒有跳出這位老同學的手心；並且決定蘇秦還在的一天，秦國就一天不出兵，等蘇秦死了再打。戰國末期，就被這樣兩個書生擺布來擺布去，擺布了相當長一個時期。現在我們用人才，除了有才具，有學問，有思想，還非要有道德做基礎不可，没有真正的道德做基礎，則好頭腦是很可怕的。這是第五個重點。

第六個重點，附帶談到有名的故事，當蘇秦第一度遊說失敗，窮了回家的時候，嫂嫂都不給他吃飯，冷飯都不剩一點，父母兄弟都看不起他。到後來身佩六國相印，要到楚國去的時候，經過自己家鄉，他的嫂嫂以及全家人都跑出來迎接，那種恭維真是不得了的。這時蘇秦問他的嫂嫂：「何前倨而後恭也？」這個話也只有蘇秦才說得出口。老實說，在中國講究道德修養的人，不會講這樣的話，他卻會爽直痛快當面問他嫂嫂。人性本來也就是這樣，可說他問得很直爽，還不算頂壞的，還沒有故意整她。而嫂嫂答覆的話也很簡單明瞭，她說：「見季子位高金多也。」這是人情之常。古今中外，人類社會，就是這麼一回事。哪個時代，哪個地方不講現實？從這裡又可認識人情世故。

第七點，蘇秦是怎樣死的？善有善報，惡有惡報，他不得好死，最後到了齊國的時候，有人行刺把他殺死了。他所以到齊國去，是因爲在燕國出了私生活方面的緋色故事，和燕王的皇太后發生了關係，被燕王知道了。蘇秦知道靠不住了，很危險，於是說動燕王，要到齊國去才對燕國有利，燕王明知道是怎麼一回事，但也只有這個辦法送他走最妥當，就讓他去了。結果，齊國的大臣找人行刺他，蘇秦身負重傷，沒有立即死去。而齊王賞識他，大爲震怒，下令全國抓凶手，可是抓不到。蘇秦在臨死以前告訴齊王，只要宣布一下蘇秦是個壞蛋，是爲燕國來做間諜的，被殺死以後，齊國可以安定，這樣宣布就可抓到凶手。蘇秦説完這些話就死了。齊王果然照蘇秦的話宣布，而行刺的凶手果然出來，於是齊王把凶手抓來殺了。蘇秦臨死，還會動腦筋，借人家的手替自己報仇，這就是搞謀略的人頭腦的厲害。

這是隨便舉出來的七個重點，事實上我們要看的第一篇當中，並不止這七點，還有很多重點，仔細去研究起來，對於古代戰爭地理的觀念、社會發展的觀念、經濟問題的觀念、軍事問題的觀念等等，都足以發人深省。這就是讀書不要被書騙去了，僅了解文字就不是真讀書，我們讀書是要吸收歷史所告訴我們的經驗，由這經驗了解很多很多的事，尤其對於今日我們所處的這個世界局面，會有更深入的了解。所以我上幾次都建議大家，多讀《戰國策》、《國語》，不要以爲這些是老東西沒有用，實際上這些書非常有用。

商鞅的變法

任何思想，任何精良的制度，都要靠人才的創造和人才的推行。當時秦國所以能夠在一百年內興盛起來，就決定在幾個人身上。蘇秦、張儀以前，秦國在政治基礎上，有一次很好的改革，就是用了法家商鞅的決策，提倡法治，即所謂商鞅變法。商鞅這一次在政治上所做的改變，不止是影響了秦國後代的秦始皇，甚至影響了後世三千年來的中國，這又是一個大問題。

商鞅當時改變政治的「法治」主張，第一項是針對周代的公產制度。有人說周代這個制度，就是社會主義，也就是共產主義，這種説法，是硬作比方，似是而非的。商鞅在秦國的變法，首先是經濟思想改變，主張財產私有。由商鞅變法，建立了私有財產制度以後，秦國一下子就富强起來了。但商鞅開始變法的時候，遭遇打擊很大，關鍵就在四個字：「民曰不便」，這一點大家千萬注意，這就講到羣衆心理、政治心理與社會心理。大家更要瞭解，人類的社會非常奇怪，習慣很難改，當商鞅改變政治制度，在經濟上變成私有財產，社會的形態，變成相似於我們現在用的鄰里保甲的管理，社會組織非常嚴密，可是這個劃時代的改變，開始的時候，「民曰不便」，老百姓統統反對，理由是不習慣。可是商鞅畢竟把秦國富强起來了。他自己失敗了，是因爲他個人的學問修養、道德確有問題，以致後來被五馬分屍。可是他的變法真正成功了，中國後世的政治路線，一直没有脱離他的範圍。

由商鞅一直到西漢末年，這中間經過四百年左右，到了王莽，他想恢復郡縣制度，把私有財產制度恢復到周朝的公有財產。王莽的失敗，又是在「民曰不便」。王莽下來，再經過七八百年，到了宋朝王安石變法，儘管我們後世如何捧他，在他當時，並没有成功。王安石本人無可批評，道德、學問樣樣都好，他的政治思想精神，後世永遠留傳下來，而當時失敗，也是因爲「民曰不便」。我們讀歷史，這四個字很容易一下讀過去了，所以我們看書碰到這種地方，要把書本擺下來，寧靜地多想想，加以研究。這「不便」兩個字，往往毀了一個時代，毀了一個國家，也毀了個人。以一件小事作比喻，這是舊的事實，新的名詞所謂「代溝」，就是年輕一代新的思想來了，「老人曰不便」，就是不習慣，實在變不了。這往往是牽涉政治、社會型態很大的。一個偉大的政治家，對於這種心理完全懂，於是就產生了「突變」與「漸變」的選擇問題。漸變是溫和的、突變是急進的。對於一個社會環境，或者團體，用哪一個方式來改變比較方便而容易接受，慢慢改變他的「不便」而爲「便」的，就要靠自己的智慧，這也是講蘇秦、張儀這兩個人的事跡，所應注意到的。

聖盜同源

「跖之徒問於跖曰：盜亦有道乎？跖曰：何適而無有道耶？夫妄意室中之藏，聖也。入先，勇也。出後，義也。知可否，智也。分均，仁也。五者不備而能成大盜者，天下未之有也。」

盜跖，是代表强盜土匪壞人的代名詞，在古書上常常看到這個名詞，並不是專指某人的專有名詞，而是廣泛的指强盜土匪那一流壞人。我們平常說「盜亦有道」。這句話的由來就出在《莊子》這一段。

强盜問他的頭目，當强盜也有道嗎？强盜頭說，當强盜當然有道。天下事情，哪裡有沒有道的？當强盜要有當强盜的學問，而且學問也很大，首先在妄意——估計某一處有多少財產，要估計得很正確，這就是最高明——聖也。搶劫、偷竊的時候，別人在後面，自己先進去，這是大有勇氣——勇也。等到搶劫偷盜成功以後，別人先撤退，而自己最後走，有危險自己擔當，這是做强盜頭子要具備的本事——義也。判斷某處可不可以去搶，什麼時候去搶比較有把握，這是大智慧——智也。搶得以後，如《水滸傳》上寫的，大塊分金，大塊吃肉，平均分配——仁也。所以做强盜，也要具備有仁義禮智信的標準，哪有那麼簡單的！像過去大陸上的幫會的黑暗面，就是這樣。從另一角度看，那種作風，比一般社會還爽朗得多，說話算話，一句夠朋友的話，就行了。所以要仁義禮智信具備，才能做强盜頭子，具備了這些條件而做不到强盜頭子的或者有，但是沒有不具備這五個條件而能做强盜頭子的，絕對沒有這個道理。

這裡是引《莊子》的一段話，如果看全篇，是很熱鬧、很妙的，其中的一段是說到孔子的身上，內容是魯國的美男子、坐懷不亂的聖人柳下惠，有一個弟弟是强盜頭子，孔子便數說柳下惠為什麼不感化這個弟弟。柳下惠對孔子說，你老先生別提了，我對他沒辦法，你也對他沒有辦法。孔子不信，去到柳下惠這位強盜弟弟那裡，不料這個強盜弟弟，先是擺起威風對孔子罵了一頓，接下來又說了一大堆道理，最後對孔子說，乘我現在心情還好，不想殺你，你走吧！孔子一聲不響走了。因為這強盜頭子講的道理都很對，所以這裡引的一段，也是柳下惠的弟弟對孔子說的，而實際上是莊子在諷刺世風的寓言。李宗吾寫「厚黑學」的目的也是這樣的，所以也可以說莊子是厚黑學的祖師爺。相反的來看，即使做一個強盜頭子，都要有仁義禮智信的修養，那麼想要創一番事業，做一個領導人，乃至一個工商界的領袖，也應該如此。倘使一個人非常自私，利益都歸自己，損失都算別人的，則不會成功。

清朝三本必讀書

滿清入關有三部必讀的書籍。哪三部書呢？滿人的兵法權謀，學的是《三國演義》，還不是《三國誌》，在當時幾乎王公大臣都讀《三國演義》。第二部不是公開讀的，是在背地裡讀的——是《老子》。當時康熙有一本特別版本的《老子》，現在已經問世，註解上也没有什麼特殊的地方，但當時每一個滿清官員，都要熟讀《老子》，揣摩政治哲學。另一部書是《孝經》。但表面上仍然是尊孔。說到這裡，諸位讀歷史，可以和漢朝「文景之治」作一比較，「文景之治」的政治藍本，歷史上只用八個字說明——「內用黃老，外示儒術。」這麼一來，康熙就提倡孝道，編了一本語錄——《聖諭》，後來叫《聖諭寶訓》或《聖諭廣訓》，拿到地方政治基層組織中去宣傳。以前地方政治有什麼組織呢？就是宗法社會中的祠堂，祠堂中有族長、鄉長，都是年高德劭、學問好、在地方上有聲望的人。每月的初一、十五，一定要把族人集中在祠堂中，宣講聖諭。聖諭中所講的都是一條條作人、作事的道理，把儒家的思想用盡了，尤其提倡孝道。進一步分析，康熙深懂得孝這個精神而加以反面的運用。要知道康熙把一個個青年人訓練得都聽父母的話，那麼又有哪一個老頭子、老太太肯要兒子去做殺頭造反的事呢？所以康熙用了反面，用得非常高明。此其一。

其二：當時在陝西的李二曲，和顧亭林一樣，是不投降的知識分子，他講學於關中，所以後來顧亭林這班人，經常往陝西跑，組織反清復明的地下工作。康熙明明知道，他反而征召李二曲作官，李二曲當然是不會去作的。後來康熙到五台山並巡察陝西的時候，又特別命令陝西的督撫，表示尊崇李二曲先生爲當代大儒，是當代聖人，一定要親自去拜訪李二曲。當然，李二曲也知道這是康熙下的最後一著棋，所以李二曲稱病，表示無法接駕。哪裡知道康熙說沒有關係，還是到了李二曲講學的那個鄰境，甚至說要到李家去探病。這一下可逼住了李二曲了，如果康熙到了家中來，李二曲只要向他磕一個頭，就算投降了，這就是中國文化的民族氣節問題，所以李二曲只好表示有病，於是躺到床上，「病」得爬不起來。但是康熙到了李二曲的近境，陝西督撫以下的一大堆官員，都跟在皇帝的後面，準備去看李二曲的病。康熙先打聽一下，說李二曲實在有病，同時，李二曲也只好打發自己的兒子去看一下康熙，敷衍一下。而康熙很高明，也不勉强去李家了。否則，他一定到李家，李二曲罵他一頓的話，則非殺李二曲不可。殺了，引起民族的反感；不殺，又有失皇帝的尊嚴，下不了台。所以也就不去了。康熙安慰李二曲的兒子一番，要他善爲轉達他的意思，又交代地方官，要妥爲照顧李二曲。還對他們說，自己因爲作了皇帝，不能不回京去處理朝政，地方官朝夕可向李二曲學習，實在很有福氣。康熙的這一番運用，就是把中國文化好的一面，用到他的權術上去了。可是實在令人感慨的事，是後世的人，不把這些罪過歸到他的權術上，反而都推到孔孟身上去，所以孔家店被打倒，孔子的挨罵，都太冤枉了。

看相論人的書

有人說，清代中興名臣曾國藩有十三套學問，流傳下來的只有一套——曾國藩家書，其他的沒有了。其實，傳下來的有兩套，另一套是曾國藩看相的學問——《冰鑑》這一部書。

《冰鑑》所包涵看相的理論，不同其他的相書。他說：「功名看器宇」，講器宇又麻煩了。這又講到中國哲學了，這是與文學連起來的，這「器」怎麼解釋呢？就是東西。「宇」是代表天體。什麼叫「器宇」？就是天體構造的形態。勉强可以如此解釋。中國的事物，就是這樣討厭，像中國人說：「這個人風度不壞。」吹過來的是「風」，衡量多寬多長就是「度」。至於一個人的「風度」是講不出來的，這是一個抽象的形容詞，但是也很科學，譬如大庭廣衆之中，有一個人很吸引大家的注意，這個人並不一定長得漂亮，表面上也無特別之處，但他使人心裡的感覺與其他人就不同，這就叫「風度」。

「功名看器宇」，就是這個人有沒有功名，要看他的風度。「事業看精神」，這個當然，一個人精神不好，做一點事就累了，還會有什麼事業前途呢？「窮通看指甲」，一個人有没有前途看指甲，指甲又與人的前途有什麼關係呢？絶對有關係。根據生理學，指甲是以鈣質爲主要成分，鈣質不夠，就是體力差，體力差就没有精神競爭。有些人指甲不像瓦形的而是扁扁的，就知道這種人體質非常弱，多病。

「壽夭看腳踵」，命長不長，看他走路時的腳踵。我曾經有一個學生，走路時腳根不著地，他果然短命。這種人第一是短命，第二是聰明浮躁，所以交待他的事，他做得很快，但不踏實。

「如要看條理，只在言語中」，一個人思想如何，就看他説話是否有條理，這種看法是很科學的。

中國這套學問也叫「形名之學」，在魏晉時就流行了。有一部書——《人物志》，大家不妨多讀讀它會有用處的，這是魏代劉邵著是專門談論人的，換句話説就是「人」的科學。最近流行的人事管理、職業分類的科學，這些是從外國來的，而我們的《人物志》卻更好，是真正的「人事管理」、「職業分類」，指出哪些人歸哪一類。有些人是事業型的，有些人絶對不是事業型的，不要安排錯了。有的人有學問，不一定有才能；有些人有才能不一定有品德；有學問又有才能又有品德的人，是第一流的人，這種人才不多。

以前有一位老朋友，讀書不多，但他從人生經驗中，得來幾句話，蠻有意思。他說：「上等人，有本事沒有脾氣；中等人，有本事也有脾氣；末等人，沒有本事而脾氣卻大。」這可以說是名言，也是他的學問。所以各位立身處世，就要知道，有的人有學問，往往會有脾氣，就要對他容忍，用他長處——學問，不計較他的短處——脾氣。他發脾氣不是對你有惡意，而是他自己的毛病，本來也就是他的短處，與你何關？你要講孝道，在君道上你要愛護他，尊重他。我有些學生，有時也大光其火，我不理他，後來他和我談話，道歉一番，我便問他要談的正題是甚麼，先不要發脾氣，只談正題，談完了再讓你發脾氣，他就笑了。

第二部應該研究的書是什麼呢？就是黃石公傳給張良的《素書》，這一部書很難說確是僞書，但它也的確是中國文化的結晶。對於爲人處世及認識人物的道理，有很深的哲學見解，也可以說是看相的書，它並不是說眉毛長的如何，鼻子長的怎樣，它沒有這一套，是真正相法。眉毛、鼻子、眼睛都不看的，大概都看這個人處世的態度和條理。孟子也喜歡看相，不過他沒有掛牌，他是注意人家的眼神，光明正大的人眼神一定很端正；喜歡向上看的人一定很傲慢；喜歡下看的人會動心思；喜歡斜視的人，至少他的心理上有問題。這是看相當中的眼神，是孟子看相的一科，也可以說是看相當中的「眼科」

吧！

閒書裡面有眞言

在明清之間有一本閒書名，叫《解人頤》，這個書名就說明了只是使人破顏一笑，鬆弛板起的面孔，咧開嘴來笑一笑的意思。這本書裡許多記載，的確有令人發出會心微笑之處。不過它也是像《聊齋誌異》一樣，大多以狐鬼的故事來諷世。它所收羅許多可笑的文字中，笑裡或有血，或有淚，蘊含了許多做人處世的道理，啟發人們的良知，在過去的時代，的確是深具教育意義的一本閒書。

這本《解人頤》中，有一篇很有哲學意味、描述人類欲望無止境的白話詩：

終日奔波只為飢　方才一飽便思衣
衣食兩般皆俱足　又想嬌容美貌妻
取得美妻生下子　恨無田地少根基
買到田園多廣闊　出入無船少馬騎
槽頭扣了騾和馬　嘆無官職被人欺

縣丞主簿還嫌小　又要朝中掛紫衣
作了皇帝求仙術　更想登天跨鶴飛
若要世人心裡足　除是南柯一夢西

其中「作了皇帝求仙術，更想登天跨鶴飛」這兩句是我隨便湊上去的。這位作者寫這篇白話詩的時候，正是君主專政的時代，當然不敢連皇帝也寫進去。而在歷史的事實上，像秦始皇、漢武帝一樣，作了皇帝又想長生不老的例子也不少。

這篇七言韻文的白話詩，可說道盡了人類慾望無窮，慾壑難填的心理狀態。本來一個一無所有的窮光蛋，連吃飯都成問題，一天到晚勞勞碌碌，也許是貧戶登記，掃街掏溝的。好不容易賺的錢吃飽了，就覺得身上穿的毛線衣，已經穿了三五年，下水洗過很多次，不夠暖和，去見朋友時，也不體面，於是在衣服上講究起來了。等到衣食兩個問題都已解決，那麼正如諺語所說，飽暖思淫慾，想娶一個漂亮的小姐作太太。後來，太太也娶了，孩子也生了，一家數口融融樂樂，過得蠻好的，可是還不能滿足。念頭一轉，家無恆產哪！總得買幢房子，弄點田地什麼長久的生產之道，打下經濟基礎，讓下半輩子生活安閒，子孫也不愁吃穿。這些都齊全了，還想買汽車，坐在八個汽缸的全自動別克名牌汽車裡，又想到警察昨天開了一張違規的紅單子，稅務員的面孔不大好看，而朋友張三做了官，比較吃得開，還是弄個一官半職在身，才不吃虧受氣，於是競選去，或者走門路，搞個官來做。官也當上了，可是這縣政府的科長、祕書，能批評的人太少，來指揮自己的人多，還是不過癮，應該想辦法當大官去。又這樣往上爬，結果當了皇帝還是有慾望，又希望成仙上天，長生不老，所以這位作者最後兩句結論是，人類這永無止境的慾望，除非到死方休。其實人的慾望，是死也不休的。

論養士與提拔人才

大家有機會可以讀一篇文章，對於處世大有助益，這篇文章簡稱《論養士》，蘇東坡作的。這篇文章在中國的政治思想——政治哲學領域中，佔了重要的地位，尤其是研究政治與社會的人不能不看。這篇文章很有意義，它提出了一個原則，講得非常有道理。

「養士」這個名稱，出在戰國時代，當時書籍不如現在普及，也沒有考試制度，一般平民有了知識，就依靠權貴人家求出路，到他們家裡作賓客。過去叫賓客，現在的名稱等於「隨員」；從唐代到清代叫「幕府」。像曾國藩，不少有本領的人，都在他的幕府裡——等於現在的研究室、參謀團、祕書室。現在也有稱作幕僚的。「六國的養士」

就是這樣的情形。

那時養士，養些什麼人呢？蘇軾提出的分類是智、辯、勇、力四種人；實際上也可說只是兩種人，一種用頭腦，一種用體力。討論這四種人，如果以現代職位分類的科學來作博士論文，起碼可以寫他兩百萬字不成問題。但是我國古代文化喜歡簡單，所以幾百字的文章就解決了。

蘇軾在這篇文章中說，社會上天生有智、辯、勇、力這四種人，他認爲這一類的人好役人——坐著吃人家的——無法役於人。如果我們用社會學來研究，社會上有許多人是這樣的，用頭腦非常能幹，叫他用勞力就不行，有些人叫他用頭腦就像要他的命，要他做勞力就蠻好。但有些人有力去打架，力氣好得很，要他做工，做三個小時就做不下去了。所以研究社會、研究政治，要多觀察人，然後再讀有關的書，才有道理。又像許多人有智，這個智是聰明才智；有許多人有辯術，專門用手段，不走正道，走異端，打鬼主意第一流，正當方法想不出來。但是不要忘了，他也是一個人才，就看老闆怎麼用他，這就是所謂會不會用人了。所以智與辯看起來是一樣，聰明的人做事一定有方法，但是正反兩面的方法不能相違。勇與力看起來似乎也是一樣，但是勇敢的人不一定有力氣，而個子高大孔武有力的人，叫他去前方打仗、爲國犧牲，他怕死不幹，這是有力沒有勇。因此蘇東坡説智、辯、勇、力四種人，往往需要人家養他，不能自立。不過依恃人家，攀龍附鳳，也可以立大功，成大業，叫他一個人幹，就沒有辦法。

所以到秦始皇統一中國以後，焚書坑儒，不養士了，這些人就走向民間去，結果怎樣呢？反了！後來到了漢朝的時候，對這種士怎麼辦呢？到漢武帝時代，就是中國選舉制度的開始，那個時代的選舉，當然不像現代的由人民去投票——這是西方式的選舉。中國式古老時代的選舉，是由地方官參考輿論，把地方上公認是賢、良、方、正的人選出來（以現代名詞而言，是人才的分類，賢是賢，良是良，方是方，正是正，不要混爲一談，這是四個範圍）稱爲孝廉。中國文化以孝治天下，所以稱孝廉。到清朝時，考取了舉人，還是用孝廉公這個名稱，那是沿用漢朝的。漢朝奉行這樣的選舉制度，就取代了戰國時養士的制度，所以漢朝四百年天下，就可以定下來，到隋朝又開創以文章取士的考試辦法。到唐太宗統一天下以後，正式以漢朝地方選舉的精神，採用了隋朝考試取士的方法，綜合起來產生了唐朝考選進士的制度。所謂進士，就是將民間有才具的知識分子，提拔出來，進爲國士的意思。那時候考的秀才不是清代的秀才，清代的秀才是考試階級的一個名稱，秀才再考舉人，舉人再考進士，進士第一名是狀元。唐代的秀才，也便是進士的通稱，凡是學問好的、優秀的，都稱秀才。

唐太宗創辦了考試制度，錄取了天下才人名士以後，站在最高的台上，接受第一次錄取者朝見之後，忍不住得意地微笑道：「天下英雄盡入吾彀中！」他的意思是說，你看我這一玩，天下的英雄都自動來鑽進我的掌握中，再不會去造反了。有功名給你，有官給你做，只要你有本事，儘管來嘛！這是唐太宗的得意之處。蘇軾也說，建立了考試制度以後，就等於六國時候的「養士」，所以他認爲養士是很重要的事。以現在的觀點來說，就是智、辯、勇、力四種人，如果沒有安排很好的出路，沒有很好的歸宿，就是社會的大問題，也是政治的大問題。但是如何使他們得其養，又是個問題。起用是養，退休也是養。講到養，我們要想到前面所講的，犬馬也有所養呀！不是說有飯吃就得養了，僅僅這樣是養不了的。智辯勇力之士，有時候並不一定爲了吃飯。天生愛搗亂的人，如果沒有機會給他搗亂，他好像活不下去，若不要他搗亂，就得把他引入正途。這就是爲政教化的道理。

諸葛亮的誡子篇

平常一般人談到修養的問題，很喜歡引用一句話——「寧靜致遠，澹泊明志。」這是諸葛亮告誡他兒子如何作學問的一封信裡說的，現在先介紹原文：

「夫君子之行：靜以修身，儉以養德。非澹泊無以明志，非寧靜無以致遠。夫學須靜也，才須學也。非學無以廣才，非靜無以成學。慆慢則不能研精，險躁則不能理性。年與時馳，意與日去，遂成枯落，多不接世。悲守窮廬，將復何及！」

有人說文人都喜歡留名，其實，豈只文人喜歡把自己的著作留給後人。好名好利，是人心的根本病根，賢者難免。先不談古人，就拿現在來說，幾十年來，不知出版了多少著作，但其中能被我們放在書架上要保留它到二三十年的，又有幾本書？尤其現在流行的白話文章，看完了就丟，只有三分鐘的壽命，因為它缺乏流傳的價值。一本著作，能夠使人捨不得丟掉，放在書架上，才有流傳的可能。所以留名是很難的。清代詩人吳梅村說的：「飽食終何用，難全不朽名。」一點不錯。

所以古人又有一句名言說：「但在流傳不在多」。比如諸葛亮的一生，並不以文章名世，當然是他的功業蓋過了他的文章。而他的文章——只有兩篇《出師表》，不為文學而文學的寫作，卻成為千古名著，不但前無古人，也可說是後無來者，可以永遠流傳下去。他的文學修養這樣高，並沒有想成為一個文學家。從這一點我們也看到，一個事業成功的人，往往才具很高，如用之於文學，一定也會成為一個成功的文學家。文章、道德、事功，本難兼備，責人不必太苛。

諸葛亮除《出師表》外，留下來的都是短簡，文體內容簡練得很，一如他處世的簡單謹慎，幾句話，問題就解決了。看他傳記裡，孫權送他東西，他回信不過五六句話，把意思表達得非常清楚，就這麼解決了。

這一篇《誡子書》，也充分表達了他儒家思想的修養。所以後人講養性修身的道理，老實說都沒有跳出諸葛亮的手掌心。後人把諸葛亮這封信上的思想，換上一件衣服，變成儒家的。所以這封信是非常有名的著作。他以這種文字說理，文學的境界非常高，組織非常美妙，都是對仗工整的句子。作詩的時候，春花對秋月，大陸對長空，很容易對，最怕是學術性、思想性的東西，對起來是很難的。結果，諸葛亮把這種思想文學化。後來八股文也是這樣，先把題目標好，所謂破題，就是把主題的思想內涵的重心先表達出來。他教兒子以「靜」來做學問，以「儉」修身，儉不只是節省用錢，自己的身體、精神也要保養，簡單明瞭，一切乾淨俐落，就是這個「儉」字。「非澹泊無以明志」，就是養德方面；「非寧靜無以致遠」，就是修身治學方面；「夫學須靜也，才須學也。」是求學的道理；心境要寧靜才能求學，才能要靠學問培養出來，有天才而沒有學問修養，我們在孔子思想裡也說過的，「學而不思，思而不學」的論點，和「才須學也」的道理是一樣的。「非學無以廣才」，縱然是天才，如沒有學問，也不是偉大的天才。所以有天才，還要有廣博的學問。學問哪裡來的？求學來的，「非靜無以成學」。連貫的層次，連續性的對仗句子。「慆慢則不能研精」，慆慢也就是「驕傲」的這個「驕」字。講到這個「驕」字很有意思，我們中國人的修養，力戒驕傲，一點不敢驕傲。而且驕傲兩個字是分開用的：沒有內容而自以爲了不起是驕，有內容而看不起人爲傲，後來連起來用爲驕傲。而中國文化的修養，不管有多大學問、多大權威，一驕傲就失敗。孔子在《論語》中提到「如有周公之才之美，使驕且吝，其餘不足觀也已。」一個人即使有周公的才學，有周公的成就，假如他犯了驕傲和很吝嗇不愛人的毛病，這個人就免談了。

我們中國人力戒驕傲，現在外國文化一來，「我有了他真值得驕傲」這類的話就非常流行，視驕傲爲好事情，這是根據外國文字翻譯錯了，把驕傲當成好事。照中國文化規規矩矩翻譯，應該是「欣慰」就對了。這是幾十年來翻譯過來的東西，將錯就錯，積非成是，一下子沒辦法改的地方。但是爲了將來維護我們中國文化的傳統精神，是要想辦法的。有許多錯誤的東西，都要慢慢改，轉移這個社會風氣才是對的。

再回到本文「慆慢則不能研精」，慆就是自滿，慢就是自以爲對。主觀太强，那麼求學問就不能研精。「險躁則不能理性」，爲什麼用「險躁」？人做事情，都喜歡佔便宜走捷徑，走捷徑的事就會行險僥倖，這是最容易犯的毛病。尤其是年輕人，暴躁、急性子，就不能理性。「年與時馳，意與日去」，這個地方，有些本子是「志」字，而不是「意」字，大概「意」字才對，還是把它改過來。——年齡跟著時間過去了，三十一歲就不是三十歲的講法，三十二歲也不同於三十一歲了。人的思想又跟著年齡在變。「遂成枯落，多不接世。悲守窮廬，將復何及！」少年不努力，等到中年後悔，已經沒有法子了。

看諸葛亮這篇《誡子書》，同他作人的風格一樣，什麼東西都簡單明瞭。這道理用之於爲政，就是孔子所說的「簡」，用以持身，就是本文所說的「儉」。但是文學的修養，只是學問的一種附庸，這是作學問要特別注意的。

閒坐小窗讀周易

我經常對同學們說，有兩樣東西必需要學——佛學與《易經》。但這兩門學問，窮一輩子之力，並不易學通，也不需學通。不學通，永遠追求不到，似通非通的那個樣子，其味無窮，一輩子有事消遣——老了也不寂寞，越研究越有趣。古人說，「夜讀《易》」，如果夜裡讀《易經》，鬼神都受不了。我的經驗，是夜裡讀《易經》，保險睡不著覺。剛剛讀啊讀，看出一點明堂，便想弄個清楚，繼續看下去，等告一段落再睡，結果一段接一段，不知不覺天已經亮了。真是「閒坐小窗讀《周易》，不知春去幾多時」，一整個春天何時溜走了都不知道，這個味道很好。

各位手邊的《易經集注》，只是中國《易經》學問的一部分。這本書名《周易》，是周文王在羑里坐牢的時候研究《易經》所作的結論。我們儒家的文化、道家的文化，一切中國的文化，都是從文王著作了這本《易經》以後，開始發展下來的。所以諸子百家之說，都淵源於這本書，都淵源於《易經》所畫的這幾個卦。

事實上還有兩種《易經》，一種叫《連山易》。《連山易》是神農時代的易，所畫八卦的位置和《周易》的八卦位置是不一樣的。黃帝時代的易爲《歸藏易》。《連山易》以艮卦開始，《歸藏易》以坤卦開始，到了《周易》則以乾卦開始，這是三易的不同之處。

說到這裡，我們要有一個概念，現在的人講《易經》，往往被這一本《周易》範圍住了。因爲有人說《連山易》和《歸藏易》已經遺失了、絕傳了。事實上有沒有？這是一個大問題。可以說現在我們中國人所講的「江湖」中這一套東西，如醫藥、堪輿，還有道家這一方面的東西，都是《連山》、《歸藏》兩種易學的結合。《周易》這門學問中，有一個原則叫作「三易」，就是變易、簡易、不易。研究《易經》，先要了解這三大原則的道理。

第一所謂變易，是《易經》告訴我們，世界上的事，世界上的人，乃至宇宙萬物，沒有一樣東西是不變的。譬如我們坐在這裡，第一秒鐘坐下來的時候，已經在變了，立即第二秒鐘的情況又不同了。時間不同，環境不同，情感亦不同，精神亦不同。萬事萬物，隨時隨地，都在變中，非變不可，沒有不變的事物。所以學《易》先要知道「變」，高等智慧的人，不但知變而且能適應這個變，這就是爲什麼不學《易》不能爲將相的道理了。

第二簡易，是說宇宙間萬事萬物，有許多是我們的智慧知識沒有辦法了解的。我常常跟朋友們講，天地間「有其理無其事」的現象，那是我們的經驗還不夠。換句話說，宇宙間的任何事物，有其事必有其理；有這樣一件事，就一定有它的原理，只是我們的智慧不夠、經驗不足，找不出它的原理而已。而《易經》的簡易也是最高的原則，宇宙間無論如何奥妙的事物，當我們的智慧夠了，瞭解它以後，就變成平凡，而且非常簡單。我們看京劇裡的諸葛亮，伸出幾個手指，那麼輪流一掐，就知道過去未來。有沒有這個道理？有，有這個方法。古人懂了《易經》的法則以後，把八卦的圖案排在指節上面，再加上時間的關係、空間的關係，把數學的公式排上去，就可以推算出事情來。這就是把那麼複雜的道理，變得非常簡化，所以叫作簡易。

第三　不易，萬事萬物隨時隨地都在變，可是卻有一項永遠不變的東西存在，就是能變出萬象來的那個東西是不變的，那是永恆存在的。那個東西是什麼呢？宗教家叫它是「上帝」，是「神」，是「主宰」，是「佛」，是「菩薩」；哲學家叫它是「本體」；科學家叫它是「功能」。

我常常告訴同學，最好不要去鑽研《易》這門學問，如果鑽進去了，會同我一樣，爬不出來。如果一定要學，也最好只學一半；如果真把《易經》學通了，做人就沒有味道了。譬如要出門了，因爲「易學」通了，知道這次出門會跌倒，於是不出門了，一步都懶得動了。像這樣的人生還有什麼味道？所以我說學《易》最好只學一半，覺得奧妙無窮，如黑夜摸路，眼前迷迷茫茫，蠻有趣的；天完全亮了走路，眼前有一個坑，會掉下去，看得清清楚楚，於是不走了。

可是學通了《易經》非常乏味，何必去學？話雖這麼說，但學《易》真的通了，哪裡還用來講《易經》？我現在還來講《易經》，可見就是半吊子，還不通。

研究地理的二顧全書

講到中國的民族性，有一部書，是顧亭林的名著《天下郡國利病書》。明亡以後，顧亭林是始終不投降的。不過他高明，不投降當然清朝要嫉妒，可是他有本事，自己不投降，教學生到清朝作官，這樣也可以由學生保護他不投降，可是他自己在地下做策反的工作。他也很有錢，到一個地方娶一個太太，生了孩子又走了。他娶許多太太生許多孩子，他有他的道理，因爲反清復明是要滅族的，他這樣做是爲了要留一個根。他走遍天下，就寫了這部書。每個地方他都去看了，尤其是各省的軍事要地，都去看了。所以後來成爲研究中國地理、研究中國地方政治思想必讀的書。

第二部書是顧祖禹寫的《讀史方輿紀要》，也是研究政治地理、軍事地理最重要的書，現在讀來還有價值。這兩部書合起來稱爲「二顧全書」。當年凡是留意國家天下事的，尤其是研究軍事的人，都要讀的。在這部書當中，對於每一省先有一個總評，而且對地方性、民族性寫得很清楚，所以不妨找來研究。

說到這裡，就感到我們中國的確每個地方的民性各有不同之處。所以古代將領帶兵，對於何處的兵適於衝鋒，何處的兵適於後勤，何處的兵適於陸戰，何處的兵適於水戰，都大致要有個了解。所以清中興的湘軍、淮軍各有不同優點。政治也是如此。但是要注意一點，儘管地方民俗各地不同，但萬一有外力入侵的時候，一定團結一致，先把外來的侵略驅逐了再說。

地方性有如藥材，某種藥產在某一地方，別地產的就不行。像當歸這種藥，台灣也在培植生產，可是它的藥效就差。當歸最好的是甘陝出產的秦歸，其次是四川出產的，差一點點。現在研究阿里山氣候土質和甘陝一樣，但種植出來的當歸，藥效始終還是有問題。所以由於地理的關係，各地出的植物不同，出的人物個性也不同。因之古代出去當地方首長的，對於這一縣的縣志，這一省的省志這類資料，都應該先知道，當然能夠讀一下《讀史方輿紀要》更好，可以多一層了解。

紀曉嵐編書不寫書

清代乾隆年間，主編《四庫全書》的著名學者紀曉嵐曾經説過：「世間的道理與事情，都在古人的書中説盡，現在如再著述，仍超不過古人的範圍，又何必再多著述。」

紀曉嵐一生之中，從不著書，只是編書——整理前人的典籍，將中國文化作系統的分類，以便於後來的學者們學習。他自己的著作只有《閱微草堂筆記》一册而已。就因爲他持此一態度而爲學，自然讀書非常的多，了解得亦較他人深刻而正確，他對道家的學術，就下了八個字的評語：「綜羅百代，廣博精微。」「廣博」是包羅衆多，「精微」是精細到極致，微妙到不可思議的境界。

但是，道家的流弊也很大，畫符念咒、呑刀吐火之術，都變成了道家的文化，更且陰陽、風水、看相、算命、醫藥、武功等等，幾乎無一不包括在內，都屬於道家的學術。所以雖是「綜羅百代，廣博精微」，也因之產生了流弊。

說到紀曉嵐，順便講兩個笑話。紀曉嵐一生治學嚴謹，對學生的教育也很嚴格，近於苛求。一個學生寫了一篇文章拿給紀曉嵐看，他看完後，批了兩句詩：

兩個黃鸝鳴翠柳　一行白鷺上青天

這是杜甫的兩句名詩，這個學生莫名其妙，去問老師。紀曉嵐說：「兩個黃鸝鳴翠柳」，不知講些什麼；「一行白鷺上青天」，愈飛愈遠離題萬里。

還有一次，紀曉嵐在一個學生的文章上批上「放狗屁」三個字，這個學生覺得挺委屈，老師怎麼說我放狗屁，就去找紀曉嵐。紀曉嵐回答：說你的文章是「放狗屁」還算是好的，次一等的叫「狗放屁」，再次一等的叫「放屁狗」。

讀古書的方法

年輕人不要以爲無書可讀，世上的書實在是沒有讀完的時候，只要抓到一個問題，就夠你去鑽研半輩子了。

中國文化真是呆滯醜陋的嗎？我們不必歸罪於什麼理學家、道學家或哪一「家」上去，只是由於少數的讀書人，把觀念搞錯了，把大家的觀念帶到歧路上去。中國文化的本身，並非如此。歷史上，漢代的司馬遷就曾經就「貨利」的問題，正式提出來談經濟思想。當時別人都不大注重經濟問題，只有他特別注意，而在《史記》中寫了《貨殖列傳》，成爲中國經濟學上的第一篇傳記，也是中國討論經濟哲學思想的好著作。另外，《平準書》也是財政學上的重要資料。

司馬遷看法與衆不同，在當時大家看不起貨利的時候，他卻認爲貨利非常重要。他提出來的第一位經濟專家是姜太公，第二位是范蠡，第三位是孔子的天才學生子貢。

世界上不管哪一門學問，必須要從讀書求知識、受教育而建立基礎。但是書本上的知識，都是由前人的經驗累積所集成的產品，在你吸收了這些知識經驗以後，必須還要自己能夠消化，能夠加以發揮，產生出你自己新的見解，才是構成學問的最主要因素。如果呆呆板板地被它所範圍，那就變成了所謂的書呆子了。其實，書呆子的確也是人類文化的藝術產品，有他非常可愛的一面。但是，往往運用到現實的事務上，便又很可能流露出非常可厭的一面，成爲「百無一用是書生」的古人名言的反映了。

讀中國書，認中國字，不管時代怎樣演變，對於中國文字的六書——象形、指事、會意、形聲、轉注、假借，不能不留意。至少，談古代文字章法所寫成的古書，必須具備有「說文」六書的常識。

但因上古文字以簡化爲原則。一個方塊的中文字，便包涵人們意識思想中的一個整體觀念；有時只用一個中文字，但透過假借、轉注的作用，又另外包涵了好幾個觀念。不像外文或現代語文，用好幾個，甚至一二十個字，才表達出一個觀念。因此，以現代人來讀古書，難免會增加不少思索和考據上的麻煩。同樣的，我們用現代語體寫出的文字，自以爲很明白，恐怕將來也要增加後世人的許多麻煩。不過，人如不做這些瑣碎的事，自找麻煩，那就也太無聊，會覺得活著沒事可做似的。

讀古人的書很難，首先暫且不要去看前人的註解。前人也許比我們高明，但也有比我們不明的地方。因爲著書立說的人，難免都有先入爲主的觀念，除非真把古今各類書籍，讀得融會貫通，否則見識不多，隨便讀一本書，就把裡面別人的註解、觀念，當做稀有至寶，一古邋遢全裝進自己的腦袋瓜子裡去，成爲先入爲主的偏見。然後，再來看討論同樣的問題的第二本書，如果作者持著相反的意見，便認爲不對，認爲是謬論，死心眼地執著第一本書的看法，這不很可憐嗎？卻不曉得研究中國文化的圖書，幾千年下來，連篇累牘，不可勝數。光是一部《四庫全書》就堆積如山，而《老子》一書的註解，可說汗牛充棟，各家有各家的說法。有人讀得焦頭爛額，無法分清哪一種說法合理，只好想一套說詞，自圓其說。最後又再三推敲，自己又懷疑起來。因此，我們最好還是讀《老子》的原文，從原文中去找答案，去發現老子自己的註解。

如果要認真講來，古文寫作的文法和邏輯，實在是很認真的。只是古今文法運用不同，就顯出它的邏輯也有點矛盾。尤其古代由於印刷不發達，所以古文盡量要求字句簡練，一個字往往代表了一個觀念，含意又深又多，於是後世就難得讀懂了。

例如宋代歐陽修奉命修《唐史》的時候，有一天，他和那些助理的翰林學士們，出外散步，看到一匹馬在狂奔，踩死路上一條狗。歐陽修想試一試他們寫史稿作文章的手法，於是請大家以眼前的事，寫出一個提要——大標題。有一個說：「有犬臥於通衢，逸馬蹄而殺之。」有一個說：「馬逸於街衢，臥犬遭之而斃。」歐陽修說，照這樣作文寫一部歷史，恐怕要寫一萬本書也寫不完。他們就問歐陽修，那麼你準備怎麼寫？歐陽修說：「逸馬殺犬於道」六個字就清楚了。這便是古今文字不同的一例，再看第一個人的文字，就好像明代一般文字的句法。第二人的，好像宋代的句法。其實，時代愈向後來，思想愈繁複，文字的運用也就愈多了。

我曾經一再强調，我們後世之人讀古人的著作，常常拿著自己當代的思想觀念，或者現代語言文字的習慣，一知半解地對古人下了偏差的註解，歪曲了古人，這是何等的罪過。讀什麼時代的書，首先自己要能退回到原來那個時代的實際狀況裡去，體會當時社會的文物風俗，了解當時朝野各階層的生活心態，以及當時的語言習慣。如此掌握了一個時代文化思想創造的動源，看清這個歷史文化的背景所在，這才能避免曲解當時的哲學思想和文藝創作，並給予正確合理的評價。

比如，我們研究釋迦牟尼佛的經典，也要退回到二千多年前的古印度的農業社會，設身處地替當時的人民想一想。那時的印度是一個貧富差距極大，極不平等，到處充滿愚昧和痛苦的世界。假若你讀歷史，真能「人溺己溺，人飢己飢」地將自己整個投入，身歷其境，對那種痛苦如同親嘗，那麼方能真切地了解到釋迦牟尼佛何以會提倡「衆生平等」，何以會呼籲人人要有濟度一切衆生的行願，才能體會到當時的佛陀真正偉大之處。如果天下太平，世界本來就好好的，大家生活無憂無慮，什麼都不缺乏，汽車、洋房、冷暖氣，樣樣俱足，日子過得滿舒服的；即使比這種情況差一點，那也還甘之如飴，又何必期待你去救度個什麼？幫助個什麼呢？

書讀多了，便會覺得今古文章沒有什麼了不起的，所謂「千古文章一大抄」，於今尤烈！有人到中央圖書館、中央研究院或別的什麼地方，把幾十年前的報紙找出來，多抄幾篇報屁股的文章，都變成了新的。或者一瓶漿糊、一把剪刀，拼拼湊湊，就是一本書，新著作。還有的人叫學生研究了半天，把資料拿來，拼湊一番，就是著作。最近有一個學生，留學法國，暑假回來，找論文題目，他說法國老師要他作關於中國問題的某一個題目。我說天下烏鴉一般黑，中國老師這樣，外國教授也這樣。他根本不懂這個問題，所以指定你的博士論文作這個題目，他做指導老師，名義是他掛了，實際上是你替他研究，今日學術界，作學問都不老實，真是孔子講的「吾誰欺？欺天乎？」統統都是這樣幹。自己不懂的問題，要學生作論文，去研究。學生要想拿這個功名——學位，只好去找資料，苦死了。找來了以後都交給他，學生的學位完成了，他的知識也得到了，又不要費力氣。這是學術界的祕密，全世界一樣。決不像古人教學生是「傳道授業」的精神了。人老了，對這些也看透了，實在也不想看了。

李宗吾與厚黑學

李宗吾的《厚黑學》，聽說現在還很暢銷，台灣、香港、大陸，很多人都喜歡看。但是，現在的讀者可能不大了解這本書的歷史背景，了解李宗吾的人恐怕更少了。李宗吾是四川人，自稱「厚黑教主」。所謂厚黑，臉厚心黑也。我同李宗吾還有一段因緣，在我的印象裡，李宗吾一點也不厚黑，可以說還很厚道。

我同李宗吾認識大約在抗戰前期，具體日子記不起來了。那時，我在成都。成都是四川的首府，四川稱天府之國，很富庶。成都不像香港這樣的大都市，生活節奏那麼快，在我的印象裡，大家都很悠閒，到現在，我對成都還很懷念。

我從浙江輾轉來到成都，才二十出頭。我們這些外省人被稱爲「下江人」或「脚底人」。我那時一心想求仙學道，一心想學得飛劍功夫去打日本人。所以，我經常拜訪有名的、有學問的、有武功的人。

那時成都有個少城公園，裡面有茶座、有棋室。泡上一壺茶，坐半天一天都可以，走的時候再付錢。中間有事離開一下，只要把茶杯蓋翻過來放，么師，就是茶博士不會把它收掉。沒有錢的不喝茶也可以，么師問你喝什麼，你說喝玻璃，就會送來一玻璃杯的開水。這種農業社會的風氣現在大概都不再有了。

少城公園是成都名人賢士、遺老遺少聚會的地方，經常可以看到穿長袍、著布鞋的，也有各種各樣古怪的人。這些人正是我要尋找的人，所以，我就成了少城公園的常客。在那裡，我結識了梁子彥老先生，他學問很好，前清考過功名，當過安徽哪個縣的知事。我就拜他爲師，他給我講過幾次課。當時成都的文人名士中，有所謂五老七賢，都是很有學問的人。通過梁子彥先生的介紹，我認識了五老七賢中的好幾位，其中一位叫劉預波，七賢之一，那時已七十多歲了，詩詞、文章、字都好，他是融儒、佛、道於一家，稱列門教主。在這些人面前，我還是個孩子。我穿一身中山服，又是浙江人，蔣介石的同鄉，開始時，他們當中有的人對我有點懷疑，這個傢伙可能是蔣老頭子派來的。慢慢地，他們了解了，我只是想求學問道，也就不懷疑了，好幾個人還成了我的忘年交。

有一天，我正在少城公園裡同幾個前輩朋友喝茶下棋。這時，進來一個人，高高的個子，背稍微有點駝，戴一頂毡帽，面相很特別，像一個古代人。別人見他進來，都向他點頭，或過去打招呼。梁老先生也過去打招呼。我就問梁老先生，這位是誰。梁先生說：這個人你都不知道？他就是「厚黑教主」李宗吾，在四川是很有名的。梁先生就向我講起李宗吾的事情。我說我很想結識，請先生引薦。梁先生就把我帶過去，向李宗吾介紹：這位南某人是脚底人，是我的忘年交。我趕緊說：「久仰教主大名。」其實我是剛剛聽到他的名字，這種江湖上的客套總是要的。

於是「厚黑教主」請我們一起坐下喝茶、聊天。所謂聊天，就是大家聽這位厚黑教主在那裡議論時事、針砭時弊，講抗日戰爭，罵四川的軍閥，他罵這些人都不是東西。這是我第一次結識「厚黑教主」，後來，在少城公園的茶館裡常常能見到他。

有一次，「厚黑教主」對我說：「我看你這個人有英雄主義，很想當英雄，將來是會有作爲的。不過，我想教你一個辦法，可以更快地當上英雄。要想成功、成名，就要罵人，我就是罵人罵出名的。你不用罵別人，你就罵我，罵我李宗吾混蛋、該死，你就會成功。不過，你的額頭上要貼一張大成至聖先師孔子之位的紙條，你的心裡要供奉我『厚黑教主』李宗吾的牌位。」我當時沒有照他這個辦法做，所以沒有成名。

在同「厚黑教主」接觸了幾次之後，我對他很敬佩，這個人學問很好，道德也好，生活也很嚴肅。那時候他已經出版了好幾本書，有《厚黑經》、《厚黑叢談》、《生理與科學》，還有一本《中國教育制度初探》。他在省教育廳做過督學，對教育制度有些研究，他對當時引進西方的教育制度有不同看法，這方面我同他有相同的看法。

李宗吾的這些書，當年我都讀過，他學問好，文章寫得也好，屬於怪才一類。他的厚黑理論，拿現在的話説，就是懷疑歷史，懷疑權威，向權威挑戰。比如，人人都説堯舜是聖人，他就提了懷疑。他説這是他的發明，其實他前輩同宗明朝的李卓吾，已經開其先例。還有明朝末期的一些名士，也曾提出堯舜的禪位問題來討論過。《木皮散客鼓詞》裡也是懷疑堯舜的，其中有一段就説到堯是因爲自己的兒子無能，怕他將來保不住江山，被不相干的人奪去，就太可惜了。而見到舜很孝順，又有能力，所以就把自己的兩個女兒嫁給舜，把舜收爲自己的女婿。女婿有半子之分，由女婿即位做了皇帝，那麼，自己的兒孫還是可以享受榮華富貴的。李宗吾的《厚黑學》立論，完全是從李卓吾和《木皮散客鼓詞》上學來的。甚至，李宗吾的名字也是他自己後來改的，可見他受李卓吾的影響是多麼大。

李宗吾的厚黑理論，對歷史上的人物，都是採取批評的態度，而且往往同一般人的見解不同。比如他對三國人物的評價，認爲劉備臉厚，曹操心黑，孫權是心黑臉厚都有一點，但是都不到家。他把歷史上的人物差不多罵遍了，他是借古諷今。他對當時的社會不滿，對當時的大人物們不滿，也差不多罵遍了。對蔣介石他也不佩服，但在我面前，他從來不提蔣介石的事。對四川當時的軍閥，他更是罵得厲害。

四川當年軍閥統治很厲害，像劉湘、劉文輝這些人。劉文輝後來參加抗戰，老百姓表面不敢反抗這些軍閥，但底下都罵他們。像李宗吾這樣敢於罵軍閥的人，不只他一個，我認識的劉師亮、謝无量都有罵軍閥的傑作傳開來。比如，劉湘殺人太多，殺人像剃頭。劉師亮就作過一首詩：

問到頭可剃　人人都剃頭
有頭皆可剃　不剃不成頭
剃之由他剃　頭還是我頭
請看剃頭者　人也剃其頭

這首詩意思很明白，劉湘到處殺人，總有一天，你也會被人殺掉。後來，蔣介石殺了韓復榘，據說劉湘聽到這個消息，被嚇死了。

這是講當年四川軍閥統治的情況。我們這位「厚黑教主」一天到晚在罵軍閥，罵社會上的黑暗現象，自然被人討厭，尤其是軍閥，都想抓他，甚至殺他。重慶的國民黨中央黨部對李宗吾也很討厭，認爲他散布的言論不利於民心士氣，想抓但找不到把柄，因爲李宗吾一不是共產黨，二不反對抗日，所以後來一直也沒有抓他。不過，我是知道有人想抓他的，因爲我有幾個朋友在政界做事。

有一次，我就對他講：「老師，你就不要再講厚黑學了，不要再寫文章罵人了。」他說：「不是我隨便罵人，每個人都是臉厚心黑，我只不過把假面具揭下來。」我說：「聽說中央都注意你了，有人要抓你。」他說：「兄弟，這個你就不懂了。愛因斯坦與我同庚，他比我還小幾個月，他發明了相對論，現在是世界聞名的科學家。而我現在還在四川，還在成都，還沒有成大名。我希望他們抓我，我一坐牢，就世界聞名了。」

李宗吾後來沒有被抓，也沒有世界聞名。他曾經對我說：「我的運氣不好，不像蔡元培、梁啟超那樣。」不過，他的《厚黑學》流傳了半個多世紀，還有那麼多人喜歡讀，恐怕是他自己沒有預料到的。他那個「厚黑教主」，完全是自封的，他也沒有一個教會組織，也沒有一個教徒，孤家寡人一個。當年，他的書很多人喜歡讀，但許多人不敢同他來往，怕沾上邊。我不怕，一直同他來往。

過了一兩年，我有事到雲南、西康、四川邊界，那裡是我活動的地盤。幹了一年多，不想幹了，就回到了成都。這時，聽說我的一個朋友，在杭州認識的和尚去世了，他死在自流井，就是現在的自貢。我欠他的情，自流井一定要去一趟。我的好朋友錢吉，也是個和尚，陪我去。我們走了八天，從成都走到自流井，找到了那個朋友的墳墓，燒了香，磕了頭。

從自流井回成都，還要八天，我們身上的盤纏快沒有了，正在發愁，我突然想起，「厚黑教主」李宗吾老家就在這裡。李宗吾是個名人，他家的地址一打聽就打聽到了。他家的房子挺大，大門洞開。過去農村都是這樣，大門從早上打開，一直到晚上才關上，不像現在香港，門都要關得嚴嚴的。我們在門口一喊，裡面迎出來的正是「厚黑教主」，他一看見我，很高興，問：「你怎麼來了？」我說，我來看一個死人朋友。他誤解了，以為我在打趣他，說：「我還沒有死啊！」我趕緊解釋。他看我們那個疲憊的狼狽相，馬上安排做飯招待我們，現殺的雞，從魚塘撈出的活魚，現摘的蔬菜，吃了一頓正宗的川菜。酒足飯飽之後，我就開口向他借錢。我說：「教主，我是無事不登三寶殿，回成都沒有盤纏了。」他說：「缺多少？」我說：「十塊錢。」他站起來就到裡屋，拿出一包現大洋遞給我，我一掂，不止十塊錢，問他多少，他說二十塊。我說太多了，他說拿去吧。我說不知什麼時候能還，他說先用了再說。從我借錢這件小事上看，

「厚黑教主」的爲人道德，他一點兒也不厚黑，甚至是很誠懇，很厚道的。

飯後聊天的時候，他突然提出來叫我不要回成都了，留下來。我說留下來幹什麼，他說：「你不是喜歡武功嗎？你就在這裡學，這裡有一個趙家坳，趙家坳有一個趙四太爺，武功很是了不起。」他接著向我介紹趙四太爺的情況。趙四太爺從小就是個瘸子，但是功夫很好，尤其是輕功。他穿一雙新的布底鞋，在雪地裡走上一里多地的來回，鞋底上不會沾上一點污泥。他教了一個徒弟，功夫也很好，但這個徒弟學了功夫不做好事，而幹起採花的勾當，就是夜裡翻牆入室，强姦民女。趙四太爺一氣之下，把這個徒弟的功夫廢了，從此不再授徒傳藝。

「厚黑教主」覺得趙四太爺的功夫傳不下來，太可惜了，就竭力鼓勵我留下來跟他學。我說他都停止收徒了，我怎麼能拜他爲師。他說：「你不一樣，因爲你是浙江人，趙四太爺的功夫就是跟一對浙江來的夫婦學的。我推薦你去，他一定會接受。」他說，跟趙四太爺學三年，學一身武功，將來當個俠客也不錯。他還提出，這三年我的生活費由他負擔。我看他一片誠意，不好當面拒絕。學武功挺有吸引力，只是三年時間太長了，我說容我再考慮考慮。

當晚，我和錢吉回客棧過夜。第二天一早，李宗吾來到了客棧，還是勸我留下來學武功，我最後還是推辭了，他直覺得遺憾，說：「可惜，真可惜。」我又回到了成都。

不久，我到峨嵋山閉關三年，同外界斷絕了來往，對外面的人事滄桑都不了解。只有從山下挑米回來的小和尚，偶爾帶回一點外面新聞。和尚是化外之人，對抗戰這些消息不是太關心，加上小和尚也不懂，所以聽不到這方面的消息。有一天，小和尚回來說：「厚黑教主」李宗吾去世了。我聽了心裡很難過。我借他的二十塊現大洋還沒有還，也沒法還了。我就每天給他唸金剛經，超度他。「厚黑教主」李宗吾造孽太大了，罵了那麼多人，他的《厚黑學》，有些年輕人讀了，不知他的真實用意，真的照著臉厚心黑去做了，又害了多少年輕人。我只有唸金剛經，還他的債，還他的情。後來聽說他死的時候很安詳，也算壽終正寢了。

第五章　談典與論人

李斯的老鼠哲學

我們都知道孔子傳道給曾子，曾子寫了篇心得報告《大學》。曾子傳道給孔子的孫子子思，子思又寫了篇心得報告《中庸》。子思則傳道給孟子，孟子不錯，寫了不少論文。至於荀子，也有一部著作傳世，但到底有點摻水了。而且他的學生出了幾個半吊子，像李斯、吳起這些人便是例子。

就李斯來說吧！我們如果講政治哲學史，李斯的哲學是什麼呢？我們可以叫他是老鼠哲學。什麼是老鼠哲學呢？先要了解人類思想與歷史演變有絕對關係，我們只要翻開《史記》一看《李斯傳》，就可知道李斯的老鼠哲學了。李斯少年時跟荀子唸書，他當時很窮，時代到了孟子以後的戰國末期，人都現實了。世界越亂，人心越現實；國家社會安定了，仁義之心、道德之行才比較常見。

李斯的思想，後來影響秦始皇，就是被現實所困而來。他有一天上厠所，不是現在的抽水馬桶，是古時農村社會的大糞坑。又深又大，坑上放一塊木板，人就蹲在板上大便，謂之蹲坑。這種糞坑，更重疊遠望如高樓。坑深的，大便落坑，時間長，聲音大，每把偷糞吃的老鼠驚嚇逃散。一天，李斯這個窮小子蹲坑，看到糞坑老鼠，又小又瘦，見人驚逃的倉皇樣子，十分可憐。後來又看到米倉中偷米吃的老鼠，又肥又大，看見人來，不但不走避，反而瞪瞪眼很神氣的樣子。李斯覺得很奇怪，仔細一想，結果給他悟出一個現實的道理來了。原來又瘦又小見人就逃的老鼠，是無所憑藉；而又肥又大見人不避的米倉老鼠，是有所憑藉的。分別在此而已。

憑藉，就是有本事，有靠山，或有本錢之類。李斯悟出道理以後，於是向老師荀子報告，不要讀書了。荀子問他不讀書要去幹什麼？他說要去遊說諸侯，求功名富貴。荀子說，你還不行，學問還沒有成就。李斯說，人窮到飯都沒得吃，還去講什麼學問道德？這像什麼話！老師一聽這種話就說，你這個學生這種思想真糟，你去吧！就這樣把李斯開除了。結果李斯碰到秦始皇這樣一個混蛋，兩個搞在一起，於是把一個國家搞得民不聊生。「鼠目寸光」，只搞老鼠哲學注重現實，不知仁義道德爲何物的結果。自秦始皇身死沙丘之後，李斯也自家難保。所以在他父子臨刑的時候，他對兒子說：「此時要想和你牽黃犬出東門也不可能了。」

李斯搞老鼠哲學，爲什麼會被他弄成功呢？這就要看當時的環境。春秋戰國三四百年動亂下來，民窮財盡，不止經濟上貧困，人才也都完了。真正人才的培養，總要百多年來的安定社會才行。不談別的，就說溥儒的畫吧！人家說真好，別無第二人。我說你認爲溥儒的藝術好，但可知他成本多大？滿清以孤兒寡婦率領了兩三百萬人入關。三百年來稱帝，在宮廷裡就培養了這樣一個藝術家。你說成本多大？譬如李後主的詞好。當然好！「車如流水馬如龍，花月正春風。」真好！但成本多大？一個萬乘之尊，玩掉了一個國家，才寫出這樣的詞。別人的確寫不出，在氣魄上，沒當皇帝的人，硬寫不出那種境界。如果是個窮小子站在台北西門町的大街上，可能便寫「車如流水馬如龍，口袋太空空。」所以說一個國家的人才，要幾百年社會安定的文化才能培養得出來。但戰爭一來，又都光了。因此到了戰國時代，只有蘇秦、張儀這個半吊子的同學，玩弄了天下。他們是當時的驕子，如果把春秋時代的子貢、子路這班人才，來與蘇秦、張儀相比，子貢、子路一定連正眼都不看他們。可是到了戰國末期，像蘇秦、張儀等的人才，也過去了，如李斯這些人居然也出來旋乾轉坤，大擺烏龍了。由此可見當時人才之荒的嚴重。歷史是要這樣看、這樣讀的。不能光讀故事，要把環境、地理，一切搞清楚才能瞭解。到了漢高祖、項羽出來的時候，人家說漢高祖是流氓出身。那時候，沒有什麼流氓不流氓，四百多年戰爭打下來，再給秦始皇、李斯兩個傢伙一搞以後，根本天下人個個都是如此，又豈只是漢高祖？文化的重行建立，是在漢文帝、漢武帝的時候，其中有近百年空檔，幾乎可以說沒有文化。所以漢文、漢武對於文化整建的功勛，的確是可圈可點的。

漢武帝奶媽的故事

「漢武帝乳母，嘗於外犯事。帝欲申憲，乳母求東方朔。朔曰：此非脣舌所爭，而必望濟者，將去時，但當屢顧帝，愼勿言此，或可萬一冀耳。乳母既至，朔亦侍側，固謂曰：汝癡耳！帝今已長，豈復賴汝哺活耶！帝凄然即敕免罪。」——《史記》載救乳母者，爲郭舍人，現在據劉向《說苑》等記，說是東方朔。姑且認爲是東方朔，較有趣味。

在歷史的記載上的漢武帝，有人說他是「窮兵黷武」，與秦始皇並稱，同時也是歷史上的明主。漢武帝有個奶媽，他自小是由她帶大的。歷史上皇帝的奶媽經常出毛病，問題大得很，因爲皇帝是她的乾兒子，這奶媽的無形權勢，當然很高，因此，「嘗於外犯事」，常常在外面做些犯法的事情。「帝欲申憲」，漢武帝也知道了，準備把她依法嚴辦。皇帝真發脾氣了，就是奶媽也無可奈何，只好求救於東方朔，東方朔在漢武帝面前，是有名的可以調皮耍賴的人。漢武帝與秦始皇不同，至少有兩個人他很喜歡，一個是東方朔，經常與他幽默——滑稽、説笑話，把漢武帝弄得啼笑皆非。但是漢武帝很喜歡他，因爲他説的做的都很有道理。另一個是汲黯，他人品道德好，經常在漢武帝面前頂撞他，他講直話，使漢武帝下不了台。由此看來，這位皇帝獨對這兩個人能夠容納重用，雖然官做得並不很大，但非常親近，對他自己經常有中和的作用。所以，東方朔在漢武帝面前，有這麼大關係。奶媽想了半天，不能不求人家。皇帝要依法辦理，實在不能通融，只好來求他想辦法。他聽了奶媽的話後，説道：此非脣舌所爭——奶媽，注意啊！這件事情，只憑嘴巴來講，是沒有用的。因此，他教導奶媽説：「而必望濟者，將去時，但當屢顧帝，愼勿言此，或可萬一冀耳！」你要我真幫忙你，又有希望幫得上忙的話，等皇帝下命令要辦你的時候，一定叫把你拉下去，你被牽走的時候，什麼都不要説，皇帝要你滾只好滾了，但你走兩步，便回頭看看皇帝，走兩步，又回頭看看皇帝，千萬不可要求說：「皇帝！我是你的奶媽，請原諒我吧！」否則，你的頭將會落地。你什麼都不要講，餵皇帝吃奶的事更不要提。「或可萬一冀耳！」或者還有萬分之一的希望，可以保全你。

東方朔對奶媽這樣吩咐好了，等到漢武帝叫奶媽來問：「你在外面做了這許多壞事，太可惡了！」叫左右拉下去法辦。奶媽聽了，就照著東方朔的吩咐，走一兩步，就回頭看看皇帝，鼻涕眼淚直流。東方朔站在旁邊說：你這個老太婆神經嘛！皇帝已經長大了，還要靠你餵奶吃嗎？你就快滾吧！東方朔這麼一講，漢武帝聽了很難過，心想自己自小在她的手中長大，現在要把她綁去砍頭，或者坐牢，心裡也著實難過，又聽到東方朔這樣一罵，便說算了，免了你這一次的罪吧！以後可不要再犯錯了。「帝凄然，即敕免罪」。

像這一類的事，看起來，是歷史上的一件小事，但由小可以概大。此所以東方朔的滑稽，不是亂來的。他是以滑稽的方式，運用了「曲則全」的藝術，救了漢武帝的奶媽的命，也免了漢武帝後來的內疚於心。

假如東方朔跑去跟漢武帝說：「皇帝！她好或不好，總是你的奶媽，免了她的罪吧！」那皇帝就更會火大了。也許說：奶媽又怎麼樣，奶媽就有三個頭嗎？而且關你什麼事，你爲什麼替她說情？可能她的犯罪，都是你的壞主意吧！同時把你的講話傢伙也一齊砍下來。那就吃不消了。他這樣一來，一方面替皇帝發了脾氣，你老太婆神經病，十三點！如此一罵，皇帝難過了，也不需要再替她求情，皇帝自己後悔了，也不能怪東方朔，因爲東方朔並沒有請皇帝放她，是皇帝自己放了她，恩惠還是出在皇帝身上，這就是「曲則全」。

劉備與淫具

「（先主）劉備在蜀，時天旱，禁私釀，吏於人家，索得釀具，欲論罰。簡雍與先主遊，見男女行道，謂先主曰：『彼欲行淫，何以不縛？』先主曰：『何以知之？』對曰：『彼有其具』。先主大笑而止。」

三國時代，劉備在四川當皇帝，碰上天旱，爲了求雨，乃下令不准私人家裡釀酒，就如現在政府命令，不准屠宰類同。因爲釀酒，也會浪費米糧和水，就下令不准釀酒。命令下達，執行命令的官吏，在執法上就發生了偏差，有的在老百姓家中搜出做酒的器具來，也要處罰。老百姓雖然沒有釀酒，而且只搜出以前用過的一些做酒工具，怎麼可算是犯法呢？但是執行的壞官吏，一得機會，便「乘時而駕」，花樣百出，不但可以邀功求賞，而且可以藉故向老百姓敲詐、勒索，報上去說：某人家中，搜到釀酒的工具，必須要加處罰，輕則罰金，重則坐牢。雖然劉備的命令，並沒有說搜到釀酒的工具要處罰，可是天高皇帝遠，老百姓有苦無處訴，弄得民怨處處，可能會醞釀出亂子來。簡雍是劉備的妻舅。有一天，簡雍與劉備兩郎舅一起出遊，順便視察，兩人同坐在一輛車子上，正向前走，簡雍一眼看到前面有個男人與一個女人在一起走路，機會來了，他就對劉備說：「這兩個人，準備姦淫，應該把他倆捉起來，按姦淫罪法辦。」劉備說：「你怎麼知道他們兩人欲行姦淫？又沒有證據，怎可亂辦呢！」簡雍說：「他們兩人身上，都有姦淫的工具啊！」劉備聽了哈哈大笑說：「我懂了，快把那些有釀酒器具的人放了吧。」這又是「曲則全」的一幕鬧劇。

當一個人發怒的時候，所謂「怒不可遏，惡不可長」。尤其是古代帝王專制政體的時代，皇上一發了脾氣，要想把他的脾氣堵住，那就糟了，他的脾氣反而發得更大，不能堵的，只能順其勢——「曲則全」——轉個彎，把他化掉就好了。這是說身為大臣，做人家的幹部，尤其是做高級幹部，必須要善於運用的道理。

齊景公的劊子手

「齊有得罪於景公者，公大怒。縛至殿下，召左右肢解之，敢諫者誅。晏子左手持頭，右手磨刀，仰面問曰：『古者明王聖主肢解人，不知從何處始。』公離席曰：『縱之，罪在寡人。』」

周朝，春秋時代的齊景公，在齊桓公之後，也是歷史上的一位明主。他擁有歷史上第一流政治家晏子——晏嬰當宰相。當時有一個人得罪了齊景公，齊景公乃大發脾氣，抓來綁在殿下，要把這個人一節節的砍掉。古代的「肢解」，是手腳四肢、頭腦胴體一節節的分開，非常殘酷。同時齊景公還下命令，誰都不可以諫阻這件事，如果有人要諫阻，便要同樣的肢解。皇帝所講的話，就是法律。晏子聽了以後，把袖子一捲，裝得很凶的樣子，拿起刀來，把那人的頭髮揪住，一邊在鞋底下磨刀，做出一付要親自動手殺掉此人爲皇帝洩怒的樣子。然後慢慢地仰起頭來，向坐在上面發脾氣的景公問道：「報告皇上，我看了半天，很難下手，好像歷史上記載堯、舜、禹、湯、文王等這些明王聖主，要肢解殺人時，沒有說明應該先砍哪一部分才對？請問皇上，對此人應該先從哪裡砍起才能做到像堯舜一樣地殺得好？」齊景公聽了晏子的話，立刻警覺，自己如果要做一個明王聖主，又怎麼可以用此殘酷的方法殺人呢！所以對晏子說：「好了！放掉他，我錯了！」這又是「曲則全」的另一章。

晏子當時為什麼不跪下來求情說：「皇上！這個人做的事對君國大計沒有關係，只是犯了一點小罪，使你萬歲爺生氣，這不是公罪，私罪只打二百下屁股就好了，何必殺他呢！」如果晏子是這樣地為他求情，那就糟了，可能火上加油，此人非死不可。他為什麼搶先拿刀，要親自充當劊子手的樣子？因為怕景公左右，有些莫名其妙的人，聽到主上要殺人，拿起刀來就砍，這個人就沒命了。他身為大臣，搶先一步，把刀拿著，頭髮揪著，表演了半天，然後回頭問老闆，從前那些聖明皇帝要殺人，先向哪一個部位下手？我不知道，請主上指教是否是一刀刀的砍？意思就是說，你怎麼會是這樣的君主，會下這樣的命令呢？但他當時不能那麼直諫，直話直說，反使景公下不了台階，弄得更糟。所以他便用上「曲則全」的諫勸藝術了！

大概把這些歷史故事了解以後，可作人生作人處事的參考。世間有很多事情都是如此，即使家庭骨肉之間朋友之道，也是一樣。人非修學不可，讀了書要學以致用，但有時候書雖讀得多，碰到事情的現場，脾氣一來，把所讀的書都丟掉了，那就沒有辦法辦事了。

能進能退的郭子儀

從事功方面來講，受到老子思想的影響，建立一代事功的帝王，嚴格說來，只有漢文帝和清初的康熙。康熙運用黃老之道的成就，更有過於漢文帝。

漢文帝是老老實實地實行老子的哲學來治國，奠定兩漢四百年的劉家天下。康熙是靈活運用黃老的法則，開建清朝統一的局面，以十多歲的少年，處在內有權臣、外有強藩的局面。而能除鰲拜，平三藩，內開博學鴻詞科以網羅前明遺老，外略蒙藏而開拓疆土，都自然而然地合於老子的「沖而用之或不盈」、「挫其銳，解其紛」的法則。他還特地頒發《老子道德經》，囑咐滿族親王們加以研讀，奉為領導學的聖經寶典。

至於歷史上名將相的事功，則有中唐名將郭子儀與名相李泌。

郭子儀，是道道地地經過考試錄取的武舉異等出身，歷任軍職，到了唐玄宗（明皇）天寶十四年，安祿山造反，才開始詔命他為衛尉卿、靈武郡太守、克朔方節度使，屢戰有功。當唐明皇倉皇入蜀，皇太子李亨在靈武即位、後來稱號的唐肅宗，拜郭子儀爲兵部尚書、同中書門下平章事，仍總節度使的職位。轉戰兩年之後，郭子儀從帝子出任元帥的廣平王李豫，統率番漢兵將十五萬，收復長安。肅宗曾親自勞軍灞上，並且對他說：「國家再造，卿力也。」但在戰亂還未平靖、到處尚須用兵敉平的時候，恐怕郭子儀、李光弼等功勞太大，難以駕馭，便不立元帥，而派出太監魚朝恩爲觀軍容宣尉使來監軍。

一個半男半女的太監，又懂得什麼，但他卻代表了朝廷和皇帝，處處加以阻撓，動輒掣肘，致使王師雖衆而無統率。在戰場上，各個將領就互相觀望，進退失據。不得已，又詔郭子儀爲東畿山南東道河南諸道行營元帥，魚朝恩因此更加忌妒，密告郭子儀許多不是，因此又召郭子儀交還兵權，回歸京師。郭子儀接到命令，不顧將士的反對，瞞過部下，獨自溜走，奉命回京閒居，一點也沒有怨尤的表示。

接著，史思明再陷河洛，西戎又逼據首都，經朝廷的公議，認爲郭子儀有功於國家，現在正當大亂未靖，不應該讓他閒居散地。肅宗才有所感悟，不得已，詔他爲諸道兵馬都統，後來又賜爵爲汾陽王。可是這時候的唐肅宗已經病得快死了，一般臣子都無法見到。郭子儀便再三請求說：「老臣受命，將死於外，不見陛下，目不瞑。」因此才得引見於內寢，此時肅宗親自對郭子儀說：河東的事，完全委託你了！

肅宗死後，當時和郭子儀併肩作戰、收復兩京的廣平王李豫繼位，後來稱號爲唐代宗。又因親信程元振的讒言，暗忌宿將功大難制，罷免了郭子儀的一切兵權職務，只派他爲監督修造肅宗墳墓的山陵使而已。郭子儀愈看愈不對，一面盡力修築好肅宗的墳墓，一面把肅宗當時所賜給他的詔書敕命千餘篇（當然包括機密不可外洩的文件），統統都繳還上去，才使代宗有所感悟，心生慚愧，自詔說：「朕不德，詒大臣憂，朕甚自愧，自今公毋疑。」

跟著，梁崇義竊據襄州。叛將僕固懷恩屯汾州，暗中約召回紇、吐番寇河西、踐涇州、犯奉天、武功。代宗也同他的祖父唐明皇一樣，離京避難到陝州。不得已，又匆匆忙忙拜郭子儀爲關內副元帥，坐鎮咸陽。這個時候，郭子儀因罷官回京以後，平常所帶的將士，都已離散，身邊只有老部下數十個騎士。他一接到詔命，只好臨時湊合出發，借民兵來補充隊伍，一路南下，收集逃兵數將，加以整編，到了武關，又收編駐關防的部隊，湊了幾千人。後來總算碰到舊日的部將張知節來迎接他，才在洛南擴大閱兵，屯於商丘。因此，又是軍威大震，使得吐番夜潰遁去，再次收復兩京。

大概介紹了郭子儀個人歷史的幾個重點，就可以看出他的立身處事，真正做到「用之則行，舍之則藏」，不怨天，不尤人的風格。他帶兵素來以寬厚著稱，對人也很忠恕。在戰場上，沉著而有謀略，而且很勇敢。朝廷需要他時，一接到命令，不顧一切，馬上行動。等到上面懷疑他，要罷免他時，也是不顧一切，馬上就回家吃老米飯。所以屢黜屢起，國家不能沒有他。

另兩件有關他個人的行誼。一是關於他與監軍太監魚朝恩的恩怨，在當時的政治態勢上，是相當嚴重的，魚朝恩曾經派人暗地挖了郭子儀父親的墳墓。當唐代宗大曆四年的春天，郭子儀奉命入朝。到了郭子儀回朝，朝野人士都恐怕要掀起一場大風暴，代宗也爲了這件事，特別弔唁慰問。郭子儀卻哭著說：我在外面帶兵打仗，士兵們破壞別人的墳墓，也無法完全照顧得到，現在我父親的墳墓被人挖了，這是報應，不必怪人。

魚朝恩便來邀請他同遊章敬寺，表示尊敬和友好。這個時候的宰相元載，也不是一位太高尚的人物。元載知道了這個消息，怕魚朝恩拉攏郭子儀，問題就大了。這種政壇上的人事糾紛，古今中外，都是很頭痛的事。因此，元載派人祕密通知郭子儀，說魚朝恩的邀請，是對他有大不利的企圖，要想謀殺他。郭子儀的門下將士，聽到這個消息，極力主張要帶一批武裝衛隊去赴約。郭子儀卻毅然決定不聽這些謠傳，只帶了幾個必要的家僮，很輕鬆地去赴會。他對部將們說：「我是國家的大臣，他沒有皇帝的命令，怎麼敢來害我。假使受皇帝的密令要對付我，你們怎麼可以反抗呢？」就這樣他到了章敬寺，魚朝恩看見他帶來幾個家僮們戒備性的神情，就非常奇怪地問他有什麼事。於是郭子儀老老實實告訴他外面有這樣的謠傳，所以我只帶了八個老家僮來，如果真有其事，免得你動手時，還要煞費苦心地布置一番。他這樣的坦然説明，感動得魚朝恩掉下了眼淚説：「非公長者，能無疑乎！」如果不是郭令公你這樣長厚待人的大好人，這種謠言，實在叫人不能不起疑心。

另有一則故事，是在郭子儀的晚年，他退休家居，忘情聲色來排遣歲月。那個時候，後來在唐史《奸臣傳》上出現的宰相盧杞，還未成名。有一天，盧杞來拜訪他，他正被一班家裡所養的歌伎們包圍，正在得意地欣賞玩樂。一聽到盧杞來了，馬上命令所有女眷，包括歌伎，一律退到大會客室的屏風後面去，一個也不准出來見客。他單獨和盧杞談了很久，等到客人走了，家眷們問他：「你平日接見客人，都不避違我們在場，談談笑笑，爲什麼今天接見一個書生卻要這樣的慎重。」郭子儀説：「你們不知道，盧杞這個人，很有才幹，但他心胸狹窄，睚眥必報。長相又不好看，半邊臉是青的，好像廟裡的鬼怪，你們女人最愛笑，沒有事也笑一笑。如果看見盧杞的半邊藍臉，一定要笑，他就會記恨在心，一旦得志，你們和我的兒孫，就沒有一個活得成了！」不久盧杞果然作了宰相，凡是過去有人看不起他，得罪過他的，一律不能免掉殺身抄家的寃報。只有對郭子儀的全家，即使稍稍有些不合法的事情，他還是曲予保全，認爲郭令公非常重視他，大有知遇感恩之意。

講到這裡，忽然想到另外一則李太白與郭子儀有關的故事。在郭子儀初出茅廬，擔當小軍官時候，因爲不小心犯了軍法，而被扣押。這件事情被李白知道了。李白早就非常器重這位少壯軍官，一聽到消息，就來找到郭子儀的長官說情，這個長官也是李白的朋友，因此就從輕處置，平安無事。等到後來安祿山造反以後，天寶十五年，李白在江西潯陽，卻和另一位李家的帝子、永王李璘相識，拉他參加幕府。永王名義上是起兵勤王，實際上也想趁機上台當皇帝，因此而違抗肅宗的東巡詔命，結果兵敗於丹陽，李白也受到牽累，在潯陽坐牢，後來又要被流放到夜郎。好在郭子儀已收復兩京，名震一時，功勞又大，他知道李白的受到牽連致罪，就拿他的戰功極力保奏，李白才蒙赦免。這件歷史故事記載在唐人的詩話中，是否真實，我們不講考據。不過一個名士和一個名將的知遇結合，卻是人們情願相信確有其事；而且也顯見古人長厚、好人好事的一報還一報，很是痛快淋漓。因此昔日女詩人汪小蘊，在論史詩中有關郭子儀的名句有一代威名邁光弼，千秋知己屬青蓮。青蓮是李白的別號。

史載郭子儀年八十五而終。他所提拔的部下幕府中，有六十多人，後來皆爲將相。

八子七婿，皆貴顯於當代。「天下以其身爲安危者殆三十年，功蓋天下而主不疑，位極人臣而衆不嫉，窮奢極慾而人不非之。」歷代歷史上的功臣，能夠做到功蓋天下而主不疑，位極人臣而衆不嫉，窮奢極慾而人不非，實在太難而特難。

半個芋頭十年宰相

李泌，是中唐史上特出的人物，他幾乎都和郭子儀相終始，身經四朝——玄宗、肅宗、代宗和德宗，參與宮室大計，輔翼朝廷，運籌帷幄，對外策劃戰略，配合郭子儀等各個將領的步調，使其得到成功，也可以說是肅宗、代宗、德宗三朝天下的重要人物。只是因他一生愛好神仙佛道，被歷來以儒家出身、執筆寫歷史的大儒們主觀我見所摒棄，在一部中唐變亂史上，輕輕帶過，實在不太公平。其實，古今歷史，誰又敢說它是絕對公平的呢？說到他的澹泊明志，寧靜致遠，善於運用黃老撥亂反正之道的作爲，實在是望之猶如神仙中人。

李泌幼年便有神童的稱譽，已能粗通儒、佛、道三家的學識。在唐玄宗（明皇）政治最清明的開元時期，他只有七歲，已經受到玄宗與名相張說、張九齡的欣賞和獎愛。

有一次，張九齡準備拔用一位才能不高、個性比較軟弱，但肯聽話的高級臣僚。李泌雖然年少，跟在張九齡身邊，便很率直地對張九齡說：「公起布衣，以直道至宰相，而喜軟美者乎！」相公你自己也是平民出身，處理國家大事，素來便有正直無私的清譽，難道你也喜歡低聲下氣而缺乏節操和能力的軟性人才嗎？張九齡聽了他的話，非常驚訝，馬上很慎重地認錯，改口叫他小友。

李泌到了成年的時期，非常博學，而且對《易經》的學問，更有心得。他經常尋訪嵩山、華山、終南等名山之間，希望求得神仙長生不死的方術。到了天寶時期，玄宗記起他的幼年早慧，特別召他來講《老子》，任命他待詔翰林，供奉東宮，因而與皇太子兄弟等非常要好。在這個時候，他已經鑽研於道家方術的修煉，很少吃煙火食物了！

有一天晚上，他在山寺裡，聽到一個和尚唸經的聲音，悲涼委婉而有遺世之響，他認爲是一位有道的再來人。打聽之下，才知道是一個作苦工的老僧，大家也不知道他叫什麼名字。平常收拾吃過的殘羹剩飯充飢，吃飽了就伸伸懶腰，找個角落去睡覺，因此大家便叫他懶殘。李泌知道了懶殘禪師的事跡，在一個寒冬深夜，獨自一個人偷偷去找他，正碰到懶殘把撿來的乾牛糞，疊作一堆當柴燒，生起火來烤芋頭。這個和尚在火堆旁縮做一團，面頰上掛著被凍得長流的清鼻水。李泌看了，一聲不響，跪在他的旁邊。

懶殘也像沒有看見他似的，一面在牛糞中撿起烤熟了的芋頭，張口就吃。一面又自言自語地罵李泌是不安好心，要來偷他的東西。邊罵邊吃，忽然轉過臉來，把吃過的半個芋頭遞給李泌。李泌很恭敬地接著，也不嫌它太髒，規規矩矩地吃了下去。懶殘看他吃完了半個芋頭便說：好！好！你不必多說了，看你很誠心的，許你將來做十年的太平宰相吧！道業卻不說了！拍拍手就走了。

到了安祿山造反，唐明皇倉皇出走，皇太子李亨在靈武即位，是爲肅宗，到處尋找李泌，恰好李泌也到了靈武。肅宗立刻和他商討當前的局面，他便分析當時天下大勢和成敗的關鍵所在。肅宗要他幫忙，封他做官，他懇辭不幹，只願以客位的身份出力。肅宗也只好由他，碰到疑難的問題，常常和他商量，叫他先生而不名。這個時候，李泌已少吃煙火食。肅宗有一天夜裡，高興起來，找來兄弟三王和李泌就地爐吃火鍋，因李泌不吃葷，便親自燒梨二顆請他，三王爭取，也不肯賜予。外出的時候，陪著肅宗一起坐車。大家都知道車上坐著那位穿黃袍的，便是皇帝。旁邊那位穿白衣的，便是山人李泌。肅宗聽到了大家對李泌的稱號，覺得不是辦法，就特別賜金紫，拜他爲廣平王（皇太子李豫）的行軍司馬。並且對他說：先生曾經侍從過上皇（玄宗），中間又作過我的師傅，現在要請你幫助我兒子作行軍司馬。我父子三代，都要借重你的幫忙了。誰知道他後來幫忙到子孫四代呢！

李泌看到肅宗當時對政略上的人事安排，將來可能影響太子的繼位問題，便祕密建議肅宗使太子做元帥，把軍政大權付託給他。他與肅宗爭論了半天，結果肅宗接受了他的意見。

肅宗對玄宗的故相李林甫非常不滿，認爲天下大亂，都是這個奸臣所造成，要挖他的墳墓，燒他的屍骨。李泌力諫不可，肅宗氣得問李泌，你難道忘了李林甫當時的情形嗎？李泌卻認爲不管怎樣，當年用錯了人，是上皇（玄宗）的過失。上皇治天下五十年，難免會有過錯。你現在追究李林甫的罪行，加以嚴厲處分，間接是給上皇極大的難堪，是揭玄宗的瘡疤。你父親年紀大了，現在又奔波出走，聽到你這樣作，他一定受不了，老年人感慨傷心，一旦病倒，別人會認爲你身爲天子，以天下之大，反不能安養老父，這樣一來，父子之間就很難辦了。肅宗經過他的勸説，不但不意氣用事，反而抱著李泌的脖子，痛哭著説：我實在沒有細想其中的利害。

唐明皇後來能夠自蜀中還都，全靠他的周旋彌縫。

唐明皇還都做太上皇，肅宗重用奸臣李輔國。李泌一看政局不對，怕有禍害，忽然又變得庸庸碌碌，請求隱退，遁避到衡山去修道。大概肅宗也認爲天下已定，就准他退休，賞賜他隱士的服裝和住宅，頒予三品祿位。

另有一說，李泌見到懶殘禪師的一段因緣，是在他避隱衡山的時期。總之：「天道遠而人道邇」，仙佛遇緣的傳說，事近渺茫，也無法考據得確切，存疑可也。

李泌在衡山的隱士生活過不了多久，身爲太上皇的唐明皇死了，肅宗跟著也死了，繼位當皇帝的，便是李泌當年特別加以保護的皇太子廣平王李豫，後來稱號爲唐代宗。代宗登上帝位，馬上就召李泌回來，起先讓他住在宮內蓬萊殿書閣，跟著就賜他府第，又强迫他不可素食，硬要他娶妻吃肉，這個時候，李泌卻奉命照作了。但是宰相元載非常忌妒他的不合作，找機會硬是外放他去做地方官。代宗暗地對他說，先生將就一點，外出走走也好。没多久，元載犯罪伏誅，代宗立即召他還京，準備重用。但又爲奸臣常袞所忌，怕他在皇帝身邊對自己不利，又再三設法外放他出任澧朗峽團練使，後再遷杭州刺史。他雖貶任地方行政長官，到處仍有很好的政績。

當時奉命在奉天，後來繼位當皇帝，稱號爲唐德宗的皇太子李適，知道李泌外放，便要他到行在（行轅），授以左散騎常侍。對於軍國大事，李泌仍然不遠千里地向代宗提出建議，代宗也必定採用照辦。到了德宗繼位後的第三年，正式出任宰相，又封爲鄴侯。勤修內政，充裕軍政費用。保全功臣李晟、馬燧，以調和將相。外結回紇、大食，以困吐蕃而安定邊陲。常有與德宗政見不同之處，反覆申辯上奏達十五次之多。總之：他對內政的處理，外交的策略，軍事的部署，財經的籌劃，都做到了安和的績效。

但德宗卻對他說：我要和你約法在先，因你歷年來所受的委屈太多了，不要一旦當權，就記恨報仇，如對你有恩的，我會代你還報。李泌說：「臣素奉道，不與人為仇。」害我的李輔國、元載他們，都自斃了。過去與我要好的，凡有才能的，也自然顯達了。其餘的，也都零落死亡了。我實在沒什麼恩怨可報的。但是如你方才所說，我可和你有所約言嗎？德宗就說，有什麼不可呢！於是李泌進言，希望德宗不要殺害功臣，「李晟、馬燧有大功於國，聞有讒言之者。陛下萬一害之，則宿衛之士，方鎮之臣，無不憤怒反仄，恐中外之變復生也。陛下誠不以二臣功大而忌之，二臣不以位高而自疑，則天下永無事矣。」德宗聽了認為很對，接受了李泌的建議。李晟、馬燧在旁聽了，當著皇帝感泣而謝。

不幸的是，宮廷父子之間，又受人中傷而有極大的誤會，幾乎又與肅宗一樣造成錯誤，李泌為調和德宗和太子之間的誤會，觸怒了德宗說：「卿不愛家族乎？」意思是說，我可以殺你全家。李泌立刻就說：「臣惟愛家族，故不敢不盡言，若畏陛下盛怒而曲從，陛下明日悔之，必尤臣曰：吾獨任汝為相，不諫使至此，必復殺臣子。臣老矣，餘年不足惜，若寃殺臣子，使臣以侄爲嗣，臣未知得歆其祀乎！」因嗚咽流涕。上亦泣曰：「事已如此，奈何？」對曰：「此大事願陛下審圖之，自古父子相疑，未有不亡國者。」

接著李泌又提出唐肅宗與代宗父子恩怨之間的往事說：「且陛下不記建寧之事乎？」（唐肅宗因受寵妃張良娣及奸臣李輔國的離間，殺了兒子建寧王李談）德宗說：「建寧叔實寃，肅宗性急故耳。」李泌說：「臣昔爲此，故辭歸，誓不近天子左右，不幸今日復爲陛下相，又覩茲事。且其時先帝（德宗的父親代宗）常懷畏懼。臣臨辭日，因誦黃台瓜辭，肅宗乃悔而泣。」（黃台瓜辭：唐高宗太子──李賢作。武則天篡位，殺太子賢等諸帝子，太子賢自恐不免故作。「種瓜黃台下，瓜熟子離離，一摘使瓜好，再摘令瓜稀，三摘猶自可，摘絕抱蔓歸。」

德宗聽到這裡，總算受到感動。但仍然說：「我的家事爲什麼你要這樣極力參與？」李泌說：「臣今獨任宰相之重，四海之內，一物失所，責歸於臣，況坐視太子寃橫而不言，臣罪大矣。」甚至說到「臣敢以宗族保太子。」中間又往返辯論很多，並且還告訴德宗要極力保密，回到宮內，不要使左右知道如何處理此事。一面又安慰太子勿氣餒，不可自裁。他對太子說：「必無此慮，願太子起敬起孝，苟泌身不存，則事不可知耳！」最後總算解開德宗父子之間的死結。德宗特別開延英殿，獨召李泌對他哭著說：「非卿切言，朕今日悔無及矣！太子仁孝，實無他也。自今軍國及朕家事，皆當謀於卿矣。」李泌聽了，拜賀之外，便說：「臣報國畢矣，驚悸亡魂，不可復用，願乞骸骨。」德宗除了道歉安慰，硬不准他辭職。過了一年多，李泌果然死了，好像他又有預知似的。

歷來的帝王宮廷，一直都是天下是非最多、人事最複雜的場所。尤其王室中父子兄弟、家人骨肉之間權勢利害的悲慘鬥爭，真是集人世間悲劇的大總匯。況且「疏不間親」，古有明訓。以諸葛亮的高明，他在荊州，便不敢正面答覆劉琦問父子之間的問題。但在李泌，處於唐玄宗、肅宗、代宗、德宗四代父子骨肉之間，都挺身而出，仗義直言，排難解紛，調和其父子兄弟之間的禍害，實在是古今歷史上的第一人。因此，汪小蘊女史詠史詩，論鄴侯李泌，便有：勛參郭令才原大，跡似留侯術更淳的名句。郭令，是指郭子儀。郭子儀的成功，全靠李泌幕後的策劃。留侯，是寫他與張良對。可惜在一般史書所載的偏見評語，輕輕一筆帶過，還稍加輕視的色調，如史評說：「泌有謀略，而好談神仙怪誕，故為世所輕。」其實，查遍正史，李泌從來沒有以神仙怪誕來立身處事。個性思想愛好仙佛，只是個人的好惡傾向。與經世學術，又有何妨。善用謀略來撥亂反正、安邦定國，謀略有什麼不對？由此可見，史學家的論據，真是可信而不能盡信，大可耐人尋味。

宋眞宗的無爲之治

老子的無爲之治的政治思想，在以往的歷史上，常被誤解，乃至被有些領導一個時代的帝王們，有意或無意地歪曲他的作用，那就不能完全諉過在老子身上了。這種歷史上的過謬，最明顯的事實，便是宋真宗的故事。

當五代的末期，由趙匡胤的陳橋兵變，黃袍加身，躍登皇帝的大位以後，歷來的傳統歷史學者，秉承一貫的正統觀念，都以宋朝爲主。如果我們從歷史統一大業的觀點來說，整個南北宋三百年間的政權，只是與遼、金，乃至西夏等共天下，彼此分庭抗禮，等於東西晉以後第二個南北朝的局面。如果從中國文化的立場來看，南北宋與遼金元，都是服膺在中國文化的大纛之下，各有千秋，遼金的文治，比起宋朝，並無太大的遜色。這一觀點，也許是我對歷史的看法不同，但大致不會太離譜。尤其希望青年學者們，不要忽略了當時遼金的文化與中國文化大系的關係。

在我們的歷史上，宋朝的建國，版圖很小，治權所及的地區，實在小得可憐。只是在宋一代，在學術文化上，比較重視文人政治，尊重儒家學術的地位，因此頗受歷來學者的謳歌讚揚而已。其實，當宋太祖趙匡胤當皇帝開始，玉斧一揮，北方的燕雲十六州，已非宋有。西南方的雲南迤西、蒙自一帶，又有以儒佛文化立國的大理國存在，也不尊奉趙宋的正朔。如果以漢唐的建國精神來講，先武功而後文治，那麼趙宋的天下，實在不無慚色。它的基本原因，因為宋太祖趙匡胤和宋太宗趙匡義兩弟兄，天生本質，都是軍人而兼愛好讀書的學者，因此對於軍機兵略，深知利害，不敢輕舉妄動。從好的方面來講，天性比較仁厚，雄長的氣魄就比較薄弱，大有如唐代詩人黃松非戰詩：

澤國江山入戰圖　生民何計樂樵蘇
勸君莫話封侯事　一將功成萬骨枯

的慈悲懷抱。

因此，宋太祖趙匡胤的初期策略，極力從事休養生息，在安定中求儉約，希望利用北人的貪得心理，以錢財來麻醉北遼，漸次買回燕雲十六州的一半版圖。如果我們用現代的名詞來說，他是想利用財政經濟的侵略，來統一全國。不幸的是他的兄弟宋太宗趙匡義，没有全盤了解他哥哥的策略，繼位不到幾年，就把國庫積存的財幣，用去了大半。到了宋真宗手裡，既不敢戰，又不敢和，進退兩難，非常棘手。好在肯接受名相寇準所堅持的決策，勉勉强强御駕親征，博得「澶淵之役」一場軍事外交的勝利戰。但在當時，幾乎已把宋真宗嚇破了膽。這些事實，在歷史的實錄上，可以看得清清楚楚，明明白白。

講到這裡，再讓我們多費些時間，稍微了解有關宋一代名臣寇準，表儒內道的大手筆。同時也可了解一下，道家「無爲而無不爲」的精神用之在臣道的精彩一幕。寇準確是一位深信黃老之道的學者，在他擔當軍國大事的任內，家裡還隱密地供養著一位專修神仙丹道的道人。他的作風，大膽而縝密，豪放而平實，的確是深得黃老之道的三昧。他在「澶淵之役」中，勉强著皇帝宋真宗御駕親征，兵臨前線，在槍桿下辦外交，實在相當冒險。而且當時在宋真宗的旁邊，政府內部還有勢力相當的反對派。他卻不顧一切，謀定而動。這比起三國時代，魏延建議諸葛亮出兵子午谷，還要冒險十倍。但是他居然做了。在這一件史實上，宋真宗肯聽寇準的意見，臨事能夠互相配合，固然也真的很可愛，但是他在前線，與敵人面對面的當時，卻不免戰戰兢兢，實在也很害怕，很想知道寇準的行動究竟有多少把握。於是派人去偵察寇準在做什麼，派去的人回來報告，這位身當重任的相爺，公然在這樣危急的前方，正與一班幕僚賓客們喝酒賭錢，漫不在乎。真宗一聽，總算放心了大半。寇準本來有好賭的習慣，但當時的賭局，真的是一場豪賭。他賭給敵人看，賭給宋真宗看，其實，他比諸葛亮在後花園釣魚、五路退兵的心情，還更緊張沉重，只是不能不好整以暇而已。這就是道家的妙用，也就是老子的「欲取姑予」的姿態。因此，也就難怪他在政治上反對派的死對頭——王欽若，事後乘間在宋真宗面前用了一句挑撥的話，就使寇準再也不得重用。宋真宗在「澶淵之役」以後，因爲有事而回想起與寇準當時的冒險，頗有複雜的矛盾心理，所以王欽若趁機便説，寇準在「澶淵之役」，不能算有大功，他只是拿陛下當一次大賭注而已。你看，只須一句便佞的口舌，就可害人不用刀，殺人不見血。好在趙宋的皇帝子孫們，本質上還很厚道，換了別的昏君，寇準的頭，準會被他送到敵寇的手裡去了。

儘管宋真宗不敢再用寇準，不敢再談統一的大業，運用輸款和談的政策，以圖苟且偷安。但是他知道全國的人心，朝野的士氣，並不甘心媚敵，更非心悅誠服這種半投降式的策略。那麼，若要做到「使民無知無欲，使夫智者不敢爲也，爲無爲，則無不治」，就要另想辦法。結果，他接受王欽若的建議，利用宗教來迷醉朝野，安定人心。同時也可以自我安慰，仰仗神力來保佑平安。於是他就假託天神在夢中來降，要他在正殿建「黃籙道場」一個月，當降天書、大中、祥符三篇等等詭話。又使人謊報得天書於泰山，要羣臣上表，推尊道號，自稱爲「崇文廣武儀天尊道寶應章感聖明仁孝皇帝」。從此以後，北宋的三百年天下，便與道教的神祕政策結了不解之緣。後來自稱爲「道真皇帝」的迷信大師宋徽宗的北狩，何嘗不是宋真宗的前因所誤。

一個國家的大政，絕對不能與宗教的作爲混爲一體，從古今中外人文歷史的記錄上去求證，凡是宗教與政治混合的時代，政教（宗教）不分的國家，結果沒有一個不徹底失敗的。不但污蔑了宗教，同時也斷送了國家。政治，畢竟是現實智慧的實際成果。宗教，始終是昇華現實的出世事業。如果強調宗教就是現實世間的事，那麼不是別有用心，就非愚即狂了。所以，宋真宗要想利用宗教的迷信而「使民無知無欲，使夫智者不敢爲也」的當時，最大的顧忌，就怕宰輔大臣——同平章事王旦不同意。開始是試探，結果沒有辦法溝通。於是一方面由王欽若來婉轉疏通意見，一方面真宗派宮監夜裡送重禮到王旦的相府上去，並不說明來意是爲了什麼要有這樣重的賞賜。這是當皇帝的公然賄賂大臣的傑作。因此弄得公正持重的名臣王旦有口難言，只好隨聲附和。如果寇準不被擠出中朝政府，恐怕「神道設教」就無法作爲這個豪賭的賭注。後來王旦在臨終時，雖然宋真宗親自到病床旁邊探病，御手調藥，每天還三四次派人詢問病況，並由宮中送來著預（山藥）粥。但是王旦耿耿於懷的事，卻無法因此釋然。他在臨死時，還吩咐家人要把他剃了鬍髮，穿上和尚的僧衣，表示抗議，表示懺悔。自恨當時對「天書」的愚民政策，沒有盡心竭力地勸諫，認爲是一大罪過。

馮道的故事

馮道這個人，是不能隨便效法的。現在只是就學理上，作客觀的研究而已。唐末五代時，中國亂了八十多年當中，這個當皇帝、那個當皇帝，換來換去，非常的亂。而且都是邊疆民族。我們現在所稱的邊疆民族，在古代都稱爲胡人。當時，是由外國人來統治中國。這時有一個人名叫馮道，他活了七十三歲才死。在五代那樣亂的時候，每一個朝代變動，都要請他去輔政，他成了不倒翁。後來到了宋朝，歐陽修寫歷史罵他，說中國讀書人的氣節都被他喪盡了。他曾事四姓、相六帝，所謂「有奶便是娘」，沒有氣節！看歷史都知道馮道是這樣一個人，也可以說馮道是讀書人中非常混蛋的。

我讀了歷史以後，由人生的經驗，再加以體會，我覺得這個人太奇怪。如果說太平時代，這個人能夠在政治風浪中屹立不搖，倒還不足爲奇。但是，在那麼一個大變亂的八十餘年中，他能始終不倒，這確實不是個簡單的人物。第一點，可以想見此人，至少做到不貪污，使人家無法攻擊他；而且其他的品格行爲方面，也一定是爐火純青，以致無懈可擊。

古今中外的政治總是非常現實的，政治圈中的是非紛爭也總是不可避免的。可是當時没有一個人攻擊他。如從這一個角度來看他，可太不簡單。而且最後活到那麼大年紀，自稱「長樂老人」，牛真吹大了。歷史上只有兩個人敢這麼吹牛，其中一個是當皇帝的——清朝的乾隆皇帝自稱「十全老人」，做了六十幾年皇帝，活到八十幾歲死，樣樣都好，所以自稱人生已經十全了。做人臣的只有馮道，自命「長樂老人」，這個老人真不簡單。後來儒家罵他喪盡氣節，站在這個角度看，的確是軟骨頭。但從另一角度來看，歷史上、社會上，凡是被人攻擊的，歸納起來，不外財、色兩類，馮道這個人大概這兩種毛病都没有。他的文字著作非常少，幾乎可以説没有什麼東西留下來，他的文學好不好不知道。後來慢慢找，在另外的地方找到他幾首詩，其中有幾首很好的，像：

天道

窮達皆由命　何勞發嘆聲

但知行好事　莫要問前程

冬去冰須泮　春來草自生
請君觀此理　道道甚分明

偶作

莫為危時便愴神　前程往往有期因
須知海岳歸明主　未必乾坤陷吉人
道德幾時曾去世　舟車何處不通津
但教方寸無諸惡　狼虎叢中也立身

北使還京作

去年今日奉皇華　只為朝廷不為家
殿上一杯天子泣　門前雙節國人嗟
龍荒冬往時時雪　兔苑春歸處處花
上下一行如骨肉　幾人身死掩風沙

像他《偶作》中的最後兩句，就是說自己只要心地好，站得正，思想行爲光明磊落，那麼「狼虎叢中也立身」，就是在一羣野獸當中，也可以屹然而立，不怕被野獸吃掉。我看到這裡，覺得馮道這個人，的確有常人不及之處。儘管許多人如歐陽修等，批評他誰當皇帝來找他，他都出來。但是從另外一個角度看，這個人有他的了不起處。在五代這八十年大亂中，他對於保存文化、保留國家的元氣，都有不可磨滅的功績。爲了顧全大局，背上千秋不忠的罪名。由他的著作上看起來，他當時的觀念是：向誰去盡忠？這些傢伙都是外國人，打到中國來，各個當會兒皇帝，要向他們去盡忠？那才不幹哩！我是中國人啊！所以他說「狼虎叢中也立身」，他並沒有把五代時的那些皇帝當皇帝，他對那些皇帝們視如虎狼。再看他的一生，可以說是清廉、嚴肅、淳厚，度量當然也很寬宏，能夠包涵仇人，能夠感化仇人。所以後來我同少數幾個朋友，談到歷史哲學的時候，我說這個人的立身修養，值得注意。從另外一面看他政治上的態度，作人的態度，並不算壞。幾十年後文化之所以保存，在我認爲他有相當的功勞。不過在歷史上，他受到沒有氣節的千古罵名。所以講這一件事，可見人有許多隱情，蓋棺不能論定。說到這裡，我們要注意，今天我們是關起門來討論學問，可絕不能學馮道。老實說，後世的人要學馮道也學不到，因爲沒人有他的學養，也沒有他的氣節。且看他能包容敵人、感化敵人，可見他幾乎沒有發過脾氣。有些笨人，一生也沒有脾氣，但那不是修養，是他不敢發脾氣。馮道能夠在如此大風大浪中站得住，實在是值得研究的。

這是講歷史上比較大的事。我們看社會上許多小人物，一旦死了，他這一生到底是好人，或者是壞人，我們到殯儀館中去仔細推詳看，也很難斷定。

白居易批老子

老子的著作只有五千字，而後世研究老子的著作，可能有幾千萬字，倘使老子今日猶在，看了這些後輩們洋洋灑灑的大作，說不定他老人家一生下地來就白了的鬍鬚，要笑得變黑了。當然包括現在我的《老子他說》。

唐朝著名的大詩人白居易，曾經寫了一首七言絕句，嚴格地批判老子，而且用老子的手打老子的嘴巴。他用二十八個字批判道：

言者不知知者默　此語吾聞於老君
若道老君是知者　緣何自著五千文

老子《道德經》中說：有智慧的人，必定是沉默寡言的。像我現在又講說關於老子的書，不必問，也知道是絕對沒有學問、沒有智慧地亂吹。言者不如知者黙。這話是老子自己說的，白居易說，老子既然如此說，那他本身自然是智慧很高了，可是他爲什麼自己還寫了那麼多個字呢？世界上打老子耳光，打得最好的，是白居易這首詩。縱然老子當時尚在，親耳聽見，也只當充耳不聞，哈哈一笑，無所反駁了。

白居易的一生，學問好，名氣大，官位亦很高，留名後世，沒有人能夠和他比的。而他常想從政治舞台上退出來，悠遊林下，不像蘇東坡，曾經吃了很多苦。他享了一輩子福，臨老還享福，就因爲他學道，這從他一首讀老子後的七律可以知道。原詩是：

吉凶禍福有來由　但要深知不要憂
只見火光燒潤屋　不聞風浪覆虛舟
名為公器無多取　利是身災合少求
雖異匏瓜誰不食　大都食足早宜休

他說，人生的遭遇，成功與失敗，吉凶禍福，都有它的原因，真有智慧的人，要知道它的原因，不需要煩惱，不需要憂愁。

頭兩句，引用了莊子「覆虛舟」的典故，他說，我們只看到世間的富貴人家多財潤飾華麗的房屋，仍會被大火燒毀。卻從未見到空船在水上被風浪吞沒的。裝了東西的船，遇到風浪才會在風浪中沉沒，而且裝得愈重，沉沒的危險愈大。虛舟本來就是空的，縱會翻覆，亦仍浮在水面，這是說人的修養，應該無所求、無所得，愈空虛愈好。孟子說：「富潤屋，德潤身」。

後兩句更指出，人世間「名」與「利」兩件事不宜貪求以免招災禍。可是現代青年，都在那裡拓展自己的「知名度」。要知道，「名」是社會的公器，孟子亦說：「有天爵者，有人爵者。」天爵就是名氣。仔細研究起來，不管任何一種「名」，如果太高了，不符實際，對於此人的人生與福祉，就會發生非常大的障礙，如「譽滿天下，謗亦隨之」，就是這個道理。

再如，大家都知道漢高祖名字叫劉邦，而著名的漢代文景之治的漢文帝叫劉恒，漢景帝叫劉啟，知道的人就少了。可見「名」也者，也只是一時的空事而已。

說到利，最具代表性，普遍爲人所求的，當然是錢，人人都想發財，錢愈多愈好。除非在生命垂危時，寧可減少自己的財富，以挽救生命使之延續；可是當生命救回來了，壽命可以延長了，卻又會貪財捨命，所謂「人爲財死」。白居易說「利是身災」。人的錢多了，煩惱更大，錢與煩惱，如形之與影，且大小成正比。清代的有名學者趙翼詩：美人絕色原妖物，亂世多財是禍胎。他所指的「美人」不一定指女性，世間也有美男子。古人又說：一家飽暖千家怨，半世功名百世愆。這些都是有了很多的錢後，在生活上所表現出來的形態。有錢的人家，全家都吃得飽，穿得暖，錦衣玉食；可是，旁邊就有千戶人家，歪著眼睛在看你，眼神中包含了羡慕、嫉妒、怨尤、鄙夷，乃至於憤恨。這是人類的習性，猶記得幾十年前，汽車剛傳入中國不久，在泥路上疾馳，坐車的人頗爲得意，可是弄得路上塵土飛揚，雨天更是泥漿四濺，靠近的行人被濺得滿身污泥。這一來連在旁看見的人，都側目而視，心裡則詛咒著最髒、最惡毒的話。

所以，白居易這首詩的結尾語說：雖異匏瓜誰不食？大都食足早宜休。世界上誰不好名貪利？佛教勸人們絕對放棄名利，這是做不到的。老子就不然，他只是教人「少私寡慾。」少一點就好了。所以白居易說，名利像匏瓜一樣，實在好吃，叫人絕對不要吃是做不到的，但是吃了以後，很有可能會拉肚子的。深懂了黃老之道，那就是「大都食足早宜休」。不要吃得過分了，這就是老子之道在個人修養上的基本原則。

百尺竿頭更進一步

「百尺竿頭，更進一步」，這句話大家都知道，這是一句鼓勵別人的話。一般人聽了「百尺竿頭，更進一步」的話，都很高興，認爲是被誇獎勵，而沒有仔細去想一想，爲什麼説百尺竿頭更進一步呢？試想想看，在地上豎立了一根一百尺高的竿子，當一個人由地面向上爬，爬到了一百尺的竿子，已經到了頂點了，可是鼓勵他更進一步？這一步進到哪裡去？再一步就落空了，落空可不就又掉到地下來了嗎？所以這句話的意義，是勉勵人，要由崇高歸於平實。也就是《中庸》所説的「極高明而道中庸」。一個人的人生，在絢爛以後，要歸於平淡。

在明人的筆記中，有一則類似「百尺竿頭，更進一步」的故事，敍述一位道學家求道的故事。這位道學家修道，研究了許多年，始終搞不出一個名堂來，得不了道，非常苦惱。於是有一天，帶了一些銀子，出門去訪名師。不料在路上遇到一名騙子，知道他是出外訪師求道的，身邊帶有許多銀子，就打他的主意，設法和他接近。可是儘管這個騙子假裝是得了道的道學家，使這位求訪名師的書呆子道學家，對他十分欽佩，但就是騙不到他的錢。後來，到了一個渡口，要過河了。這名騙子腦筋一轉，對道學家説，要傳道給他了，而且選擇在船上把道傳給他。這位道學家聽到有道可得，非常高興。兩人上了船，那個騙子告訴道學家，爬到船桅頂上就可以得道。這位求道心切的道學家，爲了求道，爲了便於爬桅杆，他那放有銀子而永不離身的包袱，這時就不能不放下來了。當他爬到桅杆的頂端，再無寸木可爬的時候，也沒有看見什麼道，便回過頭來，向這位傳道的高人請教：道在哪裡？不料那名騙子早已把他留在甲板上的包袱銀子拿去，走得無影無蹤了。船上的其他乘客都拍手笑他，上了騙子的當。可是這位道學家，在大家拍手笑他的時候，他在桅頂上，突然之間真的悟了，所謂道就在平實之處，並不是高高在上的什麼東西啦。於是立刻爬下桅杆來，對大家說，他不是騙子，的確是高明！的確是吾師也！他高高興興地回去了。

這雖然是一則諷刺道學家迂腐的笑話，透過這個笑話來看，實在有其至理。和「百尺竿頭，更進一步」那句名話一樣，道就在平庸、平淡之中，也就是極高明而道中庸的道理。

文天祥的頓悟詩

中國的古詩，特別是許多優秀的詩篇，爲什麼能廣爲流播，千古傳誦？因爲這些詩篇凝聚了詩人的高尚情懷，表現了詩人的博大胸襟。詩句或反覆錘煉或精思迸發，寥寥數語，閃爍著勵志、哲理的光芒，成了傳統文化和中華民族精神的重要組成部分。但詩人一生的事功卻不被人們所熟知，最典型的例子大概要數文天祥了。

文天祥，江西吉水人。元兵南侵，他為挽救南宋的滅亡，以自己全部家財籌措軍費，舉兵勤王。可惜像他這樣的人寥寥無幾，在東南沿海輾轉奮戰，堅持了三年多，終於兵敗被俘。船經廣東中山縣南的零丁洋時，文天祥寫下《過零丁洋》。後來，張弘範一再强迫文天祥招降在海上堅持抵抗的南宋將領張世傑，文天祥向張出示《過零丁洋》這首詩的尾聯：人生自古誰無死，留取丹心照汗青。看了這樣的視死如歸的金石之言，張弘範自然知道招降無望只好作罷。文天祥被押解元大都（今北京）打入土牢，於元世祖至元十九年十月英勇就義，他在牢中寫下了感天地、泣鬼神的《正氣歌》。《過零丁洋》和《正氣歌》都是千古名篇，相信大家都耳熟能詳，這裡不多作解釋。這裡專門談他的另外兩首詩。

遇靈陽子談道贈以詩

昔我愛泉名　長揖離公卿　結屋青山下　咫尺蓬與瀛
至人不可見　世塵忽相纓　業風吹浩劫　蝸角爭浮名
偶逢大呂翁　如有宿世盟　相從語寥廓　俯仰萬念輕
天地不知老　日月交其精　人一陰陽性　本來自長生
指點虛無間　引我歸員明　一針透頂門　道骨由天成

我如一逆旅　久欲躡峙行　聞師此妙絕　遽廬復何情

歲祝犁單閼，月赤奮若，日焉逢涒灘，遇異人指示以大光明正法，於是死生脫然若遺矣。作五言八句：

誰知真患難　忽悟大光明　日出雲俱靜　風消水自平
功名幾滅性　忠孝大勞生　天下惟豪傑　神仙立地成

這兩首詩是文天祥陷落在元軍之手，解送到北京的路上作的。在他的遺集中，記載他沿途作了幾十首詩，都是他的感觸。我們從他的詩和有關的著作，以及元朝歷史記載等資料互相參閱，可以看出，雖然他是一個俘虜，但當時各方面對他都很客氣，乃至敵方看守的士兵都對他肅然起敬。說到這裡，我們有一個感想，做一個徹底的正派人，他的正氣的確可以感動人。當時，元朝是有許多部隊押解他的，可是對外宣稱是保護他，一路對他也很客氣。經過家鄉時，他曾經服過毒，希望能死在自己的家鄉，結果沒有成功。這一路上，他的心境當然非常痛苦。

在這中間，他碰到過兩個怪人，一個是道家的，就是上面第一首詩的靈陽子。這個道人來傳他的道，也是和大家一樣，知道他是忠臣，一定要爲國犧牲。於是傳給他生命的真諦、了生脫死的大義以及死得舒服的方法。希望他能堅貞守節、至死不變。當時敵人對他很敬重，派人監護他，只要不讓他逃走就是，所以這些人有機會接近他。靈陽子傳道以後，兩人要分手了，於是送了一首詩。

這二首詩的題目：「歲：祝犁單閼；月：赤奮若；日：焉逢涒灘。」這些是中國上古文化，年、月、日的記載代號。第一個「歲：祝犁單閼」就是己卯年。己為祝犁，卯為單閼。「月：赤奮若」赤奮若是丑月。子月是每年陰曆的十一月，丑月則是十二月。「日：焉逢涒灘」這個「焉逢」是甲，「涒灘」是申，就是甲申日那一天。他別的事情都寫得很明顯，為什麼對這個年、月、日用中國上古文化的用詞來記載？這是他對這一套中國的神祕學（現代語的名稱，西方人對道家、佛家或其它古老的修煉功夫的學問，叫做神祕學）已經很有心得，所以對年、月、日的記載，用中國上古神祕學的記載法。他在這一天遇到異人。異人的觀念，如小說上的奇人，奇人、異人或怪人，都是指與平常不同的人，就是所謂有道的人。指示他大光明法。用「指示」兩個字，是他寫得很客氣，可見他對於傳道給他的這個人，非常恭敬。他自己說：「於是死生脫然若遺矣」，到了這個時候，對於生也好，死也好，好像解脫了。本來一個扣子扣住了，現在生死完全看開，不在乎了，好像拋開了，丟掉了生死的念頭。即使明天要殺頭，也覺得沒有關係，好像對一件舊衣服一樣，穿夠了把它丟掉算了。他就有這樣一種胸襟，修養是很高的。於是他用五言八句，作了這首詩。詩的本文就很容易懂：

誰知真患難　忽悟大光明

這個時候是真正在患難中，命在旦夕之間，忽然悟到大光明的正法。

日出雲俱靜　風消水自平

這是描寫修大光明法所得那個境界，這個時候他的胸襟是豁然開朗的，是所謂危險艱難一無可畏之處了。

功名幾滅性　忠孝大勞生

這是他悟道的話。佛家的觀念，人生功名富貴，在人道上看起來是非常的榮耀；在佛道形而上學的立場來看，功名富貴，人世間一切，都是桎梏，妨礙了本性，毀滅了本性的清淨光明，就好比風雲雷雨，遮障了晴空。

人生等等一切事業都是勞生，「勞生」也是佛學裡的名稱，人生忙忙碌碌一輩子，這就叫「勞生」。中國道家、佛家始終有個觀念，所謂成仙成佛，都是出於大忠大孝的人。人道的基礎穩固了，學佛學道就很容易。文天祥這兩句詩：天下惟豪傑，神仙立地成就是這個意思，這時他的心境非常愉快了。上面提到文天祥之所以能夠在生死之間，完全脫然若遺的原因，得力在大光明法。根據他自己的文章來說，在這個時候，對成仁的意志更加確定，不再動搖了。

至於什麼叫大光明法？這是麻煩的問題，是很麻煩、很麻煩的事。大光明法就是佛家一種修煉的方法。

剛才提到「勞生」，無論如何，人一生都是忙忙碌碌，就是勞生。道家的文學還有個名詞叫作「浮生」，大家都讀過李白的《春夜宴桃李園序》，其中「浮生若夢，爲歡幾何？」這個「浮生」的觀念與名詞是由道家來的，和「勞生」是同樣的意思。人爲什麼感覺到生命是勞苦的？不管貧富，天天努力忙碌爭取的對象，最終都不能真正的佔有。一個富人，了不起每天進帳有一千多萬，不過搬來搬去，也不是他的。所以物質世界的東西，必定不是我之「所有」，只是我暫時之「所屬」。與我有連帶關係，而不是我能佔有，誰都佔有不了。

尋根

唐朝有一個有趣的故事，從這個故事中，便可看到人性的另一面。

英明如唐太宗，他當皇帝以後，因爲自己的姓氏——「李」的來由，在傳說中非常稀奇古怪。照古老神話的傳說，李姓的第一代始祖就是老子，是遠在堯舜時代的人，因爲在李樹下出生，所以就姓李。更傳說他母親懷胎了八十一年之久，因此生下來時鬚髮皆白，立刻就成爲太上老君，這是關於老子誕生和姓氏來源的傳說。

唐太宗之姓李的來由，研究起中國姓氏源流和宗族淵源來，又有各種說法。可是他當了皇帝以後，一定要把家族祖先的血統，追溯得更光輝一些。正如世界上任何民族，如果在人羣社會中有了事功上的成就，一定要找「根」，而且一定要把那「根」整飾、塑造得光輝一點。這是人性必然的道理。同樣的，唐太宗也要找根，也要找一個光輝的根。追溯歷史，李姓人物，以老子最好，在學術上的成就很了不起，所以他設法把自己說成是老子的後代。但是老子只是在學說上有成就，還要把他再捧高一點，後來李唐子孫便把他捧爲教主，變成太上老君，封爲道教的教主。道教實際上也成爲唐朝正式的國教，只是當時没有「國教」的名稱，而事實上唐朝歷代的帝王、皇后、嬪妃都要像佛教的受戒一樣，去受「符籙」。如唐玄宗、楊貴妃這些人，都曾受「符籙」。

明代的開國皇帝朱元璋，也有同樣的想法，而他選擇了朱熹，所以大捧朱熹。本來，他想把祖宗和朱熹扯上關係，可是自己畢竟是一代帝王，這種事，不能太過分勉强。只有如張獻忠這樣的人，在到處流竄爲害時，一天打到張飛廟，問得廟中供奉的神像是張飛，於是一時興起，居然懂得姓氏宗族的人倫道理，要到廟裡祭拜，下令部下作祭文。可是那些被脅在帳下的窮酸文人，作的祭文引經據典，他自己看不懂，大爲不滿，一連殺了幾個文人，最後還是自己動手寫道：「你姓張，咱老子也姓張，咱倆連宗吧！」就這樣連起宗來了，成爲千秋的笑柄。

可是，朱元璋打算把朱熹拉進自己祖先行列的時候，有一天碰到一個理髮的也姓朱，就問理髮匠是不是朱熹的後代，這理髮匠說：「我不是朱熹的後代，朱熹絕對不是我的祖先。」朱元璋說：「朱熹是前輩大學問家，你就認了吧！」理髮匠說：「絕對不是。」這一來，朱元璋「攀親」的思想發生了動搖，他轉念之下，覺得一個平民中的理髮匠，尚且不肯亂認祖宗，而自己當了皇帝，又何必認朱熹爲祖先，因此打消了原有的念頭。可是對於朱熹，還是極力地捧起來。例如，在明朝應試求功名，非讀朱熹註解的四書不可，後來演變到清朝，承襲明代故事，便以朱註四書爲考試制度中評判高下、決定取捨的標準本。

曾國藩逛秦淮河

曾國藩打垮了太平天國，收復南京之初，當然，南京在兵亂之後，經濟非常衰落，老百姓非常困苦。曾國藩第一步工作，就是恢復秦淮河的遊樂事業，歌台舞榭，什麼特種營業都有。這些一恢復，經濟的復興就來了。經濟的原理，有如美國人一句話，世界上最大的本事，就是把你口袋裡的錢，放到我的口袋裡來。讀了幾年經濟學，不如這句話實在、實用、有道理。好逸惡勞是人的常情，要使有錢的人，把錢花到南京來，當然最好就是發展娛樂。曾國藩不但第一步恢復了秦淮河的遊樂事業，而且像他生活那樣嚴肅的人，爲了繁榮地方，聽部下的建議，自己還到秦淮河去逛逛，以示提倡。曾國藩還遇上幾個名妓，其中一個死了，曾國藩送了一副輓幛，題道「未免有情」。更相傳其中有一個妓女，藝名少如，也頗有文才，要求曾國藩送她一副對子。曾老先生打算用她的藝名「少如」這兩字嵌到聯中，先寫上聯：得少住時且少住，意思是能偷閒在這裡休息片刻就休息片刻。因爲要考這女孩子的文才到底怎樣，便要她自對下聯，不料這女孩很調皮，開了曾國藩一個大玩笑，提起筆來寫道：要如何處便如何。這只是相傳的故事，並不完全可靠。但曾國藩爲了使南京地方的經濟復蘇，先恢復秦淮河的繁榮，這是一個史實。

拈花的微笑

禪宗有一個故事，在文學上也很有名的，就是「拈花微笑」的故事，是說佛教的教主釋迦牟尼（釋迦牟尼是梵文的譯音，釋迦是姓，中文的意思是「能仁」，牟尼譯成中文是「寂默」。）晚年住在靈山——也叫靈鷲山。釋迦是十九歲丟開了王位出家，三十二歲成道弘法，一直到八十一歲才過世，有四十九年從事於教育，現在我們暫且不用宗教的觀點來研究它。）有一天上課，在禪學裡叫「上堂」，後來我們的理學也用這個名詞。下面有很多學生們等他，都不知道他這天要講什麼，結果他上去，半天沒有說話，他在面前的花盆中，拿了一朵花，對著大家轉一圈，好像暗示大家看一看這朵花的樣子，一句話也沒有講，下面的學生，誰也不懂老師這一個動作是什麼意思。所以這叫做

「拈花」，就是釋迦拈花。

釋迦拈花後，他有一個大弟子迦葉尊者（葉，根據舊的梵文譯音，音協。尊者，就是年高德劭的意思）。釋迦牟尼的弟子大多數與孔子的相反，孔子所教的都是年輕一輩，釋迦牟尼所教的弟子，大多數比他年紀大。佛經的記載，迦葉尊者在釋迦拈花後「破顏微笑」。什麼叫做破顏呢？因爲宗教的教育集團，上來都規規矩矩、鴉雀無聲，大家神態都很嚴肅。可是在這嚴肅的氣氛中，迦葉尊者忍不住了，於是「噗哧」一笑，這就叫作破顏，打破了那個嚴肅的容顏。但是不敢大笑，因爲宗教性團體的戒律，等於說管理制度，非常嚴肅。他破顏以後，沒有大笑，只是微笑。那麼兩人的動作聯合起來，就叫做「拈花微笑」。此時釋迦牟尼講話了，這幾句話是禪學專門用語，解釋起來是很麻煩的事情，這幾句話譯成中文是：「吾有正法眼藏，涅般妙心，實相無相，微妙法門，不立文字，教外別傳，付囑摩訶（音瑪哈，意爲大）迦葉。」就是說我有很好的方法，直接可以悟道的，現在已交給了這位大弟子迦葉。這就是禪宗的開始。所以又稱禪宗爲「教外別傳，不立文字」的法門。說它不須要透過文字言語，而能傳達這個道的意思。

現在我們不是講禪學，暫時不要去研究它。我是不大主張人家去研究禪學的，我常常告訴朋友們不要去研究，因爲怕一般人爬進去了，鑽不出來。

中國的曆法

我們中國的曆法，大家都喜歡用陰曆，過正月要拜年，就是夏曆的遺風。殷商的正月建丑——以十二月作正月。周朝的正月建子，以十一月作正月，夏朝的正月建寅——就是我們慣用的陰曆正月。中國人幾千年來都是過的陰曆年，這就是「夏之時」。日本在第二次世界大戰前過的也是陰曆年，越南、朝鮮、緬甸、東南亞各國，統統是我們的文化，幾千年來他們都是過陰曆年。

講到這裡非常感慨，有一件很奇怪的事情，將來歷史不知怎樣演變。我們推翻清朝，成立民國，實行過陽曆年以後，有人寫了一副對聯，傳說是湖南的名士葉德輝寫的，這副對聯說：

男女平權　公說公有理　婆說婆有理

陰陽合曆　你過你的年　我過我的年

就看過年這件事，我們這個時代，幾十年來没協調、合作，老百姓內心對這政策始終不能適應配合。不要說民心——老百姓心理，關起門來講，我們今天在座的這些老古董，憑良心想一想，自己喜歡過陽曆年還是陰曆年？老實說，都喜歡過陰曆年。可是我們偏偏過兩個年，加上現代過聖誕節的風氣，等於過三個年。內心自己在過陰曆年，外在偏偏過一個陽曆年，這就代表這個時代，「你過你的年，我過我的年。」搞歷史文化，這些地方要特別注意。

還有，到了夏天，爲什麼要把時鐘撥快一個小時呢？只要規定一下，夏天到了，提前一個小時辦公，早一個小時下班，早一小時熄燈，很簡單的事嘛。可是卻像小孩子一樣，在鐘面上撥快一個小時，就算對了，這是很奇怪的事。此風乃是美國來的。再研究美國是怎麼來的呢？原來是一個工廠的小孩子開始撥著玩，後來工人看到跟著起哄。美國文化没有深厚的基礎，是喜歡鬧著玩的；結果美國玩，我們跟著當正經辦了。說是爲了日光節約，實行夏令時間辦公，原來八點上班，十二點下班，改爲七點上班，十一點下班，不就成了嗎？其實這些是小事情，但問題卻很大，往往很多大事，即是因爲小的地方没注意到，而使事情變得不成話。等於一棟房子看見一個小洞，最初以爲不重要，慢慢的，整棟房子，垮就垮在這個小洞上。

這裡講「行夏之時」，現在我們究竟採用哪個曆法還是一個問題。如孔子的誕辰，訂爲陽曆年的九月二十八日等等，究竟對不對？通不通？都是問題。如果講中國文化，除非中國不强盛，永遠如此，我們沒有話講。如果中國强盛起來，非把它變過來不可。這並不是一個純粹的民族自尊觀念，這是一個文化問題。拿中國的土地、中國的歷史來比較，中國的文化的確具有世界性的標準。可是現在外國人把它拋棄了，不去説他，我們自己絕對不能拋棄，千萬要注意，不可自造悲劇。所以我們今天談到對自己國家文化的認識，怎樣去復興文化，非常感慨，問題很多，也很難。爲自己的國家，爲自己的民族，爲下一代，都要注意了解這些問題，還是要多讀書。這是我們老祖宗幾千年累積起來的智慧結晶。

什麼是謚法

什麼是謚法？簡單一句話，就是一個人身後的定論。這是一件很慎重的事，只有中國歷史文化才有的，連皇帝都逃不過謚法的褒貶。我們要曉得，這一點便是中國文化春秋大義的精神所在，同時更應該使下一代記取這具深義的特點。中國古代做皇帝、做官的最怕這個謚法，怕他死後留下萬世的罵名，甚至連累子孫抬不起頭。因此他們爲國家做事情，要想爭取的是萬世之名，不願死後替子孫留個臭名，更不願在歷史上留個罵名。這個就叫謚法——也就是死後的一字之定評。

皇帝死了就由大臣集議，或史官作評語，像漢朝的文帝、武帝，稱謂「文」、「武」，都是謚法給他們的「謚號」。「哀帝」就慘了，漢朝最後那個帝爲「獻」帝，也含有奉獻給別人、送上去的悲哀。可見這個謚法很厲害。

王陽明，是他本人的號，後來加謚爲「文成」。曾國藩，後人稱他曾文正公，「文正」兩字是清朝給他的謚號。死後的評語夠得上稱爲「文成」、「文正」的，上下五千年歷史，縱橫十萬里國土，雖然有幾億的人口，其中卻數不出幾個人，最多一二十人而已。這是中國文化中謚法的嚴謹。

所以中國人做官也好，做事也好，他的精神目標，是要對後代負責；不但對這一輩子要負責任，對後世仍舊要負責任。如宋代的名臣，也是理學家的趙抃，他一度放到四川作「省主席」——比擬現代的官位來說。他自己騎一頭跛腳騾子，帶了一個老僕人、一琴、一鶴去上任。到了省城裡，全城的文武官員，出城來接新主席，卻看不到人，誰知道那個坐在茶館裡面，一琴、一鶴相隨的糟老頭子就是新上任的主席。當然他不止是當主席，也當過諫議大夫，是很有名的名臣。

歷史上成爲名臣不容易。有所謂大臣、名臣、具臣、忠臣、功臣、奸臣、佞臣等。所謂忠臣、奸臣，看小說都知道，不必細說了。要夠得上成爲一個名臣，很不容易，夠得上一個大臣，更難。大臣不一定在歷史上很出名，可是他一定有安定天下後世的功業。我們不希望看到奸臣，也不希望看到忠臣，這話怎麼說呢？我們曉得文天祥是忠臣，岳飛也是忠臣，但是我們不希望國家遭遇到他們當時那樣的時代。我們希望看到的是名臣、大臣，像趙抃就是名臣、大臣。他最後退下來，回到家裡，寫了一首詩：

腰佩黃金已退藏　個中消息也尋常
世人欲識高齋老　只是柯村趙四郎

不要看錯了，說他腰裡都是黃金美鈔所以退休了。這個黃金不是黃金美鈔，看京劇就知道，所謂「斗大黃金印，年高白玉堂。」古代方面大員的印信，實際上是一顆銅的大印，叫作「黃金印」，有如現在中央部會的印，鑄印局用銅鑄的，也可叫黃金印。腰佩黃金已退藏，是說退還了那顆黃金印。個中消息也尋常，一生風雲人物，其實很平常。世人欲識高齋老，他下來以後所住的地方叫高齋，他說你們以爲住在高齋的這個老頭子有什麼了不起，而想認識認識他是何等樣的人嗎？只是柯村趙四郎，其實還是當年住在柯村的趙老四啊！他是那麼平淡，那麼平凡。所以一個最了不起的人，是最平凡的人。真做到平凡，才是真了不起。而趙抃最後的諡號是兩個字「清獻」，歷史上的趙清獻公。他一生都奉獻給國家，而一生清正，到達這個程度是很難的。其他的名臣很多，在這裡一時也說不完。

總之，中國過去的歷史文化，非常重視這個諡法，而我們現在呢！還有陸放翁的詩：

斜陽古柳趙家莊　負鼓盲翁正作場
死後是非誰管得　滿村聽說蔡中郎

管他的！死了就拉倒，老子死後，你要罵就罵吧！只要我現在活得舒服就對了。我們不要忘記了，諡法就是中國文化的精神，等到邦有道時，這些東西仍然要恢復起來才對。試看西方的文化，西方的精神，不管文人、英雄，死了就死了。像法國人，一提到就只有拿破崙。拿破崙又有什麼了不起，崛起只有二十來年，五十多歲就死了，而且是個失敗的英雄，比楚霸王還差勁，什麼拿破崙的！在中國歷史上這種英雄多得很，只因爲歷史上多是同情失敗的英雄，所以「徒使豎子成名耳」。現在的西方文化更搞不清楚，「死後是非誰管得，生前拚命自宣傳。」可是我們中國人要懂中國文化謚法的道理和精神。

同時我們也要知道，像日本明治維新的幾個重要人物之一——伊藤博文的名言：「計利應計天下利，求名當求萬世名。」這是吸收中國文化的東西，日本人自稱東方文化，其實都是道地的中國文化。我們這一代青年，那種短見，那種義利之不分，實在「匪夷所思」。剛才我們幾個人談到現代青年對現代知識的貧乏，什麼都沒有，一談就是考什麼學校，爲了待遇多少，爲了求生活，這些是從前我們從來不考慮的。現在搞成這個樣子，真是文化精神的衰退，實在值得我們多加注意。這是談到謚法引出來的題外感想。

修家譜

說到字輩，是修家譜的重要工作之一。以前每三十年修一次家譜，即使衰落的家族，最多不能超過六十年，一定要修一次家譜。在修譜的時候，就要決定排出新的字輩。以蔡家的字輩爲例是「世泰家聲啟，運隆教澤長」十個字。在一九四四年修譜的時候，就另外決定了新的十個字，作爲後十代命名用的，假如本人名「世」信，兒子則名「泰」來，孫子名「家」珍，曾孫名「聲」傳，玄孫名「啟」偉。由名字上一看，就輩分分明，尊卑有序。在同輩中，也有不同字用同一部首的。如啟字輩的同胞兄弟姊妹，兄弟名啟偉、啟仕、啟優、啟俠，姊妹用啟儂、啟儀、啟仙等等。這種表明血統的方式，後來更擴而充之，作爲表明文化系統、社會關係的方式。如過去北平的科班，今日幾所戲劇學校的學生所用的藝名，王復蓉、李復初，一看便知是復興劇校復字輩的學生。劉陸和、趙陸錦，不外是陸光的陸字輩學生。又如近代特殊社會的所謂大字輩、通字輩，都是這個精神，其中有很多很多功用。

在家譜中，可以看到祖宗的來自何地，比如我是浙江人，我們南姓怎麼由河南一帶到浙江來的？是南宋的時候南渡到浙江來的，當時隨政府到浙江的，然後歷代祖先，有誰到哪裡去了，都有記錄。有一次我在某處看到一家葉姓人家修譜，發生的怪事真多，我們小孩子聽了都害怕，夜裡他們祠堂中會鬼哭神嚎。因爲有的人傳了幾代以後，沒有孩子了，在家譜上他的那條直線就要斷了。照老規矩，出嫁，就注「適張」、「適李」，看得清清楚楚，這是幾千年來宗法社會的成規。

宗法社會的組織，就有這樣嚴密，對於個人的名、字、號、諡法、事業、行狀，等於一篇小傳，在家譜中都記載得清清楚楚。在家譜族系表的線都是紅的，如果中間看見一條藍線，就是很嚴重的事情了。因爲紅線是代表血統；如果是藍線，就是表示沒有生孩子，而是由兄弟的孩子即侄子過繼來承宗祧的；如果沒有兄弟侄子，由外甥（妹妹的孩子）過繼來延接香煙的，則加雙姓，一般是本姓血統最近的過繼（也叫承祧）。其中有一子雙祧的，如兄弟兩人，哥哥無子，弟弟也只有一個孩子，那麼這個獨子，就同時是伯父的孩子。而且除了生父給他娶一個太太外，伯父也給他娶一個太太，稱爲長房媳婦（當然，弟兄排第幾，就是幾房）。那麼長房媳婦生的孩子，就是伯父的孫子，本房媳婦生的孩子，爲生父的孫子。如果沒有叔伯兄弟，就從叔伯祖的後代同輩中承祧，一直追溯到五代上去。如果外甥過繼承祧，要經過族長的同意才可以，而且過繼來的第一代要加雙姓。如張家由李家外甥過繼而來，在家譜中的藍線下就寫張李某某。所以有的人沒有後代的，就叫這一家修譜時修不下去了，晚上就聽到鬼哭。負責修譜的人就要想辦法，使他的宗祧延續下去。

後來，我從外面回到故鄉，奉父親的命令負責主持修家譜，不敢推辭。這件事是非常嚴肅的，半點都馬虎不得，稍有不清楚，稍有懷疑，參加修譜的人必定要親自去這一家訪問。假如有一家遷到江西去了，就要親自去江西尋找，在江西好不容易找到了，可是這家子孫又到湖南去了，又要追蹤到湖南訪問。我的經驗，去訪問時，有的人會討厭你，但大多數人非常歡迎，非常禮遇，不但供給食宿川資，以貴賓長者相待，有的還送紅包。可是送紅包的當中也會有作用的，譬如他家的名字下，本來應該畫藍線的，送個大紅包請求替他畫一根紅線。但這是宗族的大法，修譜的人不敢亂來，而且作了弊有鬼找上來懲罰，可吃不消。

在人類學的立場看起來，好像紅線或藍線沒有多大關係，「民胞物與」的精神，民吾同胞，物吾與也，誰的兒子都是一樣，可是站在宗族血統的立場，就決不敢以開放的思想來做。還有的人聲明不是外甥，是「路邊妻」生的孩子。所謂「路邊妻」是有的地方有租妻的風俗，租一個婦人來，生下孩子以後，將孩子交給男方，各走各的路，沒有夫妻關係。「路邊妻」的孩子，碰到幾家修譜時就發生問題了，因為無法證明這個孩子到底是哪一個丈夫的。但無論是紅線或藍線，有一個最主要的精神，就是「興滅國，繼絕世」的精神，對於沒有後代的，一定想辦法把他的宗祧繼承下去，香煙延續起來，這是中國民族思想的精神，大家必須注意。

我曾和許多老朋友談起，問他們有沒有修家譜、看家譜的經驗。他們有的七八十歲了，都說沒有，而我很幸運，一生中有過兩次。不過有一件很遺憾的事，每一宗族的家譜，依照老規矩，僅有兩部。正本放在祠堂裡，副本放在族長的家裡。如果因法律問題或者宗族上其它什麼問題，要查家譜的時候可不容易，非要全祠堂的董事、負責人到齊了，才可以打開這個藏家譜的箱子。我當年在家裡修家譜，一位朋友告訴我，他當時回去修家譜，有所變革，不像以前那樣有半張書桌寬大的正副兩本，而變成了現在的二十四開本，同時印了一百多套，凡是出了錢的，或一家送一套，或三五家送一套，以資流傳。他這個辦法很新，可是我做不到，因爲我們南家的老輩們非常保守，對於祖上留傳下來的規矩，不敢改，沒有辦法開這個新風氣，所以我非常佩服他這點，眞高明。事後我眞有點後悔，我當時如果也這樣做了，老輩們頂多不高興，也不會對我怎麼樣，不過說我思想變了，家譜和印書一樣，印這許多給人家看。其實現在想起來，我這位朋友的做法是對的，恐怕現在有許多人的家譜已經沒有了。

不過到台灣後，也曾聽人說過，在抗戰前後有些宗族修譜，都是和我那個朋友一樣，除了祠堂的公款以外，辦理預約，訂出一個價格，凡是本宗族的家庭，願意捐若干錢以上的，就領一部，謂之領家譜。有錢的人家領一部，也有幾家合領一部的。所捐的錢，絕對超過預訂的價格，甚至有的超過十倍以上，以表示對祖先的孝道，爲宗族盡力。領家譜時，非常隆重恭敬，視爲一種光榮，除了用古典鼓樂，到祠堂中恭領，如迎神一樣，而且當天還要設宴，邀請諸親友，因爲這也是一件喜事，宗族、親戚、朋友、鄰居都會來道賀。領回的家譜放在「譜箱」裡面，供奉在祖先牌位的旁邊，是不能輕易打開的。如果是幾家合領的家譜，就由合領的幾家輪流供奉保管，一家以一年爲期，對這件事是非常嚴肅莊重的。

家譜不但是爲個人，而是爲一家一族的宗法社會觀念而存在；它更高的價值，在於其中有很多寶貴的資料。尤其在歷史這方面，尋查個人的史料，像岳飛、文天祥這些人的傳記，就是從他家鄉中的家譜裡，找出很多真實的資料與記載，這些資料在歷史上很重要。換言之，家譜家乘，就是它這個宗法社會的一個小的歷史，我們常說，大家都是黃帝子孫，就是各家循家譜研究，追溯到最後，黃帝是每一家族的根源。發展下來，就表現了「興滅國，繼絕世」的民族觀念。

「興滅國，繼絕世」的觀念，也可以說是中國人文的俠義道精神。俠義的義，是義氣的意思，也是從這個精神來的。我曾經提過，仁義的「仁」字，在世界各國的文字中，有同意義的同義字。但是俠義道的「義」字，在世界各國文字中，都沒有同義的字，只有我們中國文化講俠義、義氣。這是對朋友的一種精神，爲了朋友可以犧牲自己的生命。朋友死了，應該對他的孩子，負責教養，培養教育到長大成人，成家立業。甚至有的公私機構，對於員工的遺孤，都還照顧培植。當然，現在社會這種情形比較少了。過去我就看到好幾個朋友，這樣照顧亡友的孤兒寡婦，一直到孩子長大成家爲止。這種俠義的精神，路見不平的，幫助人的，看見孤苦給予援助，就是根據「興滅國，繼絕世」的精神發展出來的。

神奇的堪輿學

現在回頭再講中國過去的地理——看風水的問題。所謂形巒，一般的說法就是龍，看龍脈。龍是形容詞，不是真的有龍。形巒就是五行相配。有的山頭是圓形的，便屬於土形；有的山頭是尖形的，便屬於火形；方形的是屬於金形；另外還有木形的山。金木水火土配起來，就是看形巒。

風水師常說這個山是麒麟呀、獅子呀、寶劍呀、軍旗呀、妙帽呀，都是鬼話，不要相信。獅子跟狗差不多，麒麟跟豬差不多，爲什麼不說是狗形山、豬形山呢？由此可知這些都是胡說，是迷信。後來堪輿學到了唐代，分爲四家，就是賴、李、楊、廖，最有名的是楊救貧。我們年輕時，聽説看風水要練眼睛，要能看到地下三尺深。那也是騙人的話，不可能的事！當時我也練了很久，後來越想越不對勁，便不再練了。

事實上，一個地理師要能看到地下三尺，也是有道理的。但是要用智慧之眼去看。要了解地質的情形，豈止三尺！三丈也應該了解的。楊救貧因爲十分高明，所以不輕易爲人家看墳地。他只爲忠臣、孝子、節婦、義士這四種人看。這些是中國社會的典型人物。他指定地點，把這家死去的父母埋下，不出三年一定大發！不管什麼地，只要楊救貧一指點，頭向哪一邊，腳向哪一邊，埋下去三年以後，你等著看吧！升官、發財都來了。

這種方法我們年輕時候聽了，心中認爲非常神奇，也非常嚮往。其實，任何一個地方都可以葬人。過去我家孩子們也有信來，説爲我選了一個好地。我寫信告訴他們，「青山何處不埋人」！人死了哪裡不能埋呢？不要那麼麻煩，哪裡死，哪裡埋，壽終正寢跟死在道路旁邊是一樣的。但是講堪輿之學，的確有這種學問，叫做理氣。懂了理氣，懂了三元的道理，任何地方都可以。

譬如今年爲下元甲子年（一九八四年），卦氣便跟著變了。台灣是屬於後天卦巽卦的位置，巽在東南。台灣幾百年没有走過這個運，這幾十年正是巽卦當令，所以也是台灣最走運的時候、氣最旺的時候。過了這個卦氣，便要開始鼎卦。鼎卦的方位、當令、當權，又另是一種氣象了。楊救貧的方法就是抓這個東西，抓住這個時運。運氣正要到那裡的時候，等於一條光線，正好照到那裡一樣，不論水澤、荒丘、道旁……這時候你把人埋下去，等到你自己發達了，有辦法了，再把你父親、母親移去他處安葬。這是唐朝楊救貧的大概。地理這門學問，我平常也常鼓勵一般人學。但是派別很多，這個裡邊竅門也很多，絕對不能迷信。

有一本書，我在香港看到，現在已經在台灣流行了。這本書有圖案，寫得很明白。譬如正對門口有棵樹，這是很不好的。記得有次到南部去，走到清水等車子，看到一戶人家門口有一棵榕樹，榕樹鬚一串一串糾結不清，很是不好。一問這家果然有問題。

風水這東西有時也真邪！你說不信嗎，有時候還真靈；不過有時候也不盡然。我們中國看地是：一德二命三風水四積陰功五讀書。你懂了這些以後，便不要看風水了，一切都要靠自己努力才行。雖然如此，過去大家還是很重視它。在我們歷史上出將入相的人很多，像宋朝的范仲淹、朱熹，也是一代大儒，他們的風水都很高明，孔子的學生們也很注意這個問題。孔子死後，他的墓地是他的學生子貢看的。當時三千弟子會議如何來葬夫子，結果選了一塊地（就是後來葬漢高祖的那塊地），子貢看了說：不好，這塊地不行，因爲這塊地只能葬皇帝，不能葬夫子；我們夫子比皇帝偉大！所以子貢選了山東的曲阜。但是子貢又講了：這塊地固然不錯，只是這條水有問題。若干年後，下一代女家差一點，再下一代又好一點，再下一代又差一點……由於過去重男輕女，女家好壞大家認爲不算什麼。這麼一塊千秋萬世的好地，雖然有這一點缺陷，也總算是塊好地了，於是孔子便葬在這裡。

這些故事說明中國文化中，古代的讀書人必須要通三理——醫理、命理、地理。爲什麼要通三理？

因爲中國文化講孝道，一個作兒女的人要懂了這些，才能爲父母盡孝。父母年紀大了，作孩子的一定要懂得命理。孔子在《論語》中就說：「父母之年，不可不知也。」父母的年齡不可不知道，爲什麼？知道了父母是多大歲數了，自己出遠門能不能回來，自己心裡有數。算一算知道什麼時候是個關口，怕有麻煩，早點準備，要特別小心。第二點，萬一父母有病了，自己懂得醫理，知道治療。不幸死了呢？懂得地理，找個地方安葬父母。所以一個讀書人就要能懂得命理、懂得醫理、懂得地理。

到底地理有沒有關係呢？有關係，我小的時候也看到很多。當時有一個老前輩，又會算命又會看地，我們老喜歡跟著他跑，一邊跑一邊聽他講些道理，講些學問。那時候不用筆記，完全靠腦子記憶，有時候一件事要他講好幾遍。記得有一次走到一個山上，看到一座墳墓，這一家是我們都認識的。他說：這家的後代一定很不好，我們要幫幫他。我說我們又沒有錢，又沒能力，怎麼幫法？老師帶我們站在山上說：你看他的祖墳下面出了毛病啦！我們站在山上看墳墓，一片白白的，很多墳墓，都一樣呀！老師說某某家的墳墓裡有水，在我看來卻跟別家的墳沒有什麼兩樣。

過了半年，聽說這家要遷墳了。那時候還小，怕看棺材、怕見鬼，不敢去看。老師說不怕！我帶你去，年輕人多學些經驗，於是便去了。到那裡還沒有開始挖墳，老師說這個棺木有問題，裡邊都是白螞蟻。結果把墳挖開了一看，不但棺木變了方向，而且已變成黑色，外邊還乾乾的。再打開一看，棺木內一半都是水，棺木上全是白螞蟻。想想老師的確有一套。

我們一般人講風水，風水是什麼？什麼叫風水？風水就是要避開風、避開水。所以我就問老師，棺木怎麼會歪呢？裡邊怎麼會有水呢？他說這是風的關係，地下有風，風的力量就那麼大，把它吹動的。水呢？水是從附近集中來的，所以看風水就是要避開風、避開水。這意思就是，不忍心父母的屍骨在地下還受風與水的浸襲。老師還講了很多故事給我聽，好風水的地方的確不同。記得家父四十多歲的時候，自己把自己的棺材做好擺起來，墳墓也做好。這是中國的老規矩，免得子孫們麻煩。在開始爲家父做墳時，老師來了。指定要挖下去二丈二尺深。一般而言，並不需要挖那麼深。因爲這是塊金色蓮花地，挖到一丈二尺深的時候，中間有塊土是金黃色的，像蓮花一樣。當時我們覺得很稀奇，跟著去看，果然慢慢地挖出黃土。他說還要挖、還要挖，一挖下去果然有塊土跟蛋黃一樣，像不像蓮花，當時也顧不到了，只感到很驚訝。這都是我親眼看到的事情。

那個時候，既沒有大學地質學，也沒有儀器來測量，到底他是怎麼知道的？所以中國的許多學問，都是根據科學的原理來的，都是最高的理論科學。但是很可惜我們一般後代人，大家都把它用到看風水、看死人上去；用到辦公室搬位置，換桌子什麼等等來挑運氣，那實在太小啦！我個人一輩子不在乎這個，有人說我辦公室位置不對，不能坐！我偏要坐，因爲我不需要鬼神來幫助我。一生行事無愧無怍，了無所憾，所以什麼都不怕。但是各位千萬不要學我，因爲我是個什麼都不在乎的人。大家不要迷信，但也不要不信。

說到迷信，使我想到現代人動不動就講人家迷信，有些問題我常常問他們懂不懂？他說不懂，我說那你才迷信！自己不懂只聽別人說，便跟著人家亂下斷語，那才真正是迷信。當然，不但科學不能迷信，哲學、宗教也同樣地不能迷信。要想不迷信，必須要自己去研究那一門東西，等研究通了，你可以有資格批評，那才能分別迷信與不迷信。這是講到地理的時候，對我們一般人看問題的一些感觸。

漢學和博士

現在世界上流行一個名詞——漢學。歐美各國講中國學問，都稱之為「漢學」，這是世界通稱，成了習慣，已經沒辦法更正了。事實上這個觀念是錯誤的。

在我們中國文化中所稱的漢學，是指漢儒作的學問，注重訓詁。所謂「訓詁」，就是對於文字的考據，研究一個字作什麼解說，為什麼這樣寫。不過漢學很討厭，他們有時候為了一個字，可以寫十多萬字的文章，所以我們研究這一方面的書，也是令人頭大的。但是古人所謂博士學位——我們現在的博士也是這樣——往往憑藉這些專深的研究，可以作一百多萬字的文章，這就是訓詁之學。後來發展為考據，就是對於書本上的某一句話，研究他是真的或是假的。這些學問，為了一個題目，或某一觀念也可寫百多萬字。總之，漢儒就是訓詁考據之學；在中國文化上叫「漢學」，意思是漢儒作的學問。

漢學自漢武帝開始，就有「五經博士」，就是四書五經等書中，通了一經的就是「博士」，所以中國有博士這個尊稱，也是從漢朝開始的。所謂博士，就是專家。如《詩經》博士，就是《詩經》的專家。到了唐代以後，就慢慢注重文學了，因爲幾百年訓詁考據下來，也整理得差不多了。

到了宋代，當時有所謂五大儒者，包括了朱熹等五個人，他們提倡新的觀念，自認爲孔孟以後繼承無人，儒家的學問斷了，到他們手裡才接上去。這中間相隔差不多一千多年，不知道他們在哪裡碰到孔子和孟子，就一下子得了祕傳一樣，把學說接上去了，這是宋儒很奇怪的觀念。然後他們就批評各家都不對，創了所謂理學。不過有一點要注意，我們現在的思想界中，理學仍然非常流行，有一派自稱新理學，講儒學的學問。但很遺憾，他們還不成體系，仍舊不倫不類的。至於宋儒的理學家，專門講心性之學，他們所講的孔孟心性之學，實際上是從哪裡來的呢？一半是佛家來的，一半是拿道家的東西，換湯不換藥地轉到儒家來的。所以，我不大同意宋儒。對於宋儒的理學，我也曾花了很大的工夫去研究，發現了這一點，就不同意他們。一個人借了張家的東西用，沒有關係，可以告訴老李，這是向張家借來的，一點不爲過。可是借了張家的東西冒爲己有充面子，還轉過頭來罵張家，就沒道理了。宋儒們借了佛道兩家的學問，來解釋儒家的心性之學，一方面又批駁佛道。其結果不止如此而已，從宋儒一直下來，歷代的這一派理學，弄到後來使孔孟學説被人打倒，受人批評，宋儒真要負百分之百的責任。以後經過宋、元、明、清四朝，都在宋儒的理學範圍中轉圈圈，是不是闡揚孔子的真義，很難下一定論。有一本《四朝學案》，是講宋、元、明、清幾百年來儒家心性之學的。尤其到了明朝末年，理學非常盛行，所以清朝入關的時候，很多人對明儒的理學非常憤慨，認爲明儒提倡理學的結果是：「平時靜坐談心性，臨危一死報君王。」指責理學對國家天下一點都沒有用。平常講道德、講學問，正襟危坐談心性，到了國家有大難的時候——「臨危一死報君王」，一死了之，如此而已。不過話説回來，能夠做到「臨危一死報君王」已經很不容易了，但對於真正儒家的爲政之道而言，未免太離譜了。因此清初一般學者，對於這種高談心性、無補時艱的理學相當反感。最著名的如顧亭林、李二曲、王船山、傅青主這一些人，也決不投降滿清，而致力反清復明的工作。後來中國社會幫會中的洪幫，現在又叫洪門，就是他們當時的地下組織，是士大夫沒有辦法了，轉到地下去了的。洪門首先是在台灣由鄭成功他們組織，一直影響到陝西，都是他們的活動範圍，所謂天地會等等，都是洪門後來分衍而來。

清初顧亭林這些人，既不同意宋明儒者的空談，於是回過頭來作學問，再走考據的路子，叫作「樸學」，因此也有稱之爲漢學的。我們身爲中國人，必須要了解「漢學」這個名稱是這樣來的。外國人研究中國的學問也稱漢學，是指中國學問。古書上所指的漢學，是偏重於考證的學問，這是順便介紹的。

隱士與歷史文化

有人說中國過去的隱士，就是西方文化中自由主義者「不同意」的主張，他不反對，反正個人超然獨立，這是民主政治的自由精神。這個比方表面上看起來很對，實際上還是不大對，因爲中國一般知識分子中，走隱士路線的人並不是不關心國家天下大事，而是非常關心，也許可以說關心得太過了，往往把自己站開了，而站開並不是不管。印度的思想，絕對出家了，去修道了，就一切事務不管；中國的隱士並不是這種思想。我們研究中國的隱士，每一個對於現實的政治社會，都有絕對的關係，不過所採取的方法，始終是從旁幫助，自己卻不想站到中間去。或者幫助他的朋友，幫助他的學生，幫助別人成功，自己始終不站出來。在中國過去每一個開創的時代中，看到很多這樣的人。

最有名的如明朝朱元璋開國的時候，能夠把元朝打垮，當然中間是靠幾個道家思想的隱士人物出力，正面站了出來的是劉伯溫。背後不站出來，故意裝瘋賣傻、瘋瘋癲癲的人有好幾個，如裝瘋的周顛，另一個是鐵冠道人，這是著名的。這些人朱元璋都親自爲他們寫過傳記。正史不載，因爲正史是儒家的人編的，他們覺得這些人太神奇了，這些資料都不寫在正史中。尤其是周顛這個人更怪，既不是和尚，又不是道士，一個人瘋來瘋去的，與朱元璋的交情也非常好，每逢朱元璋有問題解決不了的時候，他突然出現了，告訴解決的辦法。有一次朱元璋還測驗他，周顛自己說不會死，朱元璋把他用蒸籠去蒸烤，結果蒸了半天，打開一看，他等於現在洗了一個土耳其浴，洗得一身好舒服。從此朱元璋告訴部下，不可對周顛怠慢，這是一個奇人。像這一類的人，也屬於有名的隱士思想一流的人物。

中國過去有道之士，可以不出來干涉現實的事，但他非常熱心，希望國家太平，希望老百姓過得好，寧可輔助一個人做到太平的時代，而自己不出來做官；等到天下太平了，成功了，他的影子也找不到了，他什麼都不要。在中國古代歷史中，這一類的人是非常多的。當然正面歷史不大容易看到，從反面的歷史上，可以看到很多，幾乎每個朝代，都有這些人。就拿王陽明來講，他所碰到的與普通人的生活及觀念不同的異人也很多。

隱士思想，明知道時代不能挽救的時候，他們站開了，但並不是消極的逃避，等於是保留了文化的精神，培養後一代，等待下一代。最有名的，如唐代的王通，我曾經提到過很多次，他的學生們在他死後私謚他爲「文中子」。在隋煬帝的時候，他本來有志於天下，自己想出來幹的，但與隋煬帝談過話，到處看過以後，知道不行，回去講學，培養年輕一代。所以到了唐太宗開國的時候，如李靖、房玄齡、魏徵這一批唐代的開國元勛、文臣武將，幾乎都是他的學生，所以開創唐代的文化思想，文中子是最有功勞的。可是我們讀唐代的歷史，還沒有他的傳記，所以後人還是懷疑文中子的事跡是不是真的，否則爲什麼沒有他的傳記？最後經過考證，原來文中子的兒子，得罪了唐太宗的舅子，也是一位很有名的大臣，人也很好，不過在學說思想上意見不同，所以後來修唐史的時候，就沒有把文中子的思想擺進去。因此文中子死後，他的謚號，還是朝中這班大臣、也就是他的學生們私下給他的。歷史上有名的「自比尼山」故事，就是說不僅他的弟子，連他自己也自比爲當代的孔子。而實際上以功業來說，也許他比孔子還要幸運，因爲孔子培養了三千弟子，結果沒有看到一個人在功業上的成就，而文中子在幾十年中培養了後一代的年輕人，開創了唐代的國運與文化。

像這一類，也屬於隱士之流的思想，明知道時代不可以挽回了，不勉强去做，不作儒家思想的「中流砥柱」——人應有中流砥柱的氣概，但能不能把水流挽回呢？這是不可能的，只可以爲自己流傳忠臣之名而已，對時代社會則無法真正有所貢獻。道家說要「因應順勢」，這類人的做法，就形成了後世的隱士。

中國科技落後的原因

我們三千年來的歷史經驗，素來朝儒道並不分家的傳統思想方向施政，固守以農立國，兼及畜牧漁獵鹽鐵等天然資源的利用以外，一向都用重農輕商的政策，既不重視工業，當然蔑視科（學）技（術）的發展。甚至，還嚴加禁止，對於科技的發明，認爲是「奇技淫巧」，列爲禁令。因此，近代和現代的知識分子，接觸西方文化的科學、哲學等學識之後，眼見外國人「富國强兵」的成效，反觀自己國家民族的積弱落後，便痛心疾首地抨擊傳統文化的一無是處。如代表儒家的孔孟倫理學說，與代表道家的老莊自然思想，尤其被認爲是罪魁禍首，不值一顧。

從表面看來，這種思想的反動，並非完全不對。例如老子的「不貴難得之貨，使民不盜。不見可欲，使民心不亂」等等告誡，便是鐵證如山，不可否認。而且由秦漢以後，歷代的帝王政權，幾乎都奉為圭臬，一直信守不渝。其實，大家都忘記了如老子的這些說法，都是當時臨病對症的藥方，等於某一時期流行了哪種病症時，醫生就對症處方，構成病案。不幸後世的醫生，不再研究醫理病理，不問病源所在，只是照方抓藥，死活全靠病人自己的命運。因此，便變成「單方氣死名醫」的因醫致病了！

我們至少必須要了解自春秋、戰國以來的歷史社會，由周代初期所建立的文治政權，已經由於時代的更迭，人口的增加，公室社會的畸形膨脹，已鞭長莫及，虛有其表了。這個時期，也正如太公望所說的「取天下者若逐野鹿，而天下共分其肉。」一班强權勝於公理的諸侯，個個想要稱王稱帝，達到獨霸天下的目的，只顧政治權力上的鬥爭，財貨取予的自恣。誰又管得了什麼經綸天下、長治久安的真正策略。因此，如老子他們，針對這種自私自利的心理病態、社會病態，便說出「不尚賢，使民不爭。不貴難得之貨，使民不盜。不見可欲，使民心不亂」的近似諷刺的名言。後來雖然變成猶如醫藥上的單方，但運用方式的恰當與否，須由大政治家而兼哲學家的臨機應變，對症抓藥。至於一味的盲目信守成方，吃錯了藥，醫錯了病的責任，完全與藥方藥物無關。

例如我們過去歷史上所謳歌頌揚的漢代文景之治，大家都知道，是熟讀老子的漢文帝母子，信守道家的黃老之道的時代。老子傳了三件法寶：「曰慈、曰儉、曰不敢為天下先。」漢文帝自始至終，都一一做到了。漢文帝的儉約是出了名的，「不貴難得之貨」，也是有事實證明的。他自己穿了二十年的袍子，捨不得丟掉，還要補起來穿。從個人的行為道德來說，一個「貴為天子，富有四海」的皇帝，能夠如此儉約，當然是難能可貴。又有人獻上一匹千里馬給皇帝，他便下了一道詔書，命令四方，再也不要來獻難得的貨物。這是他繼承帝位的第一年，有獻千里馬者的歷史名詔。他說：「鸞旗在前，鳳車在後，吉行日五十里，師行三十里。朕乘千里馬，獨先安之？於是還其馬，與道里費。」下詔曰：「朕不受獻也，其令四方毋復來獻。」

在我們的歷史與輯著史書者的觀念裡，鄭重記載其事的本意，就是極力宣揚漢文帝的個人行為道德，如此高尚而節儉，希望後世的帝王者效法。如用現代語體來表達這段史實，是說漢文帝知道有人來獻千里馬，便說：此風不可長，此例不可開，我已經當了皇帝，要出去有所行動的時候，前面有擎著刺繡飛鸞的旗隊，正步開道。後面又跟著侍候的宮人們，坐著刻畫祥鳳的車隊，帶著御廚房，平平穩穩，浩浩蕩蕩地向前推進，大約每天只走五十華里就要休息了。如果帶著警衛的部隊，加上軍事設備等後勤輜重軍隊，大約每天只走三十華里便要休息了。那麼，我當皇帝的，單獨一個人騎上千里馬，要到哪裡去呢？

無論是達官顯要，乃至貴為帝王，沒有周圍的排場，沒有軍警保護的威風，也只是一個普通的人而已，並無其他的奇特之處。甚至，遇到危難，還很可能正如民間俗話所說：「鳳凰失勢不如雞」呢！因此，他退還了這匹奉獻上來的千里馬，並且交代下去，還要算還送馬來的來回路費和開支。同時又下了一道命令——當時把皇帝的命令叫詔書。宣布說：朕（過去歷史上皇帝們的自稱）不接受任何名貴稀奇的奉獻，要地方官們通知四方，以後不要打主意奉獻什麼東西上來。

這在漢文帝當時的政策作為，的確是很賢明的作風，不只是因為他的個性好尚節儉的關係。在那個時候，從戰國以來到秦漢紛爭的局面，長達兩百餘年，可以說中國的人民，長期生活在戰爭的苦難中。縮短來說，由秦始皇到楚漢分爭以後，直到漢文帝的時代，也有五六十年的離亂歲月。這個時候的社會人民，極其需要的便是「休養生息」，其餘都是不急之務。所以他的政策一上來便採用了道家無為之治，以慈、儉、不敢為天下先（不要主動去生事）為建國原則。首先建立寬厚的法治精神，廢除一人犯罪，併坐全家的嚴刑。跟著便制定福利社會人民的制度，「詔定振窮、養老之令」。

「詔曰：方春和時，草木羣生之物，皆有以自樂。而吾百姓鰥寡孤獨窮困之人，或阽於死亡而莫之省憂。爲民父母將何如？其議所以振貸之。」

「又曰：老者非帛不暖，非肉不飽，今歲首不時（注：年初及隨時的意思）使人存問長老。又無布帛酒肉之賜，將何以佐天下子孫孝養其親哉！具有令：八十以上，月賜米肉酒。九十以上，加賜帛絮。長吏閱視，丞若尉（丞、尉都是地方基層官職名稱）致二千石（地區主政官職稱謂）遣都吏循行，不稱者督之。」

學老子的漢文帝絕對沒有錯，但是後代有些假冒爲善，畫虎不成反類犬的帝王們，卻錯學了漢文帝。例如以欺詐起家、取天下於孤兒寡婦之手的晉文帝——司馬炎，在他篡位當上晉朝開國皇帝的第四年，有一位拍錯馬屁的太醫司馬程，特別精心設計，用精工絕巧的手工藝，製作了一件「雉頭裘」，奉獻上去。司馬炎便立刻把它在殿前燒了，並且下了詔書，認爲「奇技、異服，典禮（傳統文化的精神）所禁。」敕令內外臣民，敢有再犯此禁令的，便是犯法，有罪。談中國的歷史，姑且不論司馬氏的天下是好是壞，以及對司馬炎的個人道德和政治行爲又作什麼評價，但歷來對奇技淫巧、精密工業以及科技發展的嚴禁，大體上，都是效法司馬炎這一道命令的精神。因此，便使中國的學術思想，在工商科技發展上駐足不前，永遠停留在靠天吃飯的農業社會的形態上。

其實，回轉來追溯我們在科學發展的學術思想史上，歷代並非無人，只是都怕背上傳統觀念中玩弄「奇技淫巧」的惡名。同時，更受到混合儒道兩家思想的「玩人喪德，玩物喪志」等似是而非的解釋所限制。

姑且不說老祖宗黃帝如何發明「指南針」、「指南車」，或者更早的老祖宗們在天文和數學方面，又如何一馬當先的居於世界科學史上的先導地位。至於戰國時代，方士們的「煉丹術」，成爲世界科學史上化學的鼻祖。甚至，五行學說的運用，在天文、地理和克服沙漠與航海等困難上，也有相當的貢獻。只以科技工業來說，在戰國前期，最著名的，便有墨子與公輸般在軍事武器上的彼此互相鬥巧。除此之外，墨子《魯問篇》與韓非子《外儲篇》上，還分別記載著墨子曾經用木材製造一個飛鳥。公輸般也有用竹子、木材製造一隻鳥鵲，放在空中飛了三天不掉下來的記錄。還有，南北朝的時候，有一位和尚，也用木材造了一個飛鳥，在空中飛翔好幾天，最後又回轉原處降落。不幸的是，這些比發明飛機還早的發明，受到「奇技淫巧」觀念的影響，被埋沒了。沒有受到如西洋思想中的重視，再加研究，再加改進而成爲人類實用的科學技能。

至於明代初期鄭和所製造遠航的大樓船，以及宋、元時代在戰爭中運用的大砲，是否學自西洋，或是中國的發明、輾轉傳到歐洲而加以改良，考證起來，實在也很困難，因此也不敢輕信一般的定論，貿然的認爲自西洋傳來。

總之，在我們的歷史上，自戰國以下，科技的發展，都被「奇技淫巧，典禮所禁」這個觀念所扼殺，那也是事實。而這個觀念，是否受老子的「不貴難得之貨，使民不盜」的思想所影響，卻很難肯定。老子所指的「難得之貨」，正如呂不韋思想中的「奇貨可居」的大貨。換言之，他的內涵，多半是指天下國家的名器——權力，並非狹小到像他自己——老子一樣，只願意騎上一條青牛過函谷關，決不肯坐大馬車去西渡流沙。

因爲講到古代科學技術的發展、機械的發明，以及工商貨品的開發，幾乎每一樣事物都和道家的方伎有關。例如在十九世紀最爲重視的動力能源，便是煤炭。在我們的歷史上，最初發現煤炭的趣話，是在漢武帝時代。漢武帝爲了教練水師——海軍而開鑿昆明池。因爲開鑿昆明池這個大水庫，便挖到煤炭。但是當時的人們不知道這種黑而發亮又堅硬的石頭是什麼古怪的東西，便呈獻上來給皇帝。漢武帝看了當然也不知道，只好找以滑稽出名的東方朔來問。東方朔耍了一個關子，推說他自己也不知道，就順水推舟說，正好西域來了一位胡僧，請他來，一定可以找到答案。這樣一來，更引起漢武帝的興趣了。找來了胡僧，問他這塊黑石頭一樣的是什麼東西，胡僧便說：「此乃前劫之劫灰也。」一塊煤炭，叫它做「劫灰」，多麼富有神祕性的文學筆調啊！

其實，劫灰的典故，出在佛經。佛説物質世界的存在，也和人的生命一樣，有它固定的變化法則。在人的一生中，從生到死，有四大過程，叫做「生、老、病、死」，誰也逃避不了。但在物質世界的地球和其它星球而言，它的存在壽命，雖然比人的身體壽命長，結果也免不了死亡的毀滅，不過把物質世界由存在到毀滅的四大過程，叫它「成、住、壞、空」。當上一次這個地球上的人類世界被毀滅的時候，火山爆發，天翻地覆的，在高溫高壓下，經過長時間的化學變化，沒有燒化的，還保有原來形狀的，就是化石。至於燒成灰塊的，就是煤礦、鐵礦之類。熔成漿的，就是石油。佛學中的「前劫之劫灰」，也就是我們所說的煤炭。佛學的這種説法，是被現代科學——地質學的理論所認同的。但在西漢武帝的時代，這種理論，就很新奇了。

那麼，我們的古人，既然知道了煤炭，爲什麼不早早開發來應用，卻始終要上山打柴，拿草木來做燃料呢？這又是另一個有趣而具意義的問題。這個思想，也出在道家的學術思想。道家認爲天地是一大宇宙，人身是一小天地。地球也是一個有生機的大生命，就如人身一樣。人體有骨骼、血脈、五臟、六腑、耳目口鼻以及大小便等等。地球也是一樣，它有生機，不可輕易毀傷它。不然，對人類的生存，反有大害。因此，雖然知道有「天材地寶」的礦藏，也決不肯輕易去挖掘。即使挖掘，也要祭告天地神祇，得到允許。不然，只有偷偷地在地層表面上撿點便宜。其實，那個神祇又管得了那麼多？但是人心即天心，人們的傳統思想是如此，神祇的權威就起了作用了。

正因爲這種思想，使得我們全國的豐富的煤礦等寶藏，才保留到現在，作爲未來子孫們生存的資財。例如現在人所用的能源——石油，在道家的觀念來講，是萬萬不敢輕易多用的。因爲那是地球自身營衛的脂肪或者就同人體的骨髓。如果挖掘過分了，這個地球生命受到危害，就會加速它的毀滅。

這種思想，這種觀念，看來多麼可笑，而且極富於兒童神話式的濃厚幽默感。因爲我們現在是科技的時代，決不肯冒昧地輕信舊說。但是，我們不要不了解，現代真正的大科學家們，他們反而驚奇佩服我們的祖先，遠在十幾個世紀以前，早已有類似現代科學文明的地質學和礦藏學的理論和認識。

第六章 人生精言

古今中外，許多被後世認爲是多麼偉大、能影響千秋萬世的人物，在當時，大多數都是那麼凄涼寂寞的。就因爲他在生前不是重視短見的唯利是圖，對自己個人，對國家天下事，都是以如此的人品風格來爲人處世的。

我曾講過，世界上所有的政治思想歸納起來，最簡單扼要的，不外中國的四個字——「安居樂業」。所有政治的理想、理論，都沒超過這四個字的範圍；都不外是使人如何能安居，如何能樂業。同時我們在鄉下也到處可以看到「風調雨順，國泰民安」這八個字，現代一般人看來，是非常陳舊的老古董。可是古今中外歷史上，如果能夠真正達到這八個字的境界，對任何國家、任何民族、任何時代來說，無論是什麼政治理想都達到了。而這些老古董，就是透徹了人情世故所產生的政治哲學思想。

學問最難是平淡，安於平淡的人，什麼事業都可以做。因爲他不會被事業所困擾。

這個話怎麼說呢？安於平淡的人，今天發了財，他不會覺得自己錢多了而弄得睡不著覺；如果窮了，也不會覺得窮，不會感到錢對他的威脅。所以安心是最難。

在現實的人生中，只爲自己一身的動機而圖取功名富貴的謀身者，便是凡夫。在現實的人生中，如不爲自己一身而謀，捨生取義，只爲憂世憂人而謀國、謀天下者，便是聖人。

試看幾千年來中國文化的整個體系，甚至古今中外的整個文化體系，沒有不講利的。人類文化思想包涵了政治、經濟、軍事、教育，乃至於人生的藝術、生活……等等，沒有一樣不求有利的。如不求有利，又何必去學？做學問也是爲了求利，讀書認字，不外是爲了獲得生活上的方便或是自求適意。即使出家學道，爲了成仙成佛，也還是在求利。小孩學講話，以方便表達自己的意見，當然也是一種求利。仁義也是利，道德也是利，這些是廣義的、長遠的利，是大利。不是狹義的金錢財富的利，也不只是權利的利。

人生的福禍都很難說。我們如果從道德果報的觀點來看，便有後世宗教家們所說的：「禍福無門，唯人自召。」如果只從哲學的觀點來看，便符合「塞翁失馬，焉知非福；塞翁得馬，焉知非禍」的至理名言。

物質環境好，是不是就一定能夠快樂？這是一個觀念問題，並不是絕對的。固然，物質環境的好壞，可以影響到人的心情與思想。但有高度精神修養的人，同樣的能夠以自己的心，去轉變環境的。如孔子說顏回：「賢哉！回也。一簞食，一瓢飲，在陋巷，人不堪其憂，回也不改其樂，賢哉！回也。」他自己有自己的天地，並不因爲物質環境的影響而有所改變。如果沒有中心思想，沒有立身處世的道德標準和這一些精神的修養，縱然有再多的財富，再好的物質環境，而他的心理上，並不會快樂的。

個人的人生也是一樣，自己不能矛盾，當受到艱難或迫害的時候，就要改變自己的環境。當環境不能改變時，就要自己站起來，堅强起來，寧死而不向困難環境屈服。

在艱苦中成長成功之人，往往由於心理的陰影，會導致變態的偏差。這種偏差，便是對社會、對人們始終有一種仇視的敵意，不相信任何一個人，更不同情任何一個人。愛錢如命的慳吝，還是心理變態上的次要現象。相反的，有器度、有見識的人，他雖然從艱苦困難中成長，反而更具有同情心和慷慨好義的胸襟懷抱，因爲他懂得人生，知道世情的甘苦。

在我們幾千年來的中國文化裡，有一個中心思想——「邪不勝正」。這是一項真理，已成爲家喻戶曉、人人能道的至理名言了。但是自古以來，在任何時代，行正道都是非常艱難的。

今天耕耘的人，自己不一定享受得到它的成果。人不論爲國、爲家、爲自己，都是希望自己看到、享受到自己努力的成果，這也是人情之常。

世界上任何一個人，在心理行爲上，即使一個最壞的人，都有善意，但並不一定表達在同一件事情上。有時候在另一些事上，這種善意會自然地流露出來。俗話常說，虎毒不食子，動物如此，人類亦然。只是一般人，因爲現實生活的物質的需要，而產生了欲望，經常把一點善念矇蔽了，遮蓋起來了。而最嚴重的，如《西遊記》中的牛魔王，也就是人的脾氣，我們常常稱之爲牛脾氣，人的脾氣一來，理智往往不能戰勝情緒。所以凡是宗教信仰、宗教哲學，乃至孔孟學說，都是教人在理性上、理智上，就這一點善意擴而充之，轉換了現實的、物質的欲望和氣質，使內在的心情修養，超然而達到聖境。

過去歷史上一切的決定權，都取決於君王，實在是不合理，毛病很大也很多。但真正的全民民主可也真難說，要講真正的全民民主，先決的條件，除非是真正做到全民都是聖賢。至少要全民的教育水準、學識修養都能達到一致的水平才可以。不然，千萬不要忘了羣衆有時的確是很盲從盲動的。衆人之紛紛，不如一士之諤諤，那也是不可否認的事實。所以國人皆曰如何如何，也並不見得就是真正的是非善惡。因此一個强有力的君主，他的主張，的確具有百分之百決定性的影響，這就必須靠君主的聰明睿智了。我們放眼看今日西方文化的民主，尤其如美國模式的民主，羣衆所公認選舉的，又何嘗一定全是好的？至於幕後操縱在資本家手裡的暗潮，更不必談了。

孔孟之道，並不是像後儒所說的那樣，坐在那裡空談、講道，鑽研心性微言，講授孔孟理學，靜坐終日，眼觀鼻，鼻觀心，觀到後來，只有「樂歲終身苦，凶年不免於死亡。」那才真是誤了道，造了孽了。所以孔孟之道是救世濟民的，正如管子政治哲學的名言：「倉廩實，而後知榮辱。衣食足，而後禮義興。」都是先要個人的經濟充裕了，才有安和康樂的社會，然後才能談文化教育，談禮樂。

細讀中國幾千年的歷史，會發現一個祕密。每一個朝代，在其鼎盛的時候，在政事的治理上，都有一個共同的祕訣，簡言之，就是「內用黃老，外示儒術」。自漢、唐開始，接下來宋、元、明、清的創建時期，都是如此。內在真正實際的領導思想，是黃、老（黃帝、老子）之學，即是中國傳統文化中的道家思想。而在外面所標榜的，即在宣傳教育上所表示的，則是孔孟的思想，儒家的文化。但是這只是口號，只是招牌而已，亦可以旁借「掛羊頭賣狗肉」的市井俚語來勉強比擬，意思就是，講的是一套，做的又另外是一套。

我們研究歷史，很明顯的看出，每當在變亂時代中的社會，所謂道德仁義，這些人倫的規範，必然會受影響，而慘遭破壞。相反的，亂世也是人才輩出、孕育學術思想的搖籃。拿西方的名詞來說，所謂「哲學家」與「思想家」，也都在這種變亂時代中產生，這幾乎是古往今來歷史上的通例。

現在大家都覺得每天的會議太多，頭大得很，這是中西文化合璧的過渡時期的現象。時代不同，社會結構、人事變化古今大不相同。古代官制人事比現在少得多。就清代而言，康熙年間，全國上下二十餘省，從中央到地方的正式朝廷官員，只有二萬五千多人。就此人數，辦理約四萬萬人的政治事務。當然，我們看到清末的政治非常腐敗，但是在腐敗中間，也有一點值得注意，就是那時腐敗衙門的師爺們，每天上班，大多已在下午兩三點鐘，吃過午飯，睡好午覺，鴉片煙抽足以後才上班。可是他們今日事今日了，難得有拖到好多天才辦的。難道說這是制度問題？實在難以下一評斷！

一般的婦人之仁，如果擴而充之，就是仁之愛，那就非常偉大了。且看不同宗教中的幾位代表人物，就可知母性仁愛的偉大。佛教裡最受歡迎的是觀世音菩薩，雖然在佛經的原始記載上，他是一位男性，但是他卻常以女身出現，而後世人們也都喜歡膜拜他以女性姿態出現的化身。代代相傳，如今他已成爲母性慈愛的象徵。天主教的聖母瑪麗亞，是偉大母愛的表徵。至於道教標榜的則有瑤池聖母。儘管人類各種宗教的教規、教條、教義，都是重男輕女，但最後還是推崇女性的偉大。看來蠻有意思的。

在中國文化中，有一句話，包括了四件事：「聲、色、貨、利」。在歷史上只要帝王好「聲色貨利」，那個社會、國家，沒有不亂的。這四件事，沒有一件是好事，全是壞事。

後世一些讀書人，讀了《孟子》這一類的書，學了這一派的論調，每提到聲色貨利，就視同毒蛇猛獸，像有劇毒一樣的恐懼。其實，我們每一個人，對於「聲色貨利」，沒有不愛好的。只是對這四件事的慾望、程度上有大小的不同而已。只要擴充這大家都愛好的事，並導之正途，那麼不但對社會無害，而且能收到移風易俗的效果，反而是國家、社會、人民的福利了。我們所謂現代化的第一流强國，正是「聲色貨利」最前進的國家。反之，就是尚在落後、尚未開發中的國家。

其次，我們要討論的「聲、色、貨、利」四事，我國歷史文化上，幾千年來，都認爲是要不得的壞事。直至國民革命成功、推翻滿清，大家還是看不起工商業，尤其看不

起商人。過去習慣上所謂的士、農、工、商，商人被列爲四民之末，這都是中國文化受

這些傳統觀念的影響，致使工商業不發達，科學不進步，而形成中國文化呆滯的一面。

老實說，個人好勇，最高明的也不過是「任氣尙俠」而已，其偏差的流弊很大，甚至睚眥必報、犯禁殺人而自取滅亡。至於帝王好勇的偏差，則必然會窮兵黷武，以殘殺侵略爲能事，那就弄得生靈塗炭，造成社會、國家、人類的大禍害了。最後的結果，不但害了別人，自己的社會國家也同樣受害，乃至於本身生命都不保。現代史的希特勒和第二次大戰的日本軍閥們，就是如此。只有一怒而「安」天下，這才是大勇。

「入國問禁，入鄉隨俗」，這是很重要的一個措施。尤其近代交通工具發達，超音速的交通，減少了旅途上使用的時間，等於縮短了空間的距離，於是人與人的接觸愈益頻繁。因此，在現代所謂「人際關係」上，問禁與隨俗，更是十分重要的。我們在進入一個國家之前，一定要先了解這個國家的法令；去一個地方時，也一定要先弄清楚這個地方的風俗習慣；到任何國家、任何地方，都要尊重當地的法令和習俗，不要做出違逆的事來。對異國如此，對他鄉客地如此，最好對於一般團體也如此。在人際關係上，要非常愼重，要尊重對方的習俗、信仰。對於個人也應注意到，例如某人精神有問題，見不得紅色，而你穿了一件大紅衣服去看他，結果一定很糟糕。擴而大之，對於某些行

業，也要注意其禁忌。比如坐舊式的船，在船上吃過飯後，把筷子擱在碗上，就犯了大禁忌。我們這樣注意自己的行爲，一則是對人的禮貌和恭敬，次則是減少自己的麻煩和困擾，甚至減少失敗的因素。可惜許多年輕人都忽視了孟子這句話，認爲是幾千年前的陳舊思想。

識人如辨物，那一種似是而非的贋品，最會把人難倒。玉和石，是很容易分辨得出來的，但是遇到一塊很像玉的石頭，那麼珠寶店的專家，也感到頭痛了。至於評斷寶劍也是一樣，普通的生鐵所鑄，鋒刃不利的，一望而知。但是樣子很像什麼干將、莫邪的古代名劍，也會令古董商人頭痛。物固如此，對人的認識就更難。因爲人是活著的，是動的，會自我巧飾，所以一個很賢能的君主，也怕遇到那種耍嘴皮子能說善道的辯士，弄得不好就誤認爲他是有真才實學的通人，予以重用而終於誤國。歷史上更有許多亡國之君，看來非常聰明；一些亡國之臣，看來非常忠心的。例如大家最崇拜的諸葛亮，也把馬謖看走了眼，而自嘆不如劉備的知人。

鑒識人，見其器度固難，即使是從言默舉止有了認識，也是不夠的，還必須要更深入地了解他的個性。

所以認識了一個人的氣度，同時還要看他這一種氣度，在反面有什麼缺陷，那麼

「事上」也好，「用下」也好，才能達到知人善任的目的。

堯的兒子叫丹朱（他雖是皇帝的兒子，那時候還沒有太子的名稱），所謂丹朱不肖，大不如他的父親，其實也沒有大壞處，只是頑皮。堯用盡了種種辦法教導他，始終不太成材。一個世家公子，有錢、有地位、有勢力，在教育立場上看，有他先天性的優越，同時也有先天性的難以受教的缺失。據說，堯爲這個兒子，發明了圍棋（我們現在玩的圍棋，便是堯所發明的），以此來教他的兒子，訓練他的心性能夠縝密寧靜下來。但是，丹朱在下棋方面，也沒有達到國手的境界，到底還是無效。因此，堯把帝位傳給了舜，歷史上稱爲「公天下」。後世歷史學家認爲帝堯真是高明，因此而有政治上最高尚的道德，同時也是保全自己後代子孫的最高辦法。如果當時由丹朱即位做了皇帝的話，也許可能是作威作福，反而變成非常壞、非常殘暴，那麼堯的後代子孫，也可能會死無噍類了。他把天下傳給了舜，反而保全了他的後代。

最近大專學生中興起一股歪風，喜歡講謀略學，研究鬼谷子等學說。我常對他們說少缺德，把那些年輕人給鬼谷子迷住了幹甚麼？對於謀略，應該學，不應該用。因爲用謀略有如玩刀，玩得不好，一定傷害自己，只有高度道德的人，高度智慧的人，才會善於利用。西方宗教革命家馬丁·路德說的：「不擇手段，完成最高道德。」但一般人往往把馬丁．路德的話，只用了上半截，講究「不擇手段」，忘記了下面的「完成最高道德」。馬丁．路德是爲了完成最高道德，所以起來宗教革命，推翻舊的宗教，興起新的宗教——現在的基督教。而現在的人，只講不擇手段，忘了要完成最高道德。

一般人說儒家的人反對道家，說道家所提倡的「無爲而治」，就是讓當領袖的，萬事都不要管，交給幾個部下去管就是。這樣解釋道家的「無爲」，是錯誤的。實際上道家的「無爲」，也就是「無不爲」，以道家的精神做事作人，做到外表看來不著痕跡，不費周章。譬如蓋一棟房子，就在最初，把這棟房子將來可能發生的毛病，都逐次彌補好了。所以在蓋完了以後，看起來輕而易舉，不費什麼，而事實上把可能發生的漏洞，事先都彌補了，沒有了，這就叫「無爲」。換句話說，就是現在已經看到，某一件事在將來某一個時候可能發生問題，而現在先把問題解決了，不再出毛病，這就是道家的「無爲而治」，這是很難做到的。並不是不做事、不管事叫做「無爲」。

孔子說：「無爲而治者，其舜也與！」無爲而治，使天下大治是不容易的，只有上古時代的堯舜才做到。

我們經歷這幾年的離亂人生——國家、社會、天下事，經過那麼大的變亂——才瞭解國家社會安定了，天下太平了，才有個人真正的精神享受。不安定的社會、不安定的國家，實在是做不到的。時代的劇變一來，家破人亡，妻離子散的悲劇，遍地皆是。所以古人說「寧爲太平犬，莫作亂世人。」而古人所講的這個境界，就是社會安定、國家自主、經濟穩定、天下太平，每個人都享受了真、善、美的人生，這也就是真正的自由民主——不是西方的，也不是美國的，而是我們大同世界的那個理想。每個人都能夠做到，真正享受了生命，正如清人的詩「天增歲月人增壽，春滿乾坤福滿門。」我們年輕時候，家裡有書房讀書的生活，的確經歷過這種境界，覺得一天的日子太長了，哪裡像現在，每分鐘都覺得緊張。如果我們有一天退休，能悠閒地回家種種菜，看看有多舒服！

清代才子袁枚有名的故事，他二三十歲就名滿天下，出來作縣長，赴任之前，去向老師——乾隆時的名臣尹文端辭行請訓。老師問他：年紀輕輕去做縣長，有些什麼準備？他說什麼都沒有，就是準備了一百頂高帽子。老師說年輕人怎麼搞這一套？袁枚說社會上人人都喜歡戴，有幾個像老師這樣不要戴的。老師聽了也覺得他說的有理。當袁枚出來，同學們問他與老師談得如何，他說已送出了一頂。這就是孔子說的「巽與之言，能無說乎？」好聽的話誰不願聽？

真正的誠懇、樸實，就是最好的文化，也是真正的禮樂精神。而後天受這些知識的薰陶，有時候過分雕鑿，反而失去了人性的本質。如明朝理學家洪自誠的《菜根譚》——此書兩百多年來不見了，清末民初，才有人從日本書攤上買回。其書與呂坤的《呻吟語》是相同的類型。書中第一條就說「涉世淺，點染亦淺，歷事深，機械亦深。」涉世，就是處世的經驗。初進入社會，人生的經驗比較淺一點，像塊白布一樣，染的顏色不多，比較樸素可愛。慢慢年齡大了，嗜慾多了（所謂嗜慾不一定是煙酒賭嫖，包括功名富貴都是），機心的心理各種鬼主意也越來越多了。這個體驗就是說，有時候年齡大一點，見識體驗得多，是可貴；但是從另一個觀點來看，年齡越大，的確麻煩越大。有些人變得沉默寡言，看起來似乎很沉著，似乎修養非常高，但實際上卻是機械更深。因爲有話不敢說，說對得罪人，說不對也得罪人。假使一個心境比較樸實一點的人，就敢說話了。譬如武則天時代的宰相楊再思，雖然是明經出身，經歷多了，作宰相以後，反而變得「恭慎畏忌，未嘗忤物。」別人問他：「名高位重，何爲屈折？」他說：「世路艱難，直者受禍。苟不如此，何以全身。」

一個人道德修養，真要做到「君子坦蕩蕩」，必須修養到什麼程度呢？要做到「棄天下如敝屣，薄帝王將相而不爲。」把皇帝的位置丟掉像丟掉破鞋子一樣。爲了道德，爲了自己終身的信仰，人格的建立，皇帝可以不當，出將入相富貴功名可以不要。孔子所標榜的人格的修養，到了這地步，那自然會真正「坦蕩蕩」。人有所求則不剛。曾子也說：「求於人者畏於人。」對人有所要求，就會怕人。如向人借錢，總是畏畏縮縮的。求是很痛苦的，所謂「人到無求品自高」。所以要做到「君子坦蕩蕩」，養成「棄天下如敝屣」，然後可以擔當天下大任了。因爲擔當這個職務的時候，並不以個人當帝王將相爲榮耀，硬是視爲一個重任到了身上來，不能不盡心力。但隋煬帝另有一種狂妄的說法，他說：「我本無心求富貴，誰知富貴迫人來。」能說這種狂妄的話，自有他的氣魄。這是反派的。到他自己曉得快要失敗了，被困江都的時刻，對著鏡子，拍拍自己的後腦：「好頭顱，誰能砍之？」後來果然被老百姓殺掉了。這是反面的，不是道德的思想。

對自己子女的教育更要注意，千萬不要「兒女都是自己的好」，對自己的兒女也要看情形，「中人以上可以語上也，中人以下不可以語上也。」教育後代，只是希望他很努力，很平安的活下去，在社會上做一個好分子，這是最基本的要點，並不希望他有特殊的地方。像蘇東坡，名氣那麼大，在文人學者中，他實在好運氣，比蘇東坡學問好的人，不是沒有，可是蘇東坡在宋朝，名聞國際，幾個皇帝都愛他。當時日本、高麗派來的使臣都知道，甚至敵國的人都知道，當時金人所派來的使臣，第一個問起的就是蘇東坡和他的品，他的文章、詩詞，中外傳揚。後來他在政治舞台上受到重重打擊，便寫了一首感慨的詩說：

人人都說聰明好，我被聰明誤一生
但願生兒愚且蠢，無災無難到公卿

我們從蘇東坡這首詩上看到人生。他無限的痛苦、煩惱。所以學問好，名氣大，官作高了，沒痛苦嗎？痛苦更多，這是我們從他這首詩了解的第一點。第二點，從這首詩看蘇東坡的觀點就很可笑了，試看他前兩句，不但他有這個感覺，大家也有這種感覺；第三句也蠻好的；第四句毛病又出在他太聰明了。世界上哪有這種事？生個兒子又笨、又蠢，像豬一樣，一生中又無災無難，一直上去到高官厚祿，這個算盤打得太如意了。這是「聰明誤我」？或是「我誤聰明」呢？就人生哲學的觀點來看，如果當蘇東坡的老師，這一首詩前三句可打圈圈，末句不但打三個×，還要把蘇東坡叫來面斥一頓：「你又打如意算盤，太聰明了！怎麼不誤了自己呢？」

我有時也不大喜歡讀書太過用功的學生，這也許是我的不對。但我看到很多功課好的學生，戴了深度的近視眼鏡，除了讀書之外，一無用處。據我的發現是如此，也是我幾十年的經驗所知，至於對或不對，我還不敢下定論。可是社會上有才具的人，能幹的人，將來對社會有貢獻的人，並不一定在學校裡就是書讀得很好的人。所以功課好的學生，並不一定將來到社會上做事會有偉大的成就。前天在×大考一個研究生，拿碩士學位。很慚愧的，我忝爲指導老師，還好最後以八十五分的高分通過了。這個孩子書讀得非常好，但是我看他做事，一點也不行，連一個車子都叫不好。書讀得好的，一定能救國嗎？能救國、救世的人，不一定書讀得好。假定一個人書讀得好，學問好，才具好，品德也好那才叫做文質彬彬，算是一個人才。所以常勸家長們不要把子弟造就成書呆子，書呆子者無用之代名詞也。試看清代中葉以來，中西文化交流以後，有幾個第一名的狀元是對國家有貢獻的？再查查看歷史上，有幾個第一名狀元對國家有重大貢獻的？宋朝有一個文天祥，唐朝有一個武進士出身的郭子儀。只有一兩個比較有名的而已。近幾十年大學第一名畢業的有多少人？對社會貢獻在哪裡？對國家貢獻在哪裡？一個人知識雖高，但才具不一定相當；而才具又不一定與品德相當。才具、學識、品德三者要兼備，不但學校教育要注意，家庭教育也要對此多加注意。

在權位、名利之間，大家都說對富貴功名不在乎，但有人問我喜歡什麼？我一定說喜歡錢。問我有錢沒有？我老實回答沒有錢。當然，不應該要的錢不會去拿，危險的錢不敢去拿，所以一輩子也沒有錢。但錢是人人喜歡的，所以要講老實話。如果說「我決不要錢」，這個話真不真？很難說了。同樣的說「我決不要做官」，這個話是不是真心的，也很難說。富貴功名我很喜歡，可是決不亂來，決不幸致。這是坦白話、良心話。我喜歡，但不苟取、不亂來，這已經了不起，是很好的素養了。如果說我絕對不喜歡，那是假話。人要誠懇。所以做官，必須要學學令尹子文，三次上台，不喜，三次下台，不慍。我們看書時往往把這種地方很輕易帶過了，如果自己切實一體會，才知道他真是了不起。上台，應該的，你交給我做，只要能夠做的我盡力去做；下台，最好，我休息休息，給別人做，心裡無動於衷。這還不怎麼難，最難的是：「舊令尹之政，必以告新令尹。」自己所做的事情，一定詳詳細細告訴後面接任的人該怎麼辦。普通交接，只說：「這事我辦了一半，明天你開始接下去。」就這樣了事，而不把事情的困難、機密全部告訴來接印的新人。多數人都會有經驗，新舊任交接，在交印時總不是味道，多半不願把困難的所在告訴新任的人。即使雙方是好朋友，也是一樣。甚至原來兩個好朋友，一個在台上的病危了，另一個到醫院去探望，關心的是哪一天可以去接他的印，而不是病情何時好轉。看了幾十年人情，頗恨眼睛還很亮，不太老花，耳朵也頗靈光，這真不是件快樂的事！

中國文化裡講人生的道理：「唯大英雄能本色，是真名士自風流。」所謂大英雄，就是本色、平淡，世界上最了不起的人就是最平凡的，最平凡的也是最了不起的。換句話說：一個絕頂聰明的人，看起來是笨笨的，事實上也是最笨的，笨到了極點，真是絕頂聰明。這是哲學上一個基本的問題。人沒有誰算聰明，誰又算笨，笨與聰明只是時間上的差別。所謂聰明人，一秒鐘反應就懂了，笨的人想了五十年也懂了。這五十年與一秒鐘，只是那麼一點差別而已，所以了不起就是平凡。唯大英雄能本色——平淡。上台是這樣，下台也是這樣。所以曾國藩用人，主張始終要帶一點鄉氣——就是土氣。什麼是土氣？我是來自民間鄉下，鄉下人是那個樣子，就始終是鄉下人那個樣子，沒有什麼了不起。所以彭玉麟、左宗棠這一班人，始終保持他們鄉下人的本色，不管自己如何有權勢，在政治功業上如何了不起，但我依然是我，保持平凡本色是大英雄。另一句「是真名士自風流」，同一意義，不再重覆了。一個人不要迷於絢爛，不要過分了，也就是一般人所謂不必「錦上添花」，要平淡。

我們都常聽說「得意忘形」，但是，據我個人幾十年的人生經驗，還要再加上一句話——「失意忘形」。有人本來蠻好的，當他發財、得意的時候，事情都處理得很得當，見人也彬彬有禮；但是一旦失意之後，就連人也不願見，一副討厭相，自卑感，種種的煩惱都來了，人完全變了——失意忘形。所以我就體會到孟子講的：「富貴不能淫，貧賤不能移，威武不能屈。」一個人做學問，只要做到「貧賤不能移」一句話——能夠受得了寂寞，受得了平淡，所謂「唯大英雄能本色」，無論怎麼樣得意也是那個樣子，失意也是那個樣子，到沒有衣服穿，餓肚子仍是那個樣子，這是最高修養，達到這步修養太難了。

「謹慎」在歷史上有個榜樣，就是我們中國人最崇拜的人物之一的諸葛亮。所謂「諸葛一生唯謹慎，呂端大事不糊塗。」這是一副名聯，也是很好的格言。呂端是宋朝一個名宰相，看起來他是笨笨的，其實並不笨，這是他的修養，在處理大事的時候，遇到重要的關鍵，他是決不馬虎的。那諸葛亮則一生的事功在於謹慎，要找謹慎的最好榜樣，我們可多研究諸葛亮。

謹慎不可流於小器，這點修養要注意，這個人能謹慎處世而信——在人與人之間，人與社會之間，一切都言而有信。

爲人處事，善於運用巧妙的曲線只此一轉，便事事大吉了！換言之，做人要講藝術，便要講究曲線的美。罵人當然是壞事。例如說：「你這個混蛋！」對方一定受不了，但你能一轉而運用藝術，你我都同此一罵，改改口氣說：「不可以亂搞，做錯了我們都變成豆腐渣的腦袋，都會被人罵成混蛋！」那麼他雖然不高興，但心裡還是接受了你的警告。若說：「你這個混蛋，非如此才對」。這就不懂「曲則全」的道理了，所以，善於言詞的人，講話只要有此一轉就圓滿了，既可達到目的，又能彼此無事。若直來直往，有時是行不通的。不過曲線當中，當然也須具有直道而行的原則，老是轉彎，便會滑倒而成爲大滑頭了。所以，我們固有的民俗文學中，便有「莫信直中直，須防仁不仁」的格言。總之：曲直之間的「運用之妙，存乎一心」。

中外歷史上，與政治有關的女人太多，幾乎任何一個政權都離不開女人。常在報紙上看到，英國的緋聞出來了，白宮的桃色新聞又出來了，全世界新聞界鬧得那麼凶，我看看覺得蠻好玩的。有的學生問，怎麼覺得好玩呢？我說這有什麼稀奇呢？報紙上鬧是另外一回事，古今中外任何一個政權，幾乎沒有不和女性發生關係的。不過有些是好的女性，有些是壞的女性，和歷史的整個形態都有關係，可惜的是古代重男輕女，歷史的記載沒有朝此方向發揮而已。明末清初文學家李笠翁說的，人生就是戲台，歷史也不過是戲台，而且只有兩個人唱戲，沒有第三個人。哪兩個人？「一個男人，一個女人。」

這句話又引起另一則有名的故事：相傳清朝的乾隆皇帝遊江南，站在江蘇的金山寺，看見長江上有許多船來來往往。他問一個老和尚：「老和尚，你在這裡住了多少年？」老和尚當然不知道這個問話的人就是當今皇上，他說：「住了幾十年。」問他：「幾十年來看見每天來往的有多少船？」老和尚說：「只看到兩隻船。」「這是什麼意思？爲何幾十年來只看到兩隻船？」老和尚說：「人生只有兩隻船，一隻爲名，一隻爲利。」乾隆聽了很高興，認爲這個老和尚很了不起。李笠翁說人生舞台上只有兩位演員，一個男的，一個女的，這也是很自然的現象。

《莊子》書中有句話妙得很，他說：「不亡以待盡。」這話怎麼說呢？意思是我們活在世界上並沒有活，是在那裡等死。所以莊子又說：「方生方死，方死方生。」當一個嬰兒出世，我們說生了，但莊子的觀念中，那不是生了，而是死亡的開始。自生之時就開始慢慢走向死亡。兩歲時，一歲的我過去了；十歲時，九歲的我過去了；四十歲時，三十九歲的我過去了。天天都在生死中新陳代謝，思想也在生了死，死了生。我們一個新的思想生了，前一個思想馬上死亡了，流水一樣。正如孔子說的「逝者如斯夫！不舍晝夜。」所以莊子說看著這生命活著，沒有死，是在等最後的一天。

從哲學的觀點來看人生，的確是這樣。所以有人學哲學，學得不好的，反而覺得人生沒有意思，你說搞了半天有什麼結論？沒有結論。這個世界就是一個缺憾的世界。像曾國藩在晚年，就爲他的書房命名爲「求闕齋」，要求自己有缺憾，不要求圓滿。太圓滿就完了，作人做事要留一點缺憾。如宋朝的大哲學家、通《易經》而能知道過去未來的邵康節，和名理學家程顥、程頤弟兄是表兄弟，和蘇東坡也有往來。二程和蘇不睦。邵康節病得很重的時候，二程在病榻前照顧，這時外面有人來探病，程氏兄弟問明來的是蘇東坡，就吩咐下去，不要讓蘇東坡進來。邵康節躺在床上已經不能說話了，就舉起一雙手來，比成一個缺口的樣子。程氏兄弟不懂他作出這個手勢來是什麼意思，後來邵康節喘過一口氣，他說：「把眼前路留寬一點，讓後來的人走走。」然後死了。這也就是說世界本來缺憾，又何必不讓人一步好走路！

許多人誤解了佛學的用詞。如在佛學上經常看到「夢幻空花」這句話，在文學上看來很美，世界上一切的感情、人事等等就是這四個字。從這四個字的文學表面看，以爲什麼都沒有。但不是沒有，「夢幻空花」形容得非常好，不能說是沒有。這就是哲學了。

當一個人在夢中，如果說「夢沒有」，這句話不見得能成立。當我們在夢中的時候，並沒有覺得夢是沒有。所以在夢中的時候，傷心的照樣會哭，好吃照樣在吃，挨打照樣會痛，這就不能說在夢中的爲「沒有」，當他在夢中的時候是有的。一個人在作夢的時候，不管在作什麼夢，千萬不要叫醒他，否則就是大煞風景。即使他夢中覺得痛苦，而痛苦中也有值得回味之處，這也是他的生活，何必叫醒他？

我們知道夢的現象，是在睡眠裡頭所發現的，感覺到的，醒來以後，自己一笑，說作了一個夢，是空的，那是閉著眼的迷糊事，張開眼睛，夢就沒有了。事實上，我們現在張開眼睛在作夢。試把眼睛一閉，前面的東西就沒有了。白天張開眼睛，心裡構成了活動，也在作夢，並沒有兩樣。現在閉上眼睛，馬上前面的東西看不見了，如夢一樣，過去了。昨天的事情，今天一想，也過去了。很快的過去了，那也是一個夢，很快的夢，但一張開眼就沒了，在心境上是完全一樣的。所以夢中不能說它沒有。

再說「空花」，虛空中的花朵，怎麼看得見？人把眼睛一揉，可以看到眼前許多點點，那些點點本來没有，是揉出來的。可是在視覺上是看到了。拿生理學、醫理學來講，因爲視神經被磨擦，疲勞了，充血壓迫刺激以後，起了幻覺，雖然是幻，但卻實實在在看到了。

無論東方或西方，任何一種文化、一種學術思想，都是以求利爲原則。如果不是爲了求利，不能獲利的，這種文化、這種思想，就不會有價值。

從哲學的觀點看，一切生物，都有一個共同的目標，就是「離苦得樂」。飢餓是苦，吃飽了則得樂。疾病是苦，醫好了則樂。天氣太熱則苦，到樹蔭下乘涼，或到有冷氣的房子裡，全身清涼則樂。一切生物的一切行為動態，目的都在「離苦得樂」，也就是我們中國文化《易經》上的「利用安身」，也就是現代觀念想辦法在我們活著時，活得更好。像設法利用太陽能，淨化空氣，防止水源的污染，目的都是使我們好好地活著，這些都是《易經》中所說的「利用安身」。所以任何文化，任何學說思想，如不能求利，沒有利用價值，則終必被淘汰。

即如宗教家們的修道，也是為利。修道的人，看起來似乎與人無爭。實際上出世修道的宗教家，是世界上最講究先求自利的人，他拋棄世間一切去修道，修道為了使自己昇天或成佛，這也是為了自己。雖然說自利而後利他，那也只是擴充層次上的差別，其唯利而圖是一樣的。為了昇天成仙之利而修道，這也是為了利。

關於領導人的心理行為問題，我們站在心理哲學立場（我今天提出「心理哲學」這一名詞，也許有些人要反對、批評或指責。但事實上任何一種專門學說剛剛提出來的時候，一定會遭遇到這樣的反應，然後大家慢慢了解，而接受。如果有時間到學校裡開這麼一門課，必能建立起「心理哲學」這一學說的完整體系。）來看歷代帝王，有很多人，或多或少，都有心理變態，或心理病態的。如明代的開國皇帝明太祖朱元璋，到了晚年的好殺，就是心理病態的一種。至於其他皇帝所表現的，也往往有醫學上所稱心理變態或病態的症狀，只是各有不同而已。有的好殺，有的好色，有的好貨等等，但都屬於心理變態或病態的症狀是没錯的。如果遇到這樣的皇帝，那就很不幸了，往往會弄得民不聊生，甚至於喪身失國。

歷史上這一類的例子很多，所以幾千年來，我國固有文化講究心性修養，講究內聖外王之道，尤其對於君臨天下的政治領導人要求更嚴，這是很有道理的。

不但是古代需要重視領導人的領導心理行爲，就是現代，更要重視這門學問。放眼今日世界，有許多國家的領導人，像現在烏干達的阿明，假如他有勇氣到心理醫師那裡去就診，那麼診斷書上的記載，可能相當嚴重。至於拿破崙、希特勒、墨索里尼等，世人已經公認了他們心理不健全。

後世好樂的帝王也很多。唐太宗愛好音樂，同時愛好武功，愛好書法。中國的書法，以他提倡最力。後來幾位大書法家，如顏真卿、柳公權等，都出在唐代。其實唐太宗自己的字就寫得很好，還有他的「祕書長」虞世南，「祕書」褚遂良等，都是最好的書法家。唐太宗臨死時，什麼都不要，吩咐他兒子把從別人那裡搶來的王羲之寫的《蘭亭集序》放到棺材裡陪葬，可見他愛好之深。他同時也愛好詩，結果不但自己的詩作得好，而且影響唐代的詩達到鼎盛。唐太宗有多方面的興趣，也有多方面的欲望，可是他自己知道站在領導人的地位，應該如何去適當處理自己的欲望，使之變爲正常化，所以他能夠成爲後世的英明之主。不然的話，像另外幾個愛好音樂的帝王，因爲不善於處理自己的愛好，結果都是把政治生命連同本身生命一起玩掉了。

在唐代帝王中，最好提倡音樂的就是唐明皇，後世戲班中供奉的祖師爺，就是這位唐朝的皇帝。

唐代末期的僖宗，年少不懂事，只好玩樂，政令都被他左右的權奸、大臣們所把持。他好踢球，自己認爲球技最佳。有一天打球回來，對他最嬖幸的優人，也是球手石野豬說，如果打球也可以參加考試的話，我一定可以考取狀元。石野豬說，不錯，你在打球上可以考狀元；但是，如果碰到堯舜來主管吏部的話，在考績的時候，一定會把你免職了。僖宗聽了，便哈哈大笑了事。

再下來殘唐五代，幾乎沒有帝王不好音樂、戲劇。如南唐後主等，結果都是這樣玩玩，把政治搞壞了。國家也完了，而整個五代也因此弄得亂七八糟。這在歷史的環節中，也是很有趣的問題。

領導人對部下，或者丈夫對太太，都容易犯一個毛病。尤其是當領導人的，對張三非常喜愛欣賞，一步一步提拔上來，對他非常好，等到有一天恨他的時候，想辦法硬要把他殺掉。男女之間也有這種情形，在愛他的時候，他罵你都覺得對，還說打是親罵是愛，感到非常舒服。當不愛的時候，他對你好，你反而覺得厭惡，恨不得他死了才好。這就是「愛之欲其生，惡之欲其死。」愛之欲其生的事很多，漢文帝是歷史上一個了不起的皇帝，他也有偏愛。鄧通是侍候他，管理私事的，漢文帝很喜歡他。當時有一個叫許負的女人很會看相，她爲鄧通看相，說鄧通將來要餓死。這句話傳給漢文帝聽到了，就把四川的銅山賜給鄧通，並准他鑄鐵（自己印鈔票）。但鄧通最後還是餓死的。這就是漢文帝對鄧通愛之欲其生。當愛的時候，什麼都是對的，人人都容易犯這個毛病，尤其領導人要特別注意。孔子說：「既欲其生，又欲其死，是惑也。」這兩個絕對矛盾的心理，人們經常會有，這是人類最大的心理毛病。

我們作人處理事情，要真正做到明白，不受別人的矇蔽並不難，最難的是不要受自己的矇蔽。所以創任何事業，最怕的是自己的毛病；以現在的話來說，不要受自己的矇蔽，頭腦要絕對清楚，這就是「辨惑」。譬如有人說「我客觀的說一句」，我說對不起，我們搞哲學的沒有這一套，世界上沒有絕對的客觀，你這一句話就是主觀的，因爲你說「我」，哪有絕對的客觀？這就要自己有智慧才看清楚。這些地方，不管道德上的修養，行政上的領導，都要特別注意。「愛之欲其生，惡之欲其死。」是人類最大的缺點，最大的愚蠢。

作人與其開放得過分了，還不如保守一點好。保守一點雖然成功機會不多，但決不會大失敗；而開放的人成功機會多，失敗機會也同樣多。以人生的境界來說，還是主張儉而固的好。同時以個人而言奢與儉，還是傳統的兩句話：「從儉入奢易，從奢入儉難。」就像現在夏天，氣候炎熱，當年在重慶的時候，大家用蒲扇，一個客廳中，許多人在一起，用橫布做一個大風扇，有一個人在一邊拉，搧起風來，大家坐在下面還說很舒服。現在的人說沒有冷氣就活不了。我說放心，一定死不了。所以物質文明發達了，有些人到落後地方就受不了，這就是「從奢入儉難」。

歷史上許多人，像呂蒙正，當了宰相，生活仍然很清苦。如最近電視上轟動的包青天，他一生的生活。也是清儉到極點，他本身沒有缺點被人攻擊，那麼多年，身爲大臣，龍圖閣直學士兼開封府尹，等於中央祕書長，兼台北市長。做了這麼大的官，可是一生清儉。民間傳說，更把他當做了神，講儒家文化，包公成了一個標竿。如宋朝的趙清獻，當時人稱他鐵面御史，對誰都不買帳，做官清正，政簡刑清，監牢裡無犯人，也和包公一樣。歷史上有許多名臣都是儉，乃至許多大臣，有的臨到死了，連棺材都買不起。不但一生沒有貪污一文錢，連自己薪水積蓄都沒有，後代子孫都無力爲他買棺材，要由老朋友們湊錢，這就是儉的風範。

後世道家所講的「煉精化氣，煉氣化神，煉神還虛」，究竟有沒有這回事呢？——有這回事。但千萬別誤認所指是人體生理周期所產生的精蟲卵子。如果這樣認定，就有毫厘之差，千里之失。有一位在美國研究心理學的同學，回來跟我講：真糟糕，現在美國心理學家，提倡老人可以結婚，享受充分的性生活，並不承認中國道家「十滴血一滴精」的說法，而且不反對多交、雜交，這不是要把老人玩死了嗎！這位同學畢竟是知識分子，不能做到「絕學無憂」，一直擔心得不得了。

於是，我問他：你知不知道所謂「十滴血，一滴精」的說法是怎麼傳到美國去的？他說：道書上都這麼講。我告訴他：這不是正統的道書，這種書把「精」認作男性精子及女性卵子，根本大錯特錯。事實上精子卵子也不是單靠血液變出來的。美國這些心理學家、生理學家拼命攻擊這種觀念，是有其道理的。人家有科學上的根據，豈會隨隨便便相信你的說法，怪只怪我們自己販賣中國文化的人搞錯了。

後記

自從一九八七年第一次讀到南懷瑾先生的《老子他說》後，就對南先生的著作產生了濃厚的興趣。幾年下來，先後讀了先生的大部分專著。有出版界人士慫恿：何不擇其精華，編一本《南懷瑾妙語精言》之類的書，肯定會有讀者。

南懷瑾先生祖籍浙江溫州，生於一九一七年。在台灣畢生從事教學工作，精研儒釋道，兼及易經天文和詩詞文學，著作等身，桃李滿天下，至今已出版了三十一部學術專著。兩岸關係鬆動後，大陸多家出版社先後出版了南先生的好幾部專著，總印數已達數十萬。

南懷瑾先生著作的最大特點是內容博大精深，文字通俗易懂，南先生在闡述我國傳統文化的經典名著時，廣徵博引，談笑風生。南先生談詩，有哲理，有典故；南先生談人生，引用了大量的典故、詩詞，南先生用典故，大有其獨到的見地。我把這本書的名字定爲《南懷瑾歷史人生縱横談》，肯定未能收盡南先生著作中的「妙語精言」，希望還能算是切題。

本書取材自南先生的《論語別裁》、《孟子旁通》、《老子他說》、《禪宗與道家》、《新舊的一代》、《易經雜說》、《易經繫傳別講》、《觀音菩薩和觀音法門》和《金粟軒詩話八講》等。我所做的事就是剪刀加漿糊，「斷章取義」，稍加整理。好在南先生的書通篇結構嚴謹，但擷取一段，又能獨立成篇。文章的標題大多是原書中的小標題，小部分是我加上去的。在編輯過程中只刪去個別字句，純粹是技術性的。

本書編成後，曾得到南先生的首肯，但先生無暇對此書加工潤色，一切疏誤不當之處，責任全在編者。

練性乾

一九九二年十一月

國內外購書辦法

國內

1. 郵政劃撥

郵購老古出版之書籍一律享九折優惠(英文版書籍無折扣)，國內僅收掛號費五十元，其餘郵資由本公司負擔，約十日內收到書。

郵政劃撥帳號：0159426-1　帳戶名稱：老古文化事業股份有限公司

2. 電腦網路線上訂購

國內如用網上購書一律享九折優惠(英文版書籍無折扣)，由本公司委託郵局送件與收款，郵差先生所收取款項爲書籍款項及郵資代收貨價費一〇〇元。

網址：http://www.laoku.com.tw

電子郵件：laoku@ms31.hinet.net

3. 信用卡訂購單

填寫信用卡專用訂購單後，請利用傳真專線回傳或郵寄至公司。

傳真專線：國內 02－2707-8217　國外 886-2-2707-8217

郵寄地址：台北市（106）信義路三段二十一號

4. 門市

地址：台北市（106）信義路三段二十一號

電話：（02）2703－5592　傳真：（02）2707－8217

營業時間　星期一至星期六　早上 9：00～晚上 9：00

週休二日及國定假日　早上 11：00～晚上 9：00

國外

1. 國外訂戶可利用傳真，國際網上購書一律採水陸方式寄書(如需用其他方式請註明)因地區、重量之不同，國外訂購價格(含郵資)爲書籍定價 ×1.6

戶　名：老古文化事業股份有限公司

Lao Ku Culture Foundation Inc.

銀　行：華南銀行信義分行

Hua Nan Commercial Bank Shin Yi Branch

外匯帳號：119100034698

銀行地址：台北市信義路二段 183 號

No . 183 , Shin - Yi Rd , Sec . 2 Taipei , Taiwan , R . O . C

2. 國外代理

香港－青年書局　電話：852-2564-8732

地址：香港北角渣華道 82 號 2 樓

大陸－尙南文化事業公司　電話：8620-8667-9529

地址：廣東省廣州市流花路時代廣場 2 樓 65 號

	Basic Buddhism (J.C.Cleary 譯)	
Q0219	Twenty-Five Doors To Meditation (25 修定法門) (William Bodri & Lee Shu-Mei)	500
Q0905	Heritage Of Change (易經的傳承) 薛樂如著	300

四. 兒童智慧開發

Q7201	新舊的一代	150
S1811	兒童中國文化導讀 (注音誦讀本)	每本 60
S1812	兒童中國文化導讀 (羅馬拼音誦讀本)	每本 60
S1813	西方文化導讀 第一冊 (英文誦讀本內含 CD)	220
S1814	南老師的話	20

備註 ：

1. 兒童中國文化導讀注音誦讀本，預定發行 36 冊。
2. 89 年 8 月已出版至第十冊，依據兒童讀經課程每月出版一本。(89 年 10 月預計出版第十一冊)
3. 每冊精選中國文化重要經典及詩詞等，並附注音，以供學生誦讀且攜帶方便。
4. 西方文化導讀 第二冊，預計 89 年 9 月出版。

◆圖書售出後除缺頁裝訂錯誤外概不退還

◆本目錄價格如有變動概以新價格為準

◆大量訂購另有優惠

◆歡迎委任印刷

Q1604	實用未來預知術 (諸葛亮著)	180
書號	**書　名**	**定價(NT$)**
Q1605	揭開黃曆的秘密 (蔡策著)	170
Q1606	易經星命與占卜 (朱文光著)	200
Q1607	景祐遁甲符應經 (16開本) 宋仁宗製	250
Q1608	客家民俗—談贛南 (蔡策著)	200
Q1701	增廣驗方新編 (清、鮑相璈撰)	240
Q1702	針灸技術圖經穴清明圖合編 (林介元編)	150
Q1703	氣功保健與指針自療 (王紹璠著)	80
Q1704	太極拳體用全書 (楊澄甫編)	80
Q1706	氣覺與氣功 (姚貞香著)	200
Q1707	氣功防治心血管疾病 (王崇行編)	220
Q1708	本草備要	200
Q1709	紅燈邊緣話長生—血管病的最新認識 (董玉京著)	200
Q1801	知見雜誌合訂本 (第四卌) 南懷瑾主編	250
Q1803	唐圭峰定慧禪師碑	350
Q1804	石陣鐵書室丙辰日誌摘鈔	300
Q1805	氤巒華山廟碑	200
Q1806	準提鏡壇 (鍍金) 修持專用	特價 2,700
Q1807	觀音項鍊	100
Q1808	觀音菩薩籤	200
R1810	人文世界 1-12期 (季刊)	每本特價 20
	佛像小圖片 (四臂觀音、準提菩薩、五方佛)	每張 10
Q1909	三界天人表	100
Q1910	陞官圖	120
Q1911	白骨禪觀圖	25

三. 英譯本

Q7504	靜坐修道與長生不老 (南懷瑾著) Tao And Longevity (朱文光譯)	350
Q7509	習禪錄影 (南懷瑾著) Grass Mountain (劉雨虹譯)	350
Q7513	如何修證佛法 (上) 南懷瑾著 Working Toward Enlightenment (J.C.Cleary 譯)	500
Q7514	如何修證佛法 (下) 南懷瑾著 The Realized Enlightenment (J.C.Cleary 譯)	500
Q7515	中國佛教發展史略述 (南懷瑾著)	550

書號	書名	定價(NT$)
Q1002	先秦文化史 (孟世傑著)	200
Q1003	鑑史提綱、稽古錄 (司馬光等著)	120
Q1005	清鑑輯覽 (上、下 2 本 1 套) 不分售	每套 700
Q1007	25 史彈詞 (楊升庵著)	120
Q1101	國學初基入門	100
Q1102	增訂繪圖幼學瓊林 (清、程允升編著)	140
Q1103	四書白話句解 (王天恨述解)	250
Q1201	二十六史通俗演義 (呂撫著)	280
Q1202	精印三國演義 (上、中、下 3 本 1 套) 不分售 (羅貫中著、金聖嘆批鑑定)	每套 800
Q1203	西遊原旨 (上、下原西遊記) 悟元子評釋	500
Q1204	後西遊記 (天花才子評點)	240
Q1205	宮禁后妃生活 (向斯著)	230
Q1206	中國皇帝遊樂生活 (向斯著)	200
Q1301	一日一禪詩 (焦金堂選輯)	180
Q1303	解人頤 (清、錢謙益編)	150
Q1304	諧鐸 (清、沈起鳳著)	100
Q1305	清詩評註 (王文濡)	140
Q1306	清文評註 (王文濡)	120
Q1307	漪痕館新詞譜	140
Q1308	日本戰後的史詩 (木下彪著)	150
Q1309	復翁詩集 (樂清復戡朱鵬著)	120
Q1311	袖珍詩韻 (新安未老人輯著)	120
Q1312	袖珍檢韻 (清、姚文登輯)	150
Q1313	唱經堂彙稿 (金聖嘆著)	100
Q1314	初潭集 (李贄著)	120
Q1401	曾文正公日記 (清、曾國藩著)	80
Q1404	金聖嘆才子尺牘 (金聖嘆著)	200
Q1405	八賢手扎 (曾國藩等著)	120
Q1501	修養錄 (趙鉦鐸編)	180
Q1502	菜根譚前後集 (明、洪自誠著)	120
Q1503	原本菜根譚 (明、洪應明著)	80
Q1504	乾隆本菜根譚 (明、洪應明著)	120
Q1505	醉古堂劍掃 (明、陸紹衍著)	200
Q1602	古本麻衣相法 (附冰鑑) 清、丘宗孔編	260
Q1603	相術口訣真傳	200

Q0416	佛律與國法 (勞政武著)	600
書號	**書　　名**	**定價(NT$)**
Q0501	雍正御錄宗鏡大綱 (上、下 2 本 1 套) 不分售 (雍正皇帝選錄、永明壽禪師著)	每套 400
Q0502	水月齋指月錄 (上、下 2 本 1 套) 不分售 (明、瞿汝稷編)	1,000
Q0503	指月錄禪詩偈頌 (編輯部)	180
Q0504	續指月錄禪詩偈頌 (編輯部)	180
Q0505	禪門日誦	200
Q0506	佛法要領、永嘉禪宗集 (唐、大珠禪師等著)	150
Q0507	高峰妙禪師語錄	120
Q0508	參學旨要	160
Q0509	東坡禪喜集 (明、徐長孺輯)	120
Q0510	六妙法門 (隋、智顗大師述著)	150
Q0511	雍正與禪宗	250
Q0512	佛說入胎經今釋 (南懷瑾指導、李淑君譯著)	270
Q0513	悅心集 (清、雍正選集)	200
Q0601	準提修法顯密圓通成佛心要	250
Q0602	密教圖印集 (第一集)	300
Q0603	密教圖印集 (第二集)	200
Q0605	藏密氣功 (中國藏密氣功研究會編)	220
Q0701	憨山大師傳、密勒日巴傳記 (福善記錄惹穹多傑札把著)	200
Q0702	懷師—我們的南老師 (編輯部)	240
Q0703	禪門內外—南懷瑾先生側記 (劉雨虹著)	480
Q0803	三國演義的政治與謀略觀 (毛宗崗批)	200
Q0804	水滸傳的政治與謀略觀 (金聖嘆批註)	200
Q0805	宦鄉要則 (清、宦鄉老人撰)	150
Q0806	康濟錄 (清、陸曾禹著)	160
Q0807	從政典範集 (宋、李邦獻著)	160
Q0808	典林瑯環	200
Q0901	道德經釋義 (林雄著)	150
Q0902	善本 (易經) 朱熹註	120
Q0904	周易尚氏學 (尚秉和著)	280
Q0906	易緯、關氏易傳、春秋占筮合編	220
Q0907	周易圖經廣說 (上册圖說) (下册經說) 清、萬年淳著 (不分售)	520
Q0908	觀易外編 (清、紀大奎著)	280
Q0909	易問 (清、紀大奎著)	280
Q0910	易學濫殤 (元、黃澤)	100

書號	書　名	定價(NT$)
Q7508	習禪錄影 (精裝本)	430
Q7510	禪觀正脈研究	220
Q7511	參禪日記初集 (金滿慈著、南懷瑾批)	220
Q7512	參禪日記續集 (金滿慈著、南懷瑾批)	220

二. 其他各種圖書

Q0201	縵餘隨筆 (孫毓芹著)	150
Q0202	習禪散記 (編輯部著)	220
Q0203	禪、風水及其他 (劉雨虹著)	200
Q0205	西方神密學 (朱文光著)	180
Q0208	美國的民主與情報 (朱文光著)	120
Q0210	老人心理學 (周勳男著)	120
Q0213	心聲集 (王道著)	100
Q0214	人是上帝造的嗎 (張瑞夫著)	240
Q0215	人性是甚麼 (牛實爲著)	200
Q0216	南懷瑾談歷史與人生 (練性乾編)	250
Q0217	南懷瑾與金溫鐵路 (侯承業編記)	280
Q0218	蘇格拉底也是大禪師 (William Bodri 包卓立著)	220
Q0301	法住記及所記阿羅漢考 (馮承鈞譯)	180
Q0302	佛學大綱 (謝無量著)	360
Q0303	呂澂佛學名著 (呂澂著)	350
Q0401	維摩詰經集註 (李翊灼校輯)	300
Q0402	金剛經五十三家集註 (明、永樂皇帝編)	200
Q0403	解深密經 (唐、玄奘法師譯)	100
Q0404	圓覺經直解 (明、憨山大師著)	180
Q0405	無量壽莊嚴經 (宋、法賢大師譯)	100
Q0407	藏要(歐陽竟無主編) 16K 精裝本 20 本一套 (定價 12,000)	特價 6,600
Q0408	佛學經典叢編 (上、下 2 本 1 套) 不分售 (弘一大師編)	每套 750
Q0409	成唯識論 (唐、玄奘法師譯)	240
Q0410	大乘百法明門論 (明、釋廣益纂註)	240
Q0411	現觀莊嚴論 (法尊法師譯)	120
Q0412	楞伽經會譯 (宋天竺三藏求那跋陀羅等著)	320
Q0413	金剛經宗通 (曾鳳儀)	280
Q0414	楞嚴經宗通 (曾鳳儀)	430
Q0415	楞伽經宗通 (曾鳳儀)	430

一. 南懷瑾先生著作系列

書號	書名	定價(NT$)
Q7101	論語別裁 (上、下 2 本 1 套) 可分售	每套 650 單冊 325
Q7102	論語別裁 (精裝合訂本) 內頁採用聖經紙	530
Q7103	孟子旁通 (精裝本)	340
Q7104	老子他說 (精裝本)	340
Q7104-X	老子他說 (平裝本)	300
Q7105	易經雜說	260
Q7106	易經繫傳別講 (上傳)	300
Q7107	易經繫傳別講 (下傳)	200
Q7108	原本大學微言 (上、下 2 本 1 套) 不可分售	每套 500
Q7201	新舊的一代	150
Q7202	歷史的經驗 (一)	220
Q7204	中國佛教發展史略述	220
Q7205	中國道教發展史略述	220
Q7206	中國文化泛言 (序集)	220
Q7207	金粟軒詩詞楹聯詩話合編	160
Q7208	金粟軒紀年詩初集	200
Q7301	楞嚴大義今釋 (精裝本)	360
Q7302	楞伽大義今釋 (精裝本)	300
Q7303	金剛經說甚麼 (新訂版)	300
Q7304-A	圓覺經略說 (新訂版)	300
Q7305-A	藥師經的濟世觀 (新訂版)	280
Q7401	禪海蠡測 (精裝本)	300
Q7401-X	禪海蠡測 (平裝本)	270
Q7402	禪話	180
Q7403	禪與道概論 (精裝本)	300
Q7404	禪宗叢林制度與中國社會	100
Q7405	道家密宗與東方神秘學	270
Q7406	佛法禪修參行、神仙道學旨要(合刊)南懷瑾選輯、王鳳嶠恭書	200
Q7501	維摩精舍叢書 (精裝本)	360
Q7502	如何修證佛法	360
Q7503	靜坐修道與長生不老	250
Q7505	一個學佛者的基本信念	200
Q7506	定慧初修	170
Q7507	觀音菩薩與觀音法門	200

封面題字：杜忠誥
國際標準書號：ISBN 957-8984-34-0

南懷瑾談歷史與人生

練性乾 編

乙亥 1995 (84) 年十二月臺灣初版
辛巳 2001 (90) 年四月臺灣初版十刷

●局版臺業字第一五九五號●

發行人：南懷瑾
出版者：老古文化事業股份有限公司
地址：台北市 106 信義路三段二十一號（二樓附設門市）
電話：(〇二)二七〇三—五五九二　傳真：(〇二)二七〇七—八二一七
郵政劃撥：〇一五九四二六—一　帳戶名稱：老古文化事業股份有限公司
香港出版：經世學庫發展有限公司
地址：香港中環都爹利街八號鑽石會大廈十樓
電話：(八五二)二八四五—五五五五　傳真：(八五二)二五二五—一二〇一
網址：http://www.laoku.com.tw
電子郵件：laoku@ms31.hinet.net

定價：新臺幣二五〇元整